Una grammatica italiana per tutti

2

Regole d'uso,
esercizi e chiavi
per studenti stranieri

Volume secondo:
livello intermedio

B1-B2 QUADRO EUROPEO DI RIFERIMENTO

Alessandra Latino
Marida Muscolino

Alessandra Latino e **Marida Muscolino** si occupano da oltre dieci anni di insegnamento della lingua italiana agli stranieri e di formazione degli insegnanti di italiano. Attualmente insegnano presso l'International House di Milano. Sono inoltre preparatrici ed esaminatrici per il conseguimento delle Certificazioni di Italiano dell'Università per Stranieri di Perugia (CELI e CIC).
Alessandra Latino ha curato i capitoli 1, 2, 3, 10, 17, 18, 19, 20, 24, 25, 26, 27, 28, 29, 30, 31, 32, 33, 34, 35, 36, 37, 38, 52, 53, 54; Marida Muscolino ha curato i capitoli 4, 5, 6, 7, 8, 9, 11, 12, 13, 14, 15, 16, 21, 22, 23, 39, 40, 41, 42, 43, 44, 45, 46, 47, 48, 49, 50, 51.

© edizioni Edilingua
Sede legale
Via Cola di Rienzo, 212 00192 Roma
Tel. +39 06 96727307
Fax +39 06 94443138
info@edilingua.it
www.edilingua.it

Deposito e Centro di distribuzione
Via Moroianni, 65 12133 Atene
Tel. +30 210 5733900
Fax +30 210 5758903

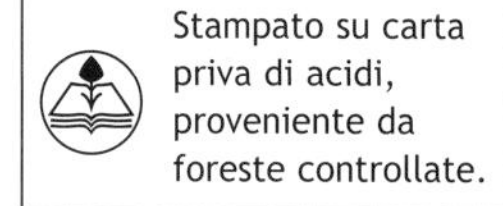

Grazie all'adozione dei nostri libri, Edilingua adotta a distanza dei bambini che vivono in Asia, in Africa e in Sud America. Perché insieme possiamo fare molto! Ulteriori informazioni sul nostro sito.

II edizione: marzo 2014
Impaginazione e progetto grafico: Edilingua
Illustrazioni: Claudio Cristiani
ISBN: 978-88-9843-311-7
Redazione: Antonio Bidetti, Gennaro Falcone, Maria Grazia Galluzzo

Stampato su carta priva di acidi, proveniente da foreste controllate.

Le autrici apprezzerebbero, da parte dei colleghi, eventuali suggerimenti, segnalazioni e commenti sull'opera (da inviare a redazione@edilingua.it).

IL PASSATO REMOTO

L'IMPERATIVO

IL CONGIUNTIVO

IL PERIODO IPOTETICO

L'INFINITO, IL PARTICIPIO E IL GERUNDIO

PREMESSA

Questo libro di grammatica è il secondo di due volumi espressamente pensati per gli studenti stranieri. Nasce dalla nostra decennale esperienza di insegnanti di italiano per stranieri a tutti i livelli, con una tipologia di studenti estremamente varia: per età, nazionalità, ambiente, interessi. Il contatto diretto con gli studenti ci ha portato ad identificare le maggiori difficoltà che gli stranieri incontrano nello studio della lingua italiana e gli aspetti grammaticali che più gli impediscono una comunicazione efficace. Per questi motivi, il nostro approccio alla compilazione del testo è stato eminentemente pratico e si è basato sui seguenti criteri:

- stabilire le priorità sulla base delle esigenze reali dei discenti stranieri;
- facilitare la comunicazione efficace in lingua italiana;
- usare un linguaggio il più possibile autentico e che rispecchia l'italiano parlato attualmente dai parlanti nativi;
- permettere a discenti diversi di usufruire del testo nel modo più adatto alle loro esigenze grazie alla flessibilità dell'impostazione.

Struttura del testo

L'*edizione aggiornata* di *Una grammatica italiana per tutti 2* non cambia la struttura originaria del volume, ma offre un nuovo layout, più chiaro e accattivante, un apparato iconografico più vario e alcuni interventi mirati nelle schede grammaticali e negli esercizi.
Il libro si presenta infatti come una raccolta di schede grammaticali (parte teorica) corredate una per una da una serie di esercizi (parte pratica) con le rispettive chiavi di correzione in Appendice. Lo scopo della parte teorica è quello di presentare un determinato argomento di grammatica nella maniera più semplice possibile, insistendo solo sulle informazioni rilevanti per un discente straniero; lo scopo della parte pratica è quello di permettere una verifica diretta dell'apprendimento dell'argomento di grammatica corrispondente.
Caratteristiche della parte teorica: Per agevolare la comprensione delle spiegazioni, la scheda presenta numerosi *Esempi*; il rinforzo, laddove ce ne fosse bisogno, avviene tramite le *Frasi* che presentano l'argomento grammaticale in un contesto reale e quindi facilitano l'uso successivo e autonomo delle strutture da parte dello studente straniero. Gli elementi di particolare interesse o che possono creare difficoltà sono evidenziati, dal punto di vista grafico oltre che concettuale, dall'uso delle *Tabelle* e dei *Nota Bene!*
Caratteristiche della parte pratica: Gli esercizi presentano una tipologia varia, in base ai diversi scopi didattici, ad esempio se mirano a far fare agli studenti pratica controllata o pratica libera. Per questo motivo, oltre ad esercizi come quelli di completamento, di trasformazione o di sostituzione, lo studente ne troverà altri in cui dovrà usare l'immaginazione. In tutti i casi, comunque, gli esercizi riportano un linguaggio autentico; evitano il più possibile l'uso di frasi isolate, ma inseriscono le strutture nei contesti, con il vantaggio per lo studente di comprendere più facilmente l'uso della struttura e di poterla poi riprodurre correttamente in modo autonomo.
Infine, le *Chiavi di correzione* sono state pensate per permettere allo studente di utilizzare il testo anche senza la supervisione di un insegnante.

Destinatari

Il testo (due volumi) è pensato per studenti di corsi di italiano per stranieri, sia individuali che di gruppo, presso scuole e/o università, di livello elementare e intermedio. Pensiamo inoltre che, per le sue caratteristiche e per l'approccio usato, possa essere uno strumento utile per gli studenti stranieri delle scuole e istituti statali italiani che necessitano un approfondimento di determinati temi di grammatica per l'integrazione nella scuola e il corretto sviluppo del curriculum scolastico. Infine, la struttura flessibile del testo lo rende interessante per tutti i privati residenti in Italia o all'estero che desiderano consolidare e/o approfondire le proprie conoscenze di grammatica italiana, sia per motivi personali che di lavoro.

Conclusioni

Per sua stessa natura, *Una grammatica italiana per tutti* non è un testo di grammatica tradizionale. La scelta degli argomenti grammaticali e le spiegazioni che vengono fornite rispondono unicamente ai criteri esposti all'inizio della premessa. Noi speriamo che il libro possa essere uno strumento utile per gli insegnanti di italiano per stranieri che desiderano consolidare e/o far praticare determinate strutture o devono intervenire su argomenti grammaticali che creano ripetute difficoltà ai loro studenti. Abbiamo inteso lasciare ad ogni insegnante la massima libertà nell'utilizzare le schede grammaticali e gli esercizi in base alle esigenze reali dei loro studenti; è sottinteso che ogni insegnante, a sua completa discrezione, integrerà ed approfondirà opportunamente le nostre indicazioni.

Saremo grate a tutti coloro che vorranno mandarci i loro commenti ed osservazioni.

Con l'augurio di un buon lavoro,

Le autrici

1 ARTICOLI DETERMINATIVI: QUANDO NON SI USANO

Generalmente, in italiano prima di un sostantivo c'è un articolo e dove c'è un articolo c'è un sostantivo.
In alcuni casi però è necessario o possibile **non mettere** l'articolo determinativo:

1

- con i nomi di persona:
  Carla e Mario sono arrivati? (*La Carla e il Mario = di uso dialettale*)
  C'è un fax per Giovanna.
  Stasera andiamo a cena da Anna.

Tuttavia l'articolo si può usare se il nome non fa riferimento ad una persona reale ma ad un'opera artistica: la *Turandot* di Puccini, il *David* di Donatello, il *Mosè* di Michelangelo.

- di regola con il cognome di un uomo (famoso o no):
  Garibaldi è una figura molto importante nella storia italiana.
  Totti è l'autore del bellissimo gol del 3 a 2.
  È ancora in ufficio Bianchi? (uso più informale rispetto a *il signor Bianchi* o *Mario Bianchi*)

Tuttavia è obbligatorio:
- quando il cognome è preceduto dalla qualifica professionale o da "signor": *l'avvocato Mora, il dottor Santini, il signor Angeli*;
- quando il cognome fa riferimento ad una donna (famosa o no*) e quando è preceduto da "signora": *la Callas, la Loren, la Pausini, la Bianchi, la signora Rossi*;
- quando il cognome viene usato al plurale per indicare una famiglia (illustre o no): *gli Sforza, i Capuleti e i Montecchi, i Bianchi.*

- con i nomi di parentela **singolari preceduti da un aggettivo possessivo** (eccetto "loro"):
  Hai conosciuto mio fratello?
  Sua moglie è tedesca, lo sapevi?
  Nostra zia abita in Argentina da molti anni.

Tuttavia usiamo l'articolo:
- quando il nome di parentela è accompagnato anche da un aggettivo: *il mio fratello maggiore, il mio nipote preferito*;
- quando il nome di parentela è un sostantivo alterato: *la mia nipotina, dov'è il mio fratellone?, il mio bisnonno.*

- in risposta alla domanda per chiedere la professione, usando il verbo *essere*:
  A: Che cosa fa il marito di Sara?
  B: È avvocato.

  A: La Sua professione?
  B: Sono medico.

(*) *oggi c'è la tendenza a sopprimere l'articolo in ambito lavorativo e nei media:* Oggi Donati è malata; Duramente attaccata in Parlamento, Melandri non ha però replicato.

2

- con i nomi di città:
  Conosci Bologna?
  Shangai è diventata una metropoli modernissima.
  La mia città preferita è Venezia.

Tuttavia ci sono alcune eccezioni: *La Spezia, L'Aquila, La Mecca, Il Cairo, La Valletta, L'Aja, L'Avana.*

Tuttavia usiamo l'articolo determinativo quando al nome di una città segue un'informazione in più: *La Milano che lavora, è considerata, a torto o a ragione, il motore del nostro paese; C'è una visita guidata alla Roma barocca; La Venezia nascosta, fuori dai percorsi turistici, è molto interessante.*

- generalmente con i nomi delle vie e delle piazze:
  Via Condotti è la via dello shopping di lusso a Roma.
  Devi assolutamente vedere Piazza Anfiteatro a Lucca: è perfettamente circolare!
  Via Mazzini è vicino a Piazza Cordusio.

- con i nomi di quartiere, la presenza o meno dell'articolo dipende dall'abitudine d'uso:
  La Bovisa è un quartiere periferico di Milano, Brera invece uno del centro.
  Se vai a Napoli devi visitare Posillipo, una delle zone più belle.
  Trastevere è un quartiere molto caratteristico di Roma.

- generalmente con i nomi di piccole isole o isole che sono nazioni (eccetto il Madagascar):
  Quest'anno vado in vacanza a Cuba.
  Capri e Ischia sono due isole di fronte a Napoli.
  Sai che adesso Roberto abita a Maiorca?

Tuttavia l'articolo è presente quando il nome è plurale: *le Eolie, le Filippine, le Maldive, le Azzorre*.

3

- quando si fa un elenco (non obbligatoriamente però) per renderlo più scorrevole:
  Abbiamo bistecca, cotoletta alla milanese, sformato di verdure, pollo: che cosa preferite?
  Francia, Spagna e Grecia sono tre importanti mete turistiche.
  Calcio e ciclismo sono due sport molto popolari in Italia.

- con alcune espressioni in cui un verbo è legato strettamente a un sostantivo:
  ho fame, ho sete, ho sonno, ho mal di testa/di schiena/di denti ...
  ho paura, ho voglia di, sento freddo, non c'è dubbio, non c'è pace, e così via.

Nel parlato invece si usa l'articolo indeterminativo in senso superlativo:

Ho una fame ...	(*significa*: *ho molta fame*)
Oggi ho un mal di testa!	(*significa*: *ho un forte mal di testa*)
Ho avuto una paura!	(*significa*: *ho avuto molta paura*)

- l'omissione è possibile con i verbi **parlare** (una lingua) e **studiare** (una lingua, una materia, uno strumento musicale):
  Non parlo tedesco, mi dispiace.
  Akiko studia matematica all'università.
  Ho studiato chitarra per molti anni.

- nelle espressioni per chiamare qualcuno:
  Dottore, mi aspetti, arrivo subito!
  Cameriere, il conto per favore.
  Ragazzi, dove siete?

4

- con i nomi dei giorni e dei mesi:
  Martedì ho un appuntamento con l'avvocato.
  Domenica sono andato al mare e tu?
  Il mese più caldo in Italia è agosto.

Tuttavia con i nomi dei giorni l'articolo si usa per dare il significato di **ogni/tutti**: *In Italia i parrucchieri sono chiusi il lunedì* (*regolarmente tutti i lunedì*).

- in molti proverbi e modi di dire:
  Finché c'è vita c'è speranza, tutto fa brodo, non è farina del tuo sacco!

- spesso nei titoli dei giornali, dei libri, dei film, delle canzoni ecc.:
  Parlamento nella bufera: domani scatta l'inchiesta.
  Ieri alla tele c'era *Autunno a New York*, con Richard Gere: l'hai visto?
  Hai ascoltato *Amori difficili* di Laura Pausini?

- e nelle insegne:
  Ferramenta, Ristorante *da Bruno*, Uscita, Biglietteria.

! NOTA BENE

- Nella grammatica italiana non esiste l'articolo indeterminativo **plurale**. L'articolo partitivo *dei, degli, delle* funziona come plurale e lo usiamo normalmente:

Per il mio compleanno vorrei *degli* orecchini di perle.
Alla TV ci sono spesso *dei* programmi che non mi piacciono.

- Tuttavia è possibile **omettere** anche questo partitivo:

È impossibile parcheggiare: ci sono macchine anche sui marciapiedi! (*delle* macchine)
Vedi quei ragazzi con le bandiere rossonere? Sono tifosi del Milan. b(*dei* tifosi)
Ho sentito rumori strani in garage, ma erano solamente gatti randagi. (*dei* rumori/*dei* gatti)

ESERCIZI

1. Leggi le frasi e decidi se inserire o meno l'articolo determinativo

1. .... mia nipotina oggi compie quattro anni.
2. Sento .... freddo. Ti dispiace chiudere la finestra?
3. Hai saputo? .... Rossi ha dato le dimissioni!
4. .... Bellucci è una nota attrice italiana.
5. Penso che .... Cuba produca i migliori sigari del mondo.
6. Elena è .... architetto, non lo sapevi?

2. Con o senza articolo? Leggi le frasi e decidi se sono corrette oppure no

	Giusto	Possibile	Sbagliato
1. Ho studiato cinese tre mesi: è veramente difficile!	☐	☐	☐
2. Sa dov'è signora Serra?	☐	☐	☐
3. Allora, come si chiama il tuo fratellino?	☐	☐	☐
4. Il gennaio è un mese di solito molto freddo in Italia.	☐	☐	☐
5. Borghese erano un'illustre famiglia romana.	☐	☐	☐
6. Per caso hai visto se ci sono studenti in palestra?	☐	☐	☐
7. Il direttore, un momento, c'è un fax per Lei!	☐	☐	☐
8. Hai sonno? Ti faccio un caffè?	☐	☐	☐
9. Mi scusi, signor Martini è in ufficio?	☐	☐	☐
10. Fisica e matematica sono materie ostiche per molti studenti.	☐	☐	☐

3. Con o senza articolo: c'è qualche differenza di significato?

1. Ho fame/Ho una fame ... C'è qualcosa di buono in frigo?
2. Silvia parla benissimo francese/il francese.
3. Sai, lunedì/il lunedì vado a ballare.
4. Pesce e frutti di mare/il pesce e i frutti di mare sono le specialità del nostro ristorante.
5. Allora ... pigiama, spazzolino, asciugamano, pantofole/il pigiama, lo spazzolino, l'asciugamano, le pantofole. Ok, c'è tutto!

4. Cerca i 4 errori presenti nel testo: due articoli determinativi da eliminare, due da inserire

Non c'è il dubbio che in Italia si mangia ancora in modo sano: la famosa "dieta mediterranea" privilegia prodotti naturali ed equilibrati. Assistiamo tuttavia ad un fenomeno che dovrebbe cominciare a preoccuparci e cioè il costante aumento di bambini in sovrappeso, se non addirittura obesi. A un recente convegno sul tema, professor Canepa, dietologo, ha detto che i bambini di oggi tra compiti, televisione e computer passano molte ore seduti o comunque inattivi. Inoltre hanno la tendenza a consumare molte bevande gassate e merendine industriali: in questo settore di mercato si realizzano i guadagni notevoli puntando proprio su bambini e adolescenti ma sono loro genitori che hanno il dovere di intervenire e cambiare lo stile di vita e di alimentazione dei figli.

2 NOMI: ECCEZIONI E PARTICOLARITÀ

Come abbiamo in parte già visto nel primo volume, i nomi presentano numerose eccezioni e particolarità. Qui di seguito riportiamo altri casi, divisi secondo il genere (maschile/femminile) e il numero (singolare/plurale).

IN RIFERIMENTO AL GENERE

1 Nomi che formano il femminile in **-essa**:

l'avvocato	l'avvocat**essa**	il professore	la professoressa
il vigile	la vigilessa	il dottore	la dottoressa
il poeta	la poetessa	il principe	la principessa
il duca	la duchessa	il conte	la contessa
il presidente	la presidentessa	il leone	la leonessa
lo studente	la studentessa	l'elefante	l'elefantessa

Alda Merini è una nota poet**essa** italiana.
La dottor**essa** Rinaldi è specializzata in cardiologia.
Le nuove divise di vigili e vigil**esse** sono state disegnate da un famoso stilista.
A differenza del maschio, la leon**essa** è abilissima nella caccia.

2 Nomi che formano il femminile con il suffisso **-ina** e il maschile con il suffisso **-one**:

l'eroe	l'ero**ina**
il re	la regina
lo zar	la zarina
la strega	lo streg**one**

ESEMPI

L'ero**ina** di questo romanzo si chiama Angelica.
In Africa gli streg**oni** curano con erbe e riti magici.

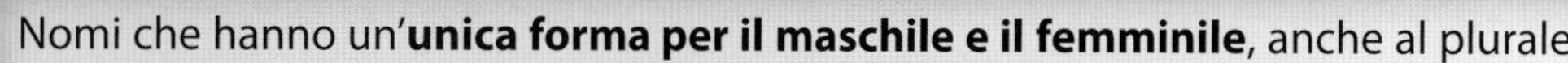

3 Nomi che hanno un'**unica forma per il maschile e il femminile**, anche al plurale:

il (l')/la	**i (gli)/le**
cantante	cantanti
insegnante	insegnanti
negoziante	negozianti
agente	agenti
conoscente	conoscenti
parente	parenti
custode	custodi
nipote	nipoti

ESEMPI

Le insegnanti di mio figlio sono brav**e** e simpatich**e**.
L'agente immobiliare che abbiamo incontrato ieri mi è sembrat**a** molto seri**a** e precis**a**.
Quella signora con il cappello rosso è un**a** mi**a** **parente**.
Ormai sono nonna e ho anche tre **nipoti**: due **maschi** e una **femmina**.

4 Nomi uguali che cambiano significato a seconda del genere:

il boa (*un serpente*)	**la** boa (*galleggiante per barche o per segnalazione*)
il capitale (*somma di denaro*)	la capitale (*città principale di una nazione*)
il fine (*scopo, obiettivo di un'azione*)	la fine (*il termine*)
il finale (*parte conclusiva*)	la finale (*gara conclusiva in una competizione sportiva*)
il fonte (*vasca per il battesimo*)	la fonte (*sorgente di acqua, origine*)
il fronte (*in guerra, la prima linea*)	la fronte (*parte superiore del viso*)
il radio (*elemento chimico*)	la radio (*apparecchio radiofonico*)

ESEMPI

Devi continuare fino **alla fine** della strada e poi gira a destra.
Non capisco qual è **il fine** di questa riunione.
Il finale della *Traviata* di Verdi è molto commovente, non trovi?
Oggi c'è **la finale** di Wimbledon in TV.

5 Nomi di animali che hanno un'unica forma per il maschile e il femminile; se è necessario specificare il sesso, si aggiunge l'aggettivo corrispondente:

maschile	**femminile**
la tigre maschio	**la tigre** femmina
la volpe maschio	la volpe femmina

la pantera maschio	la pantera femmina
la lepre maschio	la lepre femmina
il topo maschio	il topo femmina
il ghepardo maschio	il ghepardo femmina
il delfino maschio	il delfino femmina

... oppure si può anche dire:
il maschio della tigre, la femmina della volpe, la femmina del topo e così via.

ESEMPI

Allo zoo c'è **una tigre** bianc**a** siberian**a**: è uno splendido esemplare maschio di 2 anni.
Hanno trovato **una pantera femmina** nelle campagne vicino a Pavia!

6 Nomi che al femminile hanno una forma un poco o completamente differente:

il dio	la dea	il maiale	la scrofa
l'abate	la badessa	il montone	la pecora
l'uomo	la donna	il toro	la vacca
il marito	la moglie	il bue	la mucca
il fratello	la sorella	il cane	la cagna (*preferibile*: cane femmina, cagnolina, cagnetta)
il genero	la nuora		

ESEMPI

Per gli antichi romani, Venere era **la dea** dell'amore e Marte **il dio** della guerra.
Non è vero che il rapporto tra suocera e **nuora** è sempre difficile.

7 Nomi (di origine militare) di genere femminile ma riferiti solitamente a uomini ... :

la guardia
la scorta (*)
la recluta
la sentinella

... e nomi di genere maschile, riferiti a donne:

il soprano
il mezzosoprano
il contralto

ESEMPI

Le nuov**e** **reclute** sono pront**e** per l'addestramento?
Maria Callas era **il soprano** perfett**o** per quest'opera.

(*) *oggi si usa soprattutto come nome collettivo*: "hanno negato la scorta al giudice"; l'espressione "gli uomini della scorta" viene preferita in caso di concordanza: "gli uomini della scorta sono stati molto coraggiosi" (invece di "la scorta è stata molto coraggiosa").

NOTA BENE

- Per quanto riguarda **i nomi delle professioni**, il femminile ha subìto, e subisce, continue oscillazioni d'uso. La tendenza è verso l'affermazione del maschile, soprattutto per quelle professioni un tempo precluse alle donne:

Presiede l'udienza **il giudice** Marina Poli.
Già quando ero studentessa di legge, volevo diventare **magistrato**.

Annamaria Bernardini De Pace è **un noto avvocato** divorzista.	(*possibile anche* ***avvocatessa****, meno comune è* ***avvocata***)
Il deputato Rosy Bindi non ha rilasciato alcuna dichiarazione.	(*in alternativa,* ***la deputata****; ormai in disuso* ***la deputatessa***)
La Svezia in lutto per l'assassinio del **ministro** Anna Lindh.	(*più raro* ***la ministra****, a volte addirittura in senso spregiativo*)
Dopo aver letto la riforma, invitiamo la **ministra** a tornare sui banchi di scuola.	
Anni fa Irene Pivetti era **il presidente** della Camera oggi invece si occupa di televisione.	(*in alternativa,* ***la presidente*** *oppure, meno frequente,* ***la presidentessa***)
Il medico di turno è Silvia Perrone.	(*usato in misura eguale il femminile* ***dottoressa***)
La professoressa Corradi è **primario** di neurologia.	

Si mantengono invece stabili: studentessa, professoressa e i titoli nobiliari (contessa, principessa ...).

IN RIFERIMENTO AL NUMERO

1 Plurali invariabili

nomi che **al plurale non cambiano** la forma:

alcuni maschili in **-a**	il/i	boa
	il/i	cinema(tografo)
	il/i	gorilla
alcuni femminili in **-o**	l'/le	auto(mobile)
	la/le	biro
	la/le	dinamo
	la/le	foto(grafia)
	la/le	moto(cicletta)
	la/le	radio
nomi in **-i**	l'/le	analisi
	il/i	brindisi
	la/le	diagnosi
	l'/le	ipotesi
	la/le	metropoli
	l'/le	oasi
nomi con l'**accento**	il/i	caffè
	la/le	città
	la/le	novità
	il/gli	oblò
	la/le	possibilità
	il/i	tabù
	la/le	tribù
	l'/le	università
	la/le	verità
in **-ie**	la/le	barbarie
	la/le	serie
	la/le	specie
di **origine straniera** (o latina)	lo/gli	champagne
	il/i	computer
	il/i	film
	il/i	quiz
	l'/gli	ultimatum
con **una sola sillaba**	il/i	re
	la/le	gru
	il/i	tè

ESEMPI

Le penne stilografiche sono belle ed eleganti, ma **le biro** sono così comode!
Quasi tutte **le metropoli** hanno gli stessi problemi: traffico, inquinamento, criminalità.

Le probabilità di riuscire a vendere questa macchina sono poche.
Ci sono moltissime **specie** di piante aromatiche.
Guarda quei **foulard** di Hérmes: sono bellissimi ... ma quanto costano!
Ti ricordi i nomi dei sette **re** di Roma?

2 **Plurali irregolari**
nomi maschili in **-o** che **al plurale diventano femminili** terminando in **-a:**

l'uov**o**	**le** uov**a**
il pai**o**	**le** pai**a**
il ris**o** (il ridere)	**le** ris**a**
il centinai**o**	**le** centinai**a**
il migliai**o**	**le** migliai**a**
il migli**o**	**le** migli**a**

ESEMPI

Al concerto di ieri c'erano **migliaia** di persone.
Con i saldi Elena si è comprata tre **paia** di scarpe.
In certe zone dell'Australia non ci sono case per **centinaia** di chilometri.
Nei paesi anglosassoni si usano **le miglia** invece dei chilometri.

3 **Plurali doppi**
nomi maschili in **-o** che **presentano due forme per il plurale**, con una differenza di significato:

il braccio	→	le braccia (*del corpo umano*)	i bracci (*di un edificio, di un fiume, di una croce*)
il cervello	→	i cervelli (*in senso figurato*)	le cervella (*materia cerebrale*)
il ciglio	→	le ciglia (*degli occhi*)	i cigli (*bordi, limiti, margini*)
il dito	→	le dita (*considerate nell'insieme*)	i diti (*considerati distintamente* *)
il gesto	→	i gesti (*movimenti del corpo*)	le gesta (*azioni importanti*)
il ginocchio	→	le ginocchia	i ginocchi (*nessuna differenza di significato*)
il grido	→	le grida (*degli esseri umani*)	i gridi (*degli animali*)
il labbro	→	le labbra (*della bocca*)	i labbri (*di una ferita*)
il lenzuolo	→	le lenzuola (*il paio*)	i lenzuoli (*singolarmente*)
il muro	→	i muri (*di una casa*)	le mura (*di una città, di un castello*)
l'osso	→	le ossa (*del corpo umano*)	gli ossi (*di un animale macellato*)

ESEMPI

Le cervella fritte sono una specialità della cucina romana.
Quando molti scienziati e ricercatori si trasferiscono all'estero, si parla di "fuga di **cervelli**".
Tutti conoscono **le gesta** di Re Artù e dei cavalieri della Tavola Rotonda.
Mi tremavano **le ginocchia** per l'emozione.
Dove sono **le lenzuola** pulite?
Molti lenzuoli bianchi erano appesi alle finestre in segno di protesta contro l'inquinamento.
In Toscana vai a vedere **le** antiche **mura** di Lucca: sono conservate molto bene.
Questo freddo entra davvero **nelle ossa**.

(*) nella lingua moderna prevale l'uso del plurale femminile.

4 Nomi difettivi

- nomi **che hanno soltanto il singolare**:

molti nomi **astratti**: la pazienza, il coraggio, la fedeltà, la matematica, la chimica ecc.
nomi di **metalli** (*) e di **elementi chimici**: l'oro, il bronzo, l'argento, l'ossigeno ecc.
alcuni nomi quali: la fame, la sete, il sangue
alcuni nomi **di malattie** e **sintomi**: l'influenza, la tosse, il colera, la malaria

ESEMPI

L'oro in lega con **il rame,** diventa rosso.
C'è molta **influenza** in giro quest'anno!

(*) *anche al purale ma cambia il significato*: C'è una mostra sugli ori degli Aztechi.
Alle ultime Olimpiadi, l'Italia ha conquistato molti ori.
Durante l'operazione, l'assistente passa i ferri al chirurgo.

- nomi **che usiamo soprattutto al singolare** (*):

sostantivi **non numerabili** (che non si possono contare):
il latte, il pane, il miele, lo zucchero, l'aria, l'acqua, la neve

nomi **collettivi** (che indicano un insieme di persone o cose):
la gente, la folla, il pubblico, la frutta

ESEMPI

In Germania si usa **il pane** nero, cioè integrale.
Quanto **zucchero** metti nel caffè?
Non credo che sia **la gente** a chiedere questo tipo di programmi in TV.
Carlo, porta in tavola **la frutta**!

(*) *il plurale di alcuni sostantivi non numerabili è possibile in contesti particolari*:
L'aumento degli zuccheri nel sangue si chiama iperglicemia.
Lo spettacolo delle nevi eterne dell'Himalaya attrae molti turisti.
Le antiche tradizioni delle genti del mediterraneo presentano molti tratti comuni.

- nomi **che hanno soltanto il plurale**:

le nozze, le ferie, le stoviglie, i viveri, i dintorni, le interiora

ESEMPI

Io quest'anno prendo **le ferie** a giugno e tu?
Faccio un giro **nei dintorni**, ci vediamo fra un'ora.
Nelle zone di guerra è difficile portare l'acqua e **i viveri**.
Per cucinare il pesce bisogna prima togliere **le interiora**.

- nomi di oggetti **composti da due parti** (*):

le forbici, le cesoie (in uso anche "la forbice" e "la cesoia"), gli occhiali, i pantaloni, le bretelle, le manette

ESEMPI

Per potare le rose sono necessarie **le cesoie**.
La polizia blocca i polsi degli arrestati con **le manette**.
Le redini servono a guidare il cavallo e a trasmettergli gli ordini del fantino.
Sono tornate di moda **le bretelle** al posto della cintura.

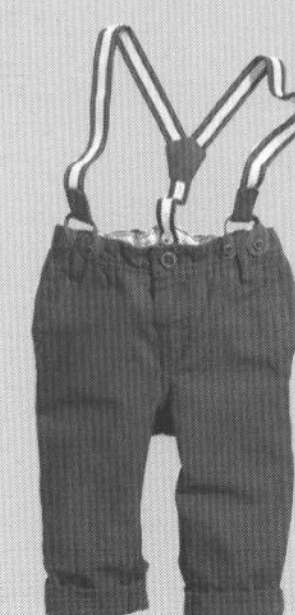

(*) *meno utilizzato ma possibile anche l'uso del singolare quando ci si riferisce al modello*:
Questo è un bell'occhiale, signora.
Vorrei un pantalone classico.

ESERCIZI

1. Scrivi il femminile dei seguenti nomi singolari ...

1. Il professore ....
2. Lo studente ....
3. Il re ....
4. Il nipote ....
5. La volpe maschio ....
6. Il fratello ....

... e dei seguenti nomi plurali:

1. I dottori ....
2. I professori ....
3. Gli eroi ....
4. I cantanti ....
5. I nipoti ....
6. I mariti ....

2. Maschile o femminile? Scegli la forma corretta in base al significato

1. Il boa/La boa è un serpente che si chiama anche *boa constrictor* perché stringe le sue prede fino a soffocarle.
2. Per aprire un'attività commerciale è necessario avere un capitale/una capitale consistente.
3. "Il fine/La fine giustifica i mezzi" ha scritto Niccolò Machiavelli.
4. Il fine/La fine dell'anno, il 31 dicembre, si chiama anche *Capodanno*.
5. Ho due biglietti per il finale/la finale della Champions League, ti interessa?
6. I soldati sono partiti per il fronte/la fronte e la guerra si annuncia lunga e difficile.

3. Completa le frasi con la desinenza femminile appropriata

1. "Buongiorno princip.................. !" diceva sempre il protagonista del film, ti ricordi?
2. La professor.................. Valenti insegna all'università di Bologna.
3. Il re e la reg.................. sono due pezzi importanti del gioco degli scacchi.
4. Anna e Luisa sono le nipot.................. di Riccardo?
5. La poet.................. Patrizia Valduga ha uno stile molto particolare, non trovi?
6. Da piccoli chiamavamo i nonni "lo zar e la zar.................. " perché erano molto severi.

4. Singolare o plurale? Inserisci l'articolo davanti ai nomi invariabili

1. Hai sentito .... novità? Mariella ha finalmente trovato lavoro.
2. .... serie TV che preferisco è Modern Family.
3. Circa il futuro del nostro pianeta ho sentito .... ipotesi più varie e assurde.
4. Che pensi, sono più pregiati .... tè cinesi o indiani?
5. .... analisi di questi dati è complessa e richiede molto tempo.
6. Al Salone dell'Informatica verranno presentate .... ultime novità del settore.

5. Quale plurale? Scegli la forma appropriata in base al significato

1. Con questa umidità mi fanno male le ossa/gli ossi.
2. In questo albergo cambiano le lenzuola/i lenzuoli tutti i giorni.
3. Bisogna proprio ridipingere le mura/i muri della casa al mare.
4. Questo film racconta le gesta/i gesti di Alessandro il Grande.

6. Leggi le frasi e trova eventuali errori nell'uso del singolare e del plurale

1. In questo cassetto conserviamo gli ori di famiglia. ....
2. È meglio fare il vaccino contro le influenze perché si trasmettono con grande facilità. ....
3. Vado a comprare dei pani e un pacco di zucchero. ....
4. Nel dintorno di Roma ci sono molti posti interessanti da visitare. ....
5. Ai bambini spesso non piace mangiare la frutta. ....
6. I pubblici di tutto il mondo hanno seguito il concerto in diretta TV e su Internet. ....

3 L'ALTERAZIONE DI NOMI, AGGETTIVI E AVVERBI

1

È possibile alterare un nome, un aggettivo o un avverbio – e quindi dare loro un significato diverso – attraverso l'uso di particolari **suffissi** (cambiando cioè la parte finale della parola). Possiamo distinguere:

- suffissi che rendono il nome **più grande** (accrescitivi):

-one *per un nome, un aggettivo, un avverbio*

tavolo	(*nome*)	tavol**one**
furbo	(*aggettivo*)	furb**one**
bene	(*avverbio*)	ben**one**

- suffissi che rendono il nome **più piccolo** (diminutivi):

-ino, -uccio *per un nome, un aggettivo, un avverbio*

tavolo	(*nome*)	tavol**ino**
brutto	(*aggettivo*)	brutt**ino**
bene	(*avverbio*)	ben**ino**
male	(*avverbio*)	mal**uccio**

-etto *per un nome, un aggettivo, un avverbio*

quadro	(*nome*)	quadr**etto**
piccolo	(*aggettivo*)	piccol**etto**
poco	(*avverbio*)	poch**etto**

-ello *per un nome, un aggettivo*

albero	(*nome*)	alber**ello**
cattivo	(*aggettivo*)	cattiv**ello**

- suffissi che hanno un **valore negativo** (peggiorativi):

-accio *per un nome, un aggettivo, un avverbio*

giornata	(*nome*)	giornat**accia**
povero	(*aggettivo*)	pover**accio**
male	(*avverbio*)	mal**accio**

-astro *per un nome, un aggettivo*

medico	(*nome*)	medic**astro**
dolce	(*aggettivo*)	dolci**astro**

ESEMPI

Ehi, guarda che gatt**one**, peserà 10 chili! (*un grosso gatto*)
Radicofani è un paes**ino** della Toscana. (*un piccolo paese*)

Non mi va di uscire con questo temp**accio**. *(brutto tempo)*
È una piazz**etta** molto caratteristica, vero? *(una piccola piazza)*
Oggi è stata veramente una giornat**accia**! *(una brutta giornata)*
Marcello, sei davvero un pigr**one**. *(molto pigro)*
Che avar**accio**, il tuo amico! *(molto avaro)*
Partenza domattina alle sei? Prest**ino**, non trovi? *(un po' presto)*

A: Come va il lavoro?
B: Ben**one**! *(molto bene)*

2 Spesso però questi suffissi danno alla parola significati diversi **in base al contesto e alle intenzioni del parlante**. Per esempio:

Vuoi provare la cucina milanese?
Conosco un ristorant**ino** ...! *(non significa solamente che il ristorante è piccolo ma anche che l'ambiente è accogliente e si mangia bene)*

Eh, Marco è un geni**accio**! *(il suffisso non è usato in senso negativo ma, al contrario, chi parla vede con ammirazione e simpatia il fatto che Marco sia molto intelligente)*

Questo ovviamente moltiplica le possibilità d'uso dei suffissi e – insieme al fatto che non esistono regole fisse di alterazione – può rendere difficoltoso il riconoscimento dell'esatto significato:

- **-ino, -etto, -ello, -uccio, -accio** possono essere usati anche in senso affettivo, cioè con una connotazione positiva, di simpatia o anche di ironia.

ESEMPI

Ho visto Daniela con un cappott**ino** rosso
che le stava benissimo! *(il cappotto, oltre che piccolo, è anche carino, particolare)*

Ehi, che bel cald**uccio** qui dentro! *(la stanza è ben riscaldata)*
Hai un talent**accio** per gli affari. *(hai talento, sai trattare gli affari)*
A: Come va?
B: Non c'è mal**accio**. *(potrebbe andare meglio ma mi accontento)*

- **-one, -ino, -etto, -uccio** possono essere usati anche in senso negativo o ironico.

ESEMPI

Bruno si è comprato un macchin**one**. *(una macchina troppo vistosa, grande o cara)*
Andiamolo a sentire, questo professor**one**! *(scetticismo nel giudizio di chi parla)*
Ma non fare il ragazz**ino**! *(non comportarti in modo immaturo, infantile)*
Sono stufo di fare lavor**etti**. *(lavori di poca importanza o pagati poco)*
Al Festival del Cinema di Cannes, grandi attori
e il solito contorno di attric**ette**. *(attrici di scarso valore professionale)*
Non verrai a teatro con questo vestit**uccio**! *(vestito non appropriato o di poco valore)*
Il protagonista del film è un impiegat**uccio** che
si trova coinvolto in una storia drammatica. *(ha un lavoro di poca importanza)*
Ho avuto una giorn**atina**, oggi! *(una giornata faticosa)*

3 Nella grande varietà di suffissi usati nella lingua italiana, riportiamo anche:

- **-icello, -icciolo, -acchiotto, -uzzo** *per un nome, un aggettivo*
  -otto *per un nome*

usati in senso diminutivo o anche affettivo.

ESEMPI

C'è un pont**icello** più avanti e lo devi attraversare.	(*un piccolo ponte*)
Portofino ha un port**icciolo** turistico molto bello.	(*un piccolo porto*)
Sabato facciamo una fest**icciola**, ci vieni?	(*una festa tra amici, senza pretese*)
È proprio un ors**acchiotto**!	(*simpatico, tenero, buono*)
Devo cambiare la macchina: ormai è vecchi**otta**.	(*un po' vecchia*)
Ho trovato parcheggio in una vi**uzza** dietro la chiesa.	(*una piccola via*)

- **-accione, -ucolo, -iciattolo** *per un nome*

usati in senso peggiorativo.

ESEMPI

Paolo si è messo a litigare con un om**accione** e ho avuto paura.	(*uomo grosso, di aspetto minaccioso*)
Sono versi di un poet**ucolo**, questi.	(*poeta di scarso valore*)
Hai paura ad attraversare questo fium**iciattolo**?	(*fiume di portata modesta*)
Ho questa febbr**iciattola** da qualche giorno.	(*febbre non alta ma fastidiosa*)

4 Solitamente i sostantivi femminili **cambiano genere** quando subiscono l'alterazione in **-one**:

la bottiglia	→ **il** bottigl**ione**	la febbre	→ il febbrone
la donna	→ il donnone	la macchina	→ il macchinone
la stanza	→ lo stanzone	la valigia	→ il valigione

ESEMPI

È entrata sua madre: **un** donn**one** dall'aria simpatica e cordiale.	(*una donna alta, grossa e imponente*)
Dopo ci hanno portato in **uno stanzone** freddo e squallido.	(*una grande stanza*)

5 Per l'alterazione degli aggettivi che definiscono **i colori**, si usano soprattutto i seguenti suffissi:

- **-ino** per una tonalità più chiara
- **-astro, -ognolo, -iccio** per una tonalità non bene definita o in senso peggiorativo, in base al contesto.

ESEMPI

Mi piace questa stoffa giall**ina**.	(*giallo chiaro*)
Quell'uomo ha i capelli giall**astri**.	(*brutta sfumatura di giallo*)
Il colore? Non ricordo bene, giall**ognolo**.	(*giallo non ben definito*)
Paolo ha la barba ross**iccia**.	(*più o meno rossa*)

! NOTA BENE

- Alcuni sostantivi hanno una forma simile agli alterati ma sono dei **falsi alterati**, cioè nomi che non hanno subìto alcuna alterazione ma nascono direttamente con quella forma.
  Per esempio: *bottone* non è una grossa botte, ma serve per chiudere una camicia o una giacca.

Ecco alcuni falsi alterati:
cavallo → cavalletto, lampo → lampone, matto → mattone, mulo → mulino, posto → postino, torre → torrone, viso → visone.

ESEMPI

A Stefano piace dipingere e così gli ho regalato **un cavalletto** e dei colori a olio.
Il **torrone** è un dolce italiano che si mangia durante le feste di Natale.
Preferisci la marmellata di **lampone** o di fragola?

A: Tu porteresti una pelliccia di **visone**?
B: No, io no. Preferisco un cappotto di lana.

ESERCIZI

1. Completa le frasi con un sostantivo alterato (in queste frasi l'alterazione corrisponde al significato)

1. Ho comprato queste scarpe in saldo e ho fatto davvero un .... (= *grande affare*)
2. Non mi piace quell'uomo, è davvero un .... (= *brutto tipo*)
3. La cucina è grande ma purtroppo ha solo una .... (= *piccola finestra*)
4. Ti piace il regalo di Giorgio? La pietra è un .... (= *piccolo diamante*)
5. Quella donna è insopportabile, ha davvero un .... (= *brutto carattere*)
6. Hai sentito stanotte che ....? (= *grande temporale*)

2. Completa le frasi con un aggettivo o un avverbio alterati (in queste frasi l'alterazione corrisponde al significato)

1. A: Allora, com'è andato l'esame?
   B: Mah, ... credo. (=*abbastanza bene*)
2. A: Vi fermate a cena?
   B: No grazie, dobbiamo andare è un po' .... (=*piuttosto tardi*)
3. L'albergo era .... ma niente di speciale. (=*abbastanza bello*)
4. Paolo, insomma, hai mangiato tre fette di torta! Che .... sei! (=*molto goloso*)
5. Quell'attore è .... ma davvero bravo, non trovi? (=*un po' brutto*)
6. Oggi mi sento proprio .... (=*molto bene*)

3. Inserisci il sostantivo alterato appropriato in base al significato

villetta *lavoretto* *figurone* *lavoraccio* *villone* *figuraccia*

1. Di solito in estate faccio qualche .... così metto via un po' di soldi.
2. Ridipingere la casa è davvero un ....
3. Sai, mi sono comprato una .... al mare.
4. Dovresti vedere che .... ha Luisa: chissà quanto avrà pagato!
5. Alla festa di compleanno di Roberta, Mario non ha portato neanche un regalo, una bottiglia di vino, qualcosa insomma. Che ....!
6. Che .... ho fatto ieri sera con il mio vestito di Armani! Ero la più elegante!

4. Scegli l'alterazione appropriata in base al contesto

1. Ho comprato l'appartamento a un ottimo prezzo. È stato davvero un colpetto/colpaccio.
2. Mi aspetti un momentino/momentaccio? Torno subito, due minuti!
3. Suo padre ha perso un patrimonio al Casinò: che vizietto/viziaccio!
4. Insomma, lui ha truffato l'azienda per milioni di euro. Davvero una storiella/storiaccia.

4 AGGETTIVI INDEFINITI

Gli aggettivi indefiniti indicano:
- una quantità generica
- quantità 0 (zero)
- qualità (o identità)

ESEMPI

Passo **qualche** giorno al mare. (qualche = *più di uno, ma non so quanti giorni*)
Vedo **poche**/**molte** macchine in strada. (poche/molte = *non so il numero preciso, piccolo o grande*)
Non c'è **nessuna** novità. (nessuna = *quantità 0*)
Ha telefonato per te **una certa** Marina. (una certa = identità)

Gli aggettivi indefiniti si possono dividere in tre gruppi:

1

Aggettivi con **quattro** forme:

	S.	PL.
M.	-o	-i
F.	-a	-e

poco
molto
parecchio
tanto
troppo
tutto
certo (*al singolare è di solito preceduto dall'articolo indeterminativo*)
altro (*al singolare è di solito preceduto dall'articolo indeterminativo*)
alcuno

ESEMPI

Quell'uomo ha **molti** soldi e **poco** cervello.
Non vedo Paolo da **parecchi** giorni: che gli sarà successo?
La bambina ha mangiato **troppa** pasta e adesso non vuole più niente.
Tanti auguri di Buon Natale e Buon Anno!
Certi giorni **tutte** le cose ti vanno male!
Alcune persone non riescono a smettere di fumare; **altre** persone, come mio padre, non ci provano nemmeno!

2 Aggettivi con **due** forme:

nessuno
ciascuno

	S.
M.	-o
F.	-a

ESEMPI

Una persona civile non deve lasciare **nessun** rifiut**o** per la strada.
Durante l'esame, **ciascuno st**udent**e** può uscire dalla classe solo una volta.
A: Dove sono le chiavi della macchina?
B: Ma lì, nella mia borsa.
A: Dove?! Qui non vedo **nessuna** bors**a**.

3 Aggettivi con **una** sola forma *invariabile*:

qualche
ogni
qualsiasi/qualunque (*possono andare* anche dopo il nome, *singolare o plurale, con l'articolo. In questo caso possiamo avere una sfumatura spregiativa*)

ESEMPI

Ho aspettato solo **qualche** minut**o** e poi sono andata via.
La situazione purtroppo peggiora **ogni** giorn**o**.
Qualsiasi person**a** potrebbe fare questo lavoro.

A: Che cosa prendi da bere?
B: Va bene una cos**a** **qualunque**.

Con questi aggettivi **il nome** che segue **è sempre al singolare,** ma **il significato è plurale**.

ESEMPI

Ho passato **qualche giorno** in Francia.
Ogni mattina esco di casa alle 7.
Non potete uscire a **qualsiasi ora**!

(*singolare per la grammatica, ma plurale come significato:* due o tre giorni, tutte le mattine, a tutte le ore)

! NOTA BENE

- Gli aggettivi:
alcuno, ciascuno, nessuno

seguono le regole di ortografia dell'articolo indeterminativo:

ESEMPI

Un	**l**ibro/**a**lbergo	=	alc**un**/ciasc**un**/ness**un**	**l**ibro/**a**lbergo
Uno	**sp**agnolo	=	alc**uno**/ciasc**uno**/ness**uno**	**sp**agnolo
Un'	**a**zienda	=	alc**un'**/ciasc**un'**/ness**un'**	**a**zienda

- Usiamo sempre l'articolo quando l'aggettivo "tutto" precede il nome (tutto + articolo + nome):

ESEMPI

Ho parlato con tutti **gli** amici.
Va al cinema tutte **le** settimane.
Ero stanco e ho dormito tutto **il** giorno.

- L'aggettivo **alcuno** significa **nessuno** in frasi negative:

ESEMPI

Non ho visto **alcun** vigile. (= nessun *vigile*)
Non ha sentito **alcuna** lamentela. (= nessuna *lamentela*)
Non è possibile in **alcun** caso. (= nessun *caso*)

- L'aggettivo **nessuno** si usa sempre con il **non** nelle frasi negative:

ESEMPI

Non voglio **nessun** dolce.
Non ha fatto **nessuna** domanda.
Non vogliamo **nessuno** scandalo.

ESERCIZI

1. Completa le seguenti frasi con gli indefiniti dati. Attenzione al genere e al numero

qualche *tutto* *alcuno* *qualsiasi* *ogni* *nessuno*

1. A: Vai spesso in palestra?
   B: Sì, ... le settimane.
2. A: Ti piace andare al cinema?
   B: Dipende. .... volte mi diverto,
   ma ultimamente non ci vado volentieri.
3. A: Quanto tempo vi fermerete in montagna?
   B: Solo .... giorno, abbiamo bisogno di un po' di relax.
4. A: Ma è possibile che fate sparire tutto?! Qui c'era il mio portafoglio!
   B: Noi non abbiamo visto .... portafoglio.
   A: Ma come no?! Era proprio lì!
   B: .... volta la stessa storia! Prima perdi le cose e poi accusi noi!
5. A: Come lo vuoi il succo di frutta?
   B: Un gusto .... va bene.
6. A: Da .... mesi Giovanni mi sembra cambiato.
   B: Perché lo dici?
   A: Non so, è diventato aggressivo, ... occasione è buona per litigare.
   B: Forse ha solo .... problema di lavoro, non ti preoccupare.

2. Usa la forma corretta di *alcuno/nessuno/ciascuno*

1. Per favore, ... studente spenga il proprio cellulare e lasci la borsa qui.
2. A: Sai già cosa regalare a Patrizia per il matrimonio?
   B: No, purtroppo. Non ha fatto .... lista nozze, quindi non ho .... idea di quello che le piace.
3. A: Buongiorno, ho visto la pubblicità dei vostri corsi. È vero che sono gratuiti?
   B: Sì, i corsi sono gratuiti, però .... partecipante deve versare una tassa d'iscrizione di 150 euro.
   A: Ho capito, grazie.

4. A: Senta, ho comprato questa gonna ieri, ma non va bene. Posso cambiarla?
   B: Ma certo, signora, non c'è .... problema.
5. A: Scusi, è già passato l'autobus 74?
   B: Mah, io non l'ho visto.
   A: È tanto che aspetta?
   B: Solo da .... minuti.
   A: Ah, va bene, grazie.

3. Sostituisci gli indefiniti evidenziati con gli indefiniti dati senza cambiare il significato delle frasi

certo *qualsiasi* *tanto* *ogni* *qualche*

1. A: Avvocato, questa è mia moglie.
   B: Molto piacere. ....
2. Tutte le volte che ti vedo sei depresso. Che ti succede? ....
3. È importante leggere le istruzioni, perché in **alcuni** casi questo medicinale può dare allergie. ....
4. A: Che treno devo prendere per la Stazione Centrale?
   B: Tutti i treni vanno bene. ....
5. Poche settimane fa ci ha chiamato Piero: si è trasferito in Spagna. ....
6. Alcune riunioni durano ore e non servono a niente: perché non troviamo alcuni sistemi per evitarle? ....

4. Completa il testo con gli aggettivi indefiniti

Complimenti! Lei ha acquistato un capo artigianale, realizzato con i migliori materiali. Per mantenerlo bello come il primo giorno, anche dopo (1) .... anni, le consigliamo di scegliere per la pulitura solo laboratori altamente specializzati: su (2) .... catalogo dei nostri prodotti troverà anche un elenco di centri convenzionati. Le nostre squadre controllano (3) .... capo in (4) .... le fasi della lavorazione, in modo da garantire che sia perfetto, tuttavia, se dovesse trovare (5) .... difetti di fabbricazione, porti il capo in (6) .... negozio della nostra catena e verrà sostituito. Le ricordiamo però che in (7) .... caso potremo sostituire il prodotto deteriorato da uso improprio o da (8) .... circostanza non dipendente da noi.

5 COMPARATIVI

1

Per fare paragoni usiamo il **grado comparativo** dell'aggettivo.
Il comparativo può essere di:

- maggioranza = **più** + *aggettivo*
- minoranza = **meno** + *aggettivo*
- uguaglianza = *aggettivo* + **come/quanto**

ESEMPI

(*aggettivo*: alto)

Franco è **più alto** di Marta.
La Torre di Pisa è **meno alta** della Torre Eiffel.
I tuoi figli sono alti **come** (quanto) te.

- Possiamo fare paragoni anche con i **verbi** e i **verbi** seguiti da **nomi**:
  - maggioranza = *verbo* (*nome*) + **più**
  - minoranza = *verbo* (*nome*) + **meno**
  - uguaglianza = *verbo* (*nome*) + **come/quanto**

ESEMPI

(*verbo*: lavorare)	Franco **lavora più** (meno) di Marta.
(*verbo* + *nome*: avere soldi)	La mia società **ha meno** (più) **soldi** della tua.
	Io **lavoro come** (quanto) te.
	Io **ho soldi come** (quanto) te.

2 Comparativi di maggioranza e minoranza

Esistono diverse regole per introdurre il **secondo termine di paragone** dopo un comparativo.

- Usiamo **DI** (anche con articoli) quando:
  - c'è **un** solo **aggettivo/verbo** per **due nomi** diversi
  - c'è **un** solo **aggettivo/verbo** per **due pronomi** diversi
  - c'è **un** solo **aggettivo/verbo** per **un nome** e **un pronome**
  - il secondo termine di paragone è **un avverbio**

ESEMPI

Il Teatro Manzoni è più caro **del** Teatro delle Erbe.	(*un aggettivo*: caro, *due nomi di cosa*: Teatro Manzoni e Teatro delle Erbe)
Franco viaggia più **di** Sandro.	(*un verbo*: viaggiare, *due nomi di persona*: Franco e Sandro)
Io ho più responsabilità **di** lui.	(*un verbo* + *nome*: avere responsabilità, *due persone*: io e lui)
La mia città è meno caotica **della** tua.	(*un aggettivo*: caotico, *un nome di cosa e un pronome*: la mia città e la tua)
Maria è meno occupata **di** prima.	(*un aggettivo*: occupata, *un avverbio*: prima)

- Usiamo **CHE** quando:
  - ci sono **due aggettivi** per **un** solo **nome**
  - c'è **un** solo **aggettivo** per due **verbi all'infinito**
  - il paragone è fra due nomi **con preposizioni**

ESEMPI

La mia città è più caotica **che** grande.	(*due aggettivi*: caotico - grande, *un nome*: la mia città)
Lavorare è meno noioso **che** stare a casa.	(*un aggettivo*: noioso, *due infiniti*: lavorare - stare a casa)
A Milano fa più freddo **che** a Napoli.	(*due nomi con preposizioni*: a Milano - a Napoli)

- Usiamo **DI QUANTO** quando:

il paragone è fra **due verbi coniugati** con soggetti uguali o diversi

ESEMPI

Lavoriamo più **di quanto** immagini.	(*due verbi coniugati, soggetti diversi*: noi lavoriamo - tu immagini)
Il problema è meno grave **di quanto** pensavo.	(*due verbi coniugati, soggetti diversi*: il problema è - io pensavo)
Spendo più **di quanto** vorrei.	(*due verbi coniugati, soggetti uguali*: io spendo - io vorrei)

3 Comparativi di uguaglianza

- Per la maggior parte dei casi usiamo indifferentemente **COME**, **QUANTO** (oppure **TANTO QUANTO** *)

ESEMPI

La mia città è caotica **come** (quanto) la tua. (*un aggettivo*: caotico, *due nomi*: la mia città e la tua)
Franco viaggia **come** (quanto) me. (*un verbo*: viaggiare, *due persone*: io e Franco)
Studiare è importante **come** (quanto) lavorare. (*un aggettivo*: importante, *due infiniti*: studiare - lavorare)
A Milano fa freddo **come** (quanto) a Napoli. (*due nomi con preposizioni*: a Milano - a Napoli)
Il problema è grave **come** (quanto) pensavo. (*due verbi coniugati, soggetti diversi*: il problema è - io pensavo)

- Usiamo **TANTO + *(aggettivo)* + QUANTO** quando:

ci sono **due aggettivi** per **un** solo **nome**

ESEMPI

Quel negozio è **tanto** caro **quanto** elegante. (*due aggettivi*: caro - elegante, *un nome*: quel negozio)
La vacanza è stata **tanto** interessante **quanto** breve. (*due aggettivi*: interessante - breve, *un nome*: la vacanza)

(*) Meno frequente nella lingua parlata.

! NOTA BENE

- La struttura **NON + *aggettivo/verbo* + COME** è equivalente a un comparativo di maggioranza o minoranza.

ESEMPI

La mia città **non** è grande **come** la tua. (= *è più piccola/meno grande della tua*)
Al mare **non** mi diverto **come** in montagna. (= *mi annoio più/mi diverto meno che in montagna*)

ESERCIZI

1. Abbina gli aggettivi al loro contrario

1. forte	a) amaro
2. grande	b) costoso
3. chiaro	c) lento
4. pieno	d) sconosciuto
5. dolce	e) corto
6. economico	f) scuro
7. famoso	g) stretto
8. lungo	h) debole
9. largo	i) piccolo
10. veloce	l) noioso
11. silenzioso	m) rumoroso
12. divertente	n) vuoto

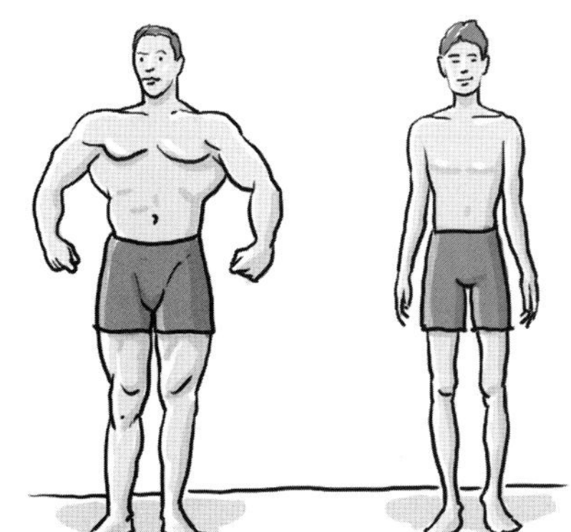

forte o ...?

2. Forma almeno 6 comparazioni diverse con gli aggettivi delle liste dell'esercizio 1 e gli elementi dati

La mia città - La tua città   Io - Il presidente degli Stati Uniti   Lavorare - Andare in palestra
In città - Al mare   Viaggiare in treno - Viaggiare in macchina
Avere una villa con piscina - Avere un appartamento normale

....
....
....
....
....
....

3. Trasforma le seguenti frasi come nell'esempio

1. Franco si arrabbia spesso, invece Anna si arrabbia raramente. Franco si arrabbia più spesso di Anna.
2. Studiare l'italiano è faticoso, studiare l'inglese è più facile. ....
3. A Milano d'inverno fa freddo, a Napoli no. ....
4. Anna e Paolo sono alti 1.70. ....
5. Marta non è molto intelligente, ma è molto furba. ....
6. Silvia è intelligente e anche furba. ....
7. Capisco un po' l'inglese, ma non lo parlo. ....
8. Mi piace il cinema ed anche il teatro. ....

4. Completa il testo con *tanto, che, quanto (2), di quanto, come*

GUSTAV KLIMT

Oggi è probabilmente un pittore famoso (1) .... gli impressionisti, tuttavia Gustav Klimt per qualche tempo è stato considerato poco più (2) .... un bravo decoratore. Nato vicino a Vienna nel 1862, Klimt diventa un esponente di rilievo del movimento della Secessione viennese, che si oppone all'arte ufficiale e accademica. La prima mostra della Secessione ottiene più successo (3) .... si poteva sperare, ma la carriera di Klimt non sarà facile (4) .... si potrebbe immaginare: il pittore sarà (5) .... premiato (6) .... criticato per le sue opere, a volte giudicate troppo erotiche e di composizione bizzarra.

6 COMPARATIVI IRREGOLARI

1

Alcuni aggettivi, oltre alle forme regolari, hanno **forme irregolari** per il grado **comparativo di maggioranza:**

Buono	MIGLIORE	(= *più buono*)
Cattivo	PEGGIORE	(= *più cattivo*)
Grande	MAGGIORE	(= *più grande*)
Piccolo	MINORE	(= *più piccolo*)
Alto	SUPERIORE	(= *più alto*)
Basso	INFERIORE	(= *più basso*)

- Le forme irregolari seguono comunque le regole generali per il **secondo termine di paragone** (*):

ESEMPI

Questo appartamento è migliore **di** quello che avevo prima.
A Milano il tempo è peggiore **che** a Roma.
Il danno è maggiore **di quanto** ci avevate detto.

Fanno eccezione:
superiore **a**
inferiore **a**

ESEMPI

Lo stipendio di Marco è **inferiore a** quello di Gianni.
La qualità di quel tessuto è **superiore a** questa.

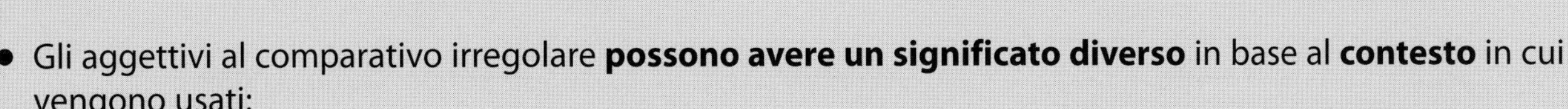

- Gli aggettivi al comparativo irregolare **possono avere un significato diverso** in base al **contesto** in cui vengono usati:

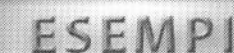

ESEMPI

Qui i prezzi sono **migliori (peggiori)** di quelli del supermercato. (*migliori/peggiori* = più economici o più cari)
Ho una sorella **minore (maggiore)** di me di otto anni. (*minore/maggiore*=più giovane o vecchio di età)
La spesa di quest'anno è stata **inferiore (superiore)** alle aspettative. (*inferiore/superiore* = di quantità più piccola o più grande)

2 Gli avverbi **bene** e **male** hanno **soltanto forme irregolari** per il grado **comparativo di maggioranza**:

bene MEGLIO
male PEGGIO

Le regole per **il secondo termine di paragone** rimangono quelle generali.

ESEMPI

A: Hanno detto che possono rimborsare solo il 40 percento dei biglietti.
B: Beh, è meglio **che** niente!

A: Scusami, sono in ritardo.
B: Meglio tardi **che** mai!

Laura parla l'inglese meglio **di** me.
Stare senza far niente è peggio **che** lavorare troppo.
Il lavoro va meglio **di quanto** sperassi.

ESERCIZI

1. Completa correttamente i brevi dialoghi con *migliore/peggiore* o *meglio/peggio*

1. A: Ti piace questo vino?
   B: Mah, non so, mi sembra .... di quello che beviamo di solito.

2. A: Uffa, non vedo niente, davanti a me c'è uno altissimo!
   B: Siediti al mio posto, di sicuro vedi ....
3. A: Uffa, questa valigia pesa! Ma perché non abbiamo preso la macchina?
   B: Sarebbe stato .... : almeno con la metropolitana evitiamo il traffico.
4. A: Com'è andata?
   B: .... di quanto sperassi! Mi hanno offerto il posto!
5. A: Com'è andata la vacanza?
   B: Abbastanza bene, anche se il tempo è stato .... delle previsioni: ha piovuto tre giorni su cinque.
6. A: Ho sentito che c'è una ragazza nuova in ufficio.
   B: Sì, l'abbiamo presa per sostituire Anna che è in maternità.
   A: E come va?
   B: Guarda, è molto giovane ma fa un lavoro .... di quello di molte persone qui dentro.
   A: Eh, si vede che le piace.

2. Completa con le forme irregolari dei comparativi in base al senso della frase

1. Il mio lavoro non è granché, ma è sempre .... che niente.
2. Mia sorella .... è infermiera.
3. Ieri ho mangiato in un ristorante .... di quello dove siamo andati con Luigi.
4. Purtroppo quest'anno il livello degli studenti è .... a quello degli anni passati.
5. Siamo leader del mercato perché i nostri prodotti sono di qualità ....
6. A: Come stai?
   B: Male. Ho la febbre alta e mi sento .... di ieri.
7. La temperatura è scesa, oggi è .... di due gradi rispetto a ieri.
8. I prezzi degli affitti salgono, in alcune città sono .... addirittura dell'11 percento.

3. Sostituisci le parti evidenziate con un comparativo irregolare

1. I miei nonni abitano al piano di sopra.
2. Luisa canta bene, ma non bene come Laura.
3. Quest'anno il nostro budget sarà di meno.
4. Questa macchina la vendiamo a un prezzo più basso di quello delle altre.
5. Ho due sorelle più grandi.
6. La situazione è più grave di quanto mi avevano detto.
7. Adesso che la mamma è tornata a casa dall'ospedale per me la vita sarà molto più bella.
8. Dopo un anno in Germania, adesso per fortuna parlo il tedesco con meno difficoltà.

4. Completa il testo con i comparativi irregolari

ABBIAMO CURA DEL NOSTRO AMBIENTE

Noi sappiamo che tutte le nostre attività possono avere un effetto sul nostro pianeta: per questo ci impegniamo a realizzare prodotti (1) .... per noi e per l'ambiente, senza rinunciare alla qualità (2) .... e a prezzi sempre (3) .... rispetto al mercato. Come possiamo ottenere tutto questo? Perché sappiamo come eliminare i costi inutili e soprattutto come evitare sprechi di energia. Ogni fase della nostra produzione è stata studiata per avere un (4) .... impatto sull'ambiente, per permettere di riciclare (5) .... i materiali usati e garantire (6) .... vantaggi sia ai nostri clienti che a chi lavora per noi. Questo è il nostro impegno per l'ambiente, perché la Terra è la nostra casa e vogliamo averne cura.

7 SUPERLATIVI

Usiamo il grado **superlativo** dell'aggettivo per indicare una **qualità** di misura **molto alta**.

ESEMPI

(*aggettivo*: bello)	Questa città è bella.	(*qualità di misura normale*)
	Questa città è più (meno) bella della mia.	(*qualità di misura più/meno alta*)
	Questa città è **bellissima/la più bella**.	(*qualità di misura* **molto alta**)

Ci sono due tipi di superlativo:

1 **Superlativo assoluto**:
quando diamo al **nome** una qualità di misura molto alta che non ha relazione con altri (concetti).

Aggettivo (senza vocale) + ISSIMO

Bell(o)	+ ISSIMO	= BELLISSIMO	= MOLTO BELLO
Grand(e)	+ ISSIMO	= GRANDISSIMO	= MOLTO GRANDE
Famos(o)	+ ISSIMO	= FAMOSISSIMO	= MOLTO FAMOSO

Il superlativo concorda con il nome in **genere** e **numero**:

ESEMPI

Il tren**o** è lentissim**o**.	(*M.S.*)
Questi libr**i** sono vecchissim**i**.	(*M.PL.*)
La lezion**e** è stata noiosissim**a**.	(*F.S.*)
Quelle scarp**e** sono carissim**e**.	(*F.PL.*)

FRASI

A: Conosci **la ragazza** di Matteo?
B: Sì, è **carinissima**.

A: Che cosa hai fatto ieri?
B: Sono andata al cinema, ho visto **un film bellissimo**.

A: Sei poi andata alla **conferenza**?
B: Sì, ma c'erano **pochissime** person**e**. Comunque, è stata **interessantissima**.

2 **Superlativo relativo**:
quando diamo al **nome** una qualità di misura molto alta (o bassa) **in relazione ad altri nomi della stessa categoria**.

- *Articolo determinativo* + PIÙ (MENO) + **aggettivo**

Bello	=	*IL* PIÙ **BELLO**	(IL MENO BELLO)
Grande	=	*IL* PIÙ **GRANDE**	(IL MENO GRANDE)
Famoso	=	*IL* PIÙ **FAMOSO**	(IL MENO FAMOSO)

- *Articolo determinativo* + nome + PIÙ (MENO) + **aggettivo**

Libr**o** bell**o**	= *IL* LIBRO PIÙ **BELLO**	(IL LIBRO MENO BELLO)
Valigi**a** grand**e**	= *LA* VALIGIA PIÙ **GRANDE**	(LA VALIGIA MENO GRANDE)
Attor**e** famos**o**	= *L'*ATTORE PIÙ **FAMOSO**	(L'ATTORE MENO FAMOSO)

Il superlativo concorda con il nome in **genere** e **numero**.

ESEMPI

Questo vino è **il più (meno) caro** del ristorante. (*M.S.*)
I tuoi figli sono **i più (meno) bravi** della classe. (*M.PL.*)
Marta è **la più (meno) alta** delle sorelle. (*F.S.*)
Queste scarpe sono **le più (meno) eleganti** del negozio. (*F.PL.*)

Secondo le regole generali (*), il **secondo termine di paragone** dopo il superlativo relativo può essere introdotto da **DI** o **CHE**.

ESEMPI

La loro villa è la più isolata **della** zona. (*DI + nome*)
Questo viaggio è il più bello **che** abbiamo fatto. (*CHE + verbo*)

FRASI

A: Allora, ti piace il cugino di Laura?
B: Ah, è **il ragazzo più divertente** che abbia conosciuto!

A: Vi siete divertiti sabato?
B: Guarda, è stata **la serata più noiosa** che abbiamo mai passato!

A: Hai poi comprato il vestito per il matrimonio di Luca?
B: Guarda, ero molto indecisa, ma alla fine ho preso **il meno caro** dei due, tanto lo metterò solo una volta.

(*) vedere la scheda 5, **Comparativi** (p. 25).

ESERCIZI

1. Completa i brevi dialoghi con l'aggettivo al superlativo assoluto o relativo

1. A: È vero che Giorgio è così ingrassato?
   B: Sì, guarda, è .... (grasso)
2. A: Senta, devo fare un regalo, vorrei dei fiori veramente freschi ...
   B: Guardi, ... sono quelle rose gialle. (fresco)
3. A: Che ne pensi di loro?
   B: Mah, in generale mi sembrano simpatici, forse .... è Carlo.
   A: Sì, hai ragione, qualche volta è un po' scortese. (simpatico)

4. A: Abbiamo pensato di andare in vacanza in Finlandia, quest'estate.
   B: Fate bene, ci sono stata l'anno scorso e l'ho trovata .... (bello)
5. A: Peccato per Luisa!
   B: È vero! È una ragazza .... , eppure non riesce a trovare lavoro. (intelligente)
6. A: Conosci le sorelle Bianchi, Patrizia e Sara?
   B: Come no! ...., Sara, è stata fidanzata tre anni con mio cugino. (piccolo)
7. A: Tu in che supermercato vai?
   B: Io mi trovo bene al centro commerciale, hanno un sacco di prodotti con la scritta "..................................", che sono convenienti e anche buoni. (caro)

2. Riscrivi le frasi usando il superlativo appropriato

1. Nessuno degli studenti è più bravo di Paolo. ....
2. Le ultime giornate sono state veramente faticose. ....
3. È una persona gentile, ma molto noiosa. ....
4. Non avevamo mai visto un appartamento così lussuoso. ....
5. La persona che ti ho mandato è estremamente affidabile. ....
6. Quest'anno non avevo ancora visto un film così stupido! ....
7. Nessuna delle camere dell'albergo è grande come questa. ....
8. È proprio giusto. ....

3. Completa con una frase a piacere con un superlativo assoluto o relativo

1. New York è ....
2. Il lavoro è ....
3. Questa è .... che abbiamo mai fatto.
4. Questo è .... dove siamo mai andati.
5. Viaggiare è ....
6. Ho conosciuto ....
7. Mi ha confidato ....
8. La televisione è ....

4. Completa la pubblicità con gli aggettivi dati al superlativo giusto aggiungendo correttamente l'articolo

ghiotto *esclusivo* *semplice* *gradito* *nuovo* *conveniente*

UN' OCCASIONE DA NON PERDERE

Gentile Signora,
il nostro ipermercato ha deciso di farLe un regalo, anzi ... tre! Tre buoni acquisto che potrà spendere quando vorrà dal 2 al 30 maggio per (1) .... shopping .... dell'anno! Legga nei buoni qui sotto allegati le modalità: è (2) .... ! I buoni le permetteranno di ottenere uno sconto di 3 euro per ogni acquisto superiore a 3 euro nei giorni da lunedì a venerdì. Non le sembra (3) .... occasione .... dell'anno? Non aspetti altro tempo: venga a trovarci nel nostro (4) .... centro commerciale: troverà (5) .... negozi .... per i suoi acquisti, anche la domenica! Sì, ecco un'altra (6) .... novità: tutte le domeniche La aspettiamo a negozi aperti!

8 SUPERLATIVI IRREGOLARI

1 **Gli aggettivi**: *buono, cattivo, grande, piccolo, alto, basso*

oltre alle forme regolari, **hanno superlativi irregolari**:

	Superlativo relativo	***Superlativo assoluto***
buono	il/la migliore (miglior) i/le migliori	ottimo/a ottimi/e
cattivo	il/la peggiore (peggior) i/le peggiori	pessimo/a pessimi/e
grande	il/la maggiore (maggior) i/le maggiori	massimo/a massimi/e
piccolo	il/la minore (minor) i/le minori	minimo/a minimi/e
alto	=	supremo (sommo)/a supremi (sommi)/e
basso	=	infimo/a infimi/e

- Il superlativo relativo può perdere la "e" finale se si trova **davanti ai nomi**:

ESEMPI

La **maggior** parte delle persone desidera essere ricca.
Ha ottenuto il **miglior** risultato.
Mario è il mio **migliore** amico.

- Queste forme irregolari seguono le regole d'uso generali dei superlativi. Come già visto, il significato dell'aggettivo originario può essere diverso in base al contesto (*).

ESEMPI

Abbiamo cenato in un ristorante **ottimo** (**pessimo**).	= un ristorante *molto buono* (*molto cattivo*)
Producono un caffè di qualità **suprema** (**infima**) .	= *altissima* (*bassissima*) qualità
Non ho la **minima** idea di quello che stai dicendo.	= un'idea *piccolissima*
È stata la vacanza **migliore** (**peggiore**) della mia vita.	= la vacanza *più bella* (*brutta*)
La **maggiore** (**minore**) delle sorelle lavora in banca con me.	= la sorella *più vecchia* (*giovane*) d'età

(*) vedere la scheda 6, **Comparativi irregolari** (p. 28).

! NOTA BENE

- Gli avverbi **bene** e **male** hanno il **superlativo assoluto regolare**:

bene = **benissimo**
male = **malissimo**

Esistono pochi aggettivi che **non formano il superlativo assoluto** con *-issimo.*

- Le forme "migliore/peggiore" e "ottimo/pessimo" sono già forme di comparativo e superlativo. Non si dice: "più migliore" o "ottimissimo".
- I seguenti aggettivi **per formare il superlativo assoluto** usano **-errimo** e modificano anche il tema:

acre			**acerrimo**
celebre			**celeberrimo**
salubre	+ **errimo**	=	**saluberrimo**
integro			**integerrimo**
misero			**miserrimo**

- Pochi aggettivi in ***-fico*** e ***-volo*** formano il **superlativo assoluto** con **-entissimo**:

Magnifico	+ **entissimo**	=	**magnificentissimo**
Benevolo			**benevolentissimo**

I superlativi in **-errimo** e in **-entissimo** sono usati poco.

FRASI

Questo piccolo paese di montagna è famoso per l'aria **saluberrima**.
Un **celeberrimo** direttore d'orchestra terrà un concerto nella nostra città.
Quel palazzo d'epoca conserva ancora degli arredi **magnificentissimi**.

ESERCIZI

1. Completa le frasi con il superlativo assoluto o relativo degli aggettivi tra parentesi

1. A: Scusi, per la Stazione Centrale?
   B: Guardi, la cosa .... è prendere la metropolitana: fa due fermate e poi scende. (buono)
2. A: Che persona antipatica!
   B: Sì, anche a me ha fatto una .... impressione. (cattivo)
3. A: Dov'è Paolo? Non doveva aiutarti?
   B: Sì, è stato qui un po', comunque la .... parte del lavoro ho dovuto farla io. (grande)
4. A: Che fine ha fatto Sabrina?
   B: Non ne ho la .... idea, sono secoli che non la sento. (piccolo)
5. Dovete cercate di finire l'esercizio nel .... tempo possibile. (piccolo)
6. A: Il livello di questo lavoro è .... (basso)
   B: Non esagerare! Hanno fatto quello che hanno potuto.

2. Riscrivi le parti evidenziate usando il superlativo appropriato

1. Guidava a velocità molto grande e ha avuto un grave incidente.
   ....
2. A: Come va Letizia a scuola?
   B: Beh, non è la più cattiva della sua classe, ma potrebbe fare di più.
   ....
3. Se vai a nome mio in quell'agenzia, ti faranno i prezzi più economici.
   ....
4. Non ha mai avuto neanche una piccolissima considerazione per gli altri.
   ....
5. Le temperature più basse e più alte di domani saranno di 0 e 8 gradi.
   ....
6. Quel quartiere ha una reputazione molto cattiva, per questo le case le vendono ai prezzi più bassi del mercato.
   ....
7. A: Come va il lavoro?
   B: Molto bene. Quest'anno abbiamo avuto i risultati più buoni degli ultimi 10 anni.
   ....

3. Rispondi a piacere con un superlativo irregolare

1. A: Che ne dici, andiamo a cena al ristorante cinese?
   B: ....
2. A: Ho deciso di prendermi un anno sabbatico.
   B: ....
3. A: Che ne pensi di questi prodotti?
   B: ....
4. A: Che cosa fa Marco adesso?
   B: ....
5. A: Come sta tua madre?
   B: ....
6. A: Mi saprebbe consigliare un buon ristorante?
   B: ....
7. A: Come vanno gli affari?
   B: ....
8. A: Non mi sento molto bene, ho la nausea ...
   B: ....

4. Completa il testo con i superlativi irregolari

MERCATI FINANZIARI

Dopo una giornata senza particolari entusiasmi, le borse europee sono riuscite a rialzare la testa sulla scia di Wall Street. La Borsa (1) .... è stata quella di Parigi, salita dell'1,13 percento, mentre a Piazza Affari il Mibtel si è avvicinato ai (2) .... dell'anno con un rialzo dello 0,48 percento. I titoli (3) .... sono stati quelli del comparto bancario, in particolare Bancageneral (+ 3,5%), mentre rimangono fra i (4) .... della settimana i telefonici, come Telitalia (- 1,18%) e Genitel (- 0,54%). Chiusura positiva invece per il nuovo mercato, con un (5) .... recupero del titolo Mitsoftware (+ 3,8%), dopo l'annuncio della fusione con un'altra società non quotata.

9 ALTRI MODI DI FORMARE COMPARATIVI E SUPERLATIVI

Esistono altri modi per cambiare l'aggettivo **al grado comparativo** o **superlativo**

1 Comparativo di uguaglianza

Invece di usare *come* o *quanto* possiamo usare:

non meno di/(che)
al pari di/(che)
altrettanto (di/che)

ESEMPI

La nostra città è importante **al pari della** vostra. = (*come* la vostra)
È intelligente **non meno che** bella. = (intelligente *quanto* bella)
Questa macchina è **altrettanto** sicura della tua. = (sicura *come* la tua)

Per l'uso di **di** o **che** si seguono le regole generali (*).
(*) vedere la scheda 5, **Comparativi** (p.25).

2 Superlativo assoluto

Invece di usare l'aggettivo + *-issimo* possiamo usare:

- **gli avverbi**:

molto
davvero
assai + ***l'aggettivo***
proprio
oltremodo

estremamente
veramente
straordinariamente
incredibilmente
assolutamente (ecc.)

ESEMPI

È stata una conferenza **molto interessante**. = *interessantissima*
Fa un lavoro **estremamente difficile**. = *difficilissimo*
Hanno trovato una villa da ristrutturare ad un prezzo **assai vantaggioso**. = *vantaggiosissimo*
La tua ragazza è **proprio carina**. = *carinissima*

Questo sistema è usato frequentemente nella lingua parlata.

- **l'aggettivo ripetuto due volte**

ESEMPI

Mamma, guarda! Ho disegnato Babbo Natale con la barba **lunga lunga**. = *lunghissima*
Ho visto un appartamento **bello bello**. = *bellissimo*

- **i prefissi**:

stra
ultra + ***l'aggettivo***
arci

ESEMPI

Mio zio è **straricco**. = *ricchissimo*
In casa ha un arredamento **ultramoderno**. = *modernissimo*

A: Allora, sei contento del regalo?
B: Contento? Sono **arcicontento**! = *contentissimo*

La ripetizione dell'aggettivo e l'uso dei prefissi sono usati in modo limitato nella lingua.

FRASI

Il tuo comportamento con Simone è stato **oltremodo** maleducato: scusati subito!
Ho comprato uno di quei nuovi televisori con lo schermo **ultrapiatto**.
Non so perché, ma stasera mi sento **stanca stanca**.
È un attore **arcifamoso**, ma in questo momento proprio non mi viene in mente il suo nome.

ESERCIZI

1. Trova altri modi per esprimere i seguenti comparativi e superlativi

1. grande come la tua ....
2. luminosissima ....
3. famosissimi ....
4. testardissimo ....
5. spaziosissimo ....
6. lucide come le vostre ....
7. altissimo ....
8. sicuri come i suoi ....
9. rigidissimo ....
10. scontatissime ....
11. necessario come dormire ....
12. divertente come in vacanza ....

2. Completa opportunamente i brevi dialoghi con altri modi per esprimere i comparativi e i superlativi

1. A: Allora, sei andato a vedere l'appartamento? È grande?
   B: Sì, ma è .... dal centro. (lontano)
2. A: È un posto piccolo e un po' provinciale, no?
   B: Può sembrare, ma ci sono servizi e negozi .... in una grande città. (fornito)
3. A: Mi sento uno straccio, stanotte non ho chiuso occhio per il caldo e le zanzare.
   B: A chi lo dici, sono .... di te. (stanco)
4. A: Che guaio! Siamo rovinati!
   B: Dai, la situazione è ...., ma non dobbiamo arrenderci. (delicato)
5. A: Che bell'ambiente, non trovi?
   B: Sarà, ma a me queste cose .... non piacciono molto. (moderno)
6. A: Dai, stai tutto il giorno sui libri, prendi un po' d'aria!
   B: Non posso, ho l'esame, devo studiare giorno e notte.
   A: Non esagerare! Il riposo è .... studio. (importante)

3. Trasforma le frasi usando altri modi per esprimere il comparativo o il superlativo

1. Laura è brava a scuola, ma anche sua sorella Maria ottiene buoni risultati.
   ....
2. Questo vino è carissimo.
   ....
3. Il ristorante dove siamo andati era davvero pessimo.
   ....
4. Mi piacerebbe lavorare in un posto interessante come il tuo.
   ....
5. La mia situazione non è meno complicata della tua.
   ....
6. Hanno fatto un'ottima impressione.
   ....
7. Abbiamo alloggiato in un albergo buono come un quattro stelle.
   ....
8. Il suo atteggiamento è sbagliatissimo.
   ....

4. Completa il testo con gli aggettivi dati al comparativo o superlativo (altri modi)

accogliente *pittoresco* *pulito* *disponibile* *spazioso*

PENSIONE ELIA, ALBERGO DI CITTÀ

Situata in centro, all'interno delle mura della splendida città di xxxx, la Pensione Elia è una casa di città rimodernata con gusto, oltre che (1) .... Le camere variano leggermente per dimensioni, ma per la maggior parte sono (2) .... e in generale hanno piccoli balconi che danno su una strada (3) .... I mobili in legno sono semplici ma carini, con molto spazio a disposizione per i vostri oggetti personali; le camere all'ultimo piano sono più piccole ma (4) .... di quelle ai piani inferiori e con una magnifica vista . Il Signor Elia è (5) ...., e potete rivolgervi a lui per informazioni, quando l'ufficio del turismo è chiuso.

10 VERBI SEGUITI DA PREPOSIZIONI

1 In italiano quando si uniscono due verbi, il secondo è un infinito (meno frequentemente un gerundio):

Verbo + *infinito*

Ho visto	***arrivare*** Renato.
1° verbo	2° verbo
Vorrei	***bere*** qualcosa.
1° verbo	2° verbo

2 Alcuni verbi si uniscono direttamente all'infinito, altri verbi invece usano ***preposizioni***:

- **Verbo + *di*** + infinito

Verbi che indicano **la fine di un'azione**:

finire	**Hai finito *di*** pulire il giardino?
piantarla	Marco, **piantala *di*** mangiare le patatine!
smettere	Sai, **ho smesso *di*** fumare.
terminare	Il ministro **ha terminato *di*** parlare alle undici.

Verbi che indicano **un tentativo di azione**:

cercare	**Ho cercato *di*** andare in palestra tutti i giorni.
sforzarsi	Bisogna **sforzarsi *di*** capire il punto di vista degli altri.
tentare	Silvia **ha tentato *di*** studiare il cinese.
(*eccezione: provare a*)	

- **Verbo + *a*** + infinito

Verbi che indicano **l'inizio o la continuazione di un'azione**:

cominciare	**Ho cominciato *a*** leggere il libro che mi hai regalato.
mettersi	Carlo **si è messo *a*** studiare tedesco.
continuare	**Continuava *a*** nevicare e così la partita è stata sospesa.
stare	Non **sto *a*** raccontarti tutta la storia altrimenti non finiamo più!

Verbi che indicano una **capacità**:

arrivare	Non **arrivo *a*** capire perché si è comportato così.
riuscire	**Riesci *a*** leggere quel cartello?

Verbi che indicano un **movimento**:

accompagnare	Mi **accompagni *a*** fare la spesa?
andare	**Vado *a*** trovare i miei genitori per Natale.
correre	**Corri *a*** vedere: c'è Mario in TV!
entrare	**Entro** un momento ***a*** comprare le sigarette.
mandare	**Hai mandato** qualcuno ***a*** spedire il fax?
salire	**Salite *a*** bere qualcosa da me?
tornare	**Sei tornato *a*** vedere quel film? È la terza volta!
uscire	**Uscite *a*** fare jogging con questa pioggia?
venire	**Vieni *a*** trovarmi quando vuoi.

3

Per altri verbi non è possibile identificare con precisione un gruppo di appartenenza ed è quindi necessario memorizzarli.

- **Verbo + *di* +** infinito

accorgersi	**Mi sono accorto *di*** spendere davvero troppo.
confessare	**Ha confessato *di*** fumare in bagno.
consigliare	Vi **consiglio *di*** provare gli spaghetti ai frutti di mare.
dimenticarsi	**Mi sono dimenticato *di*** fare gli auguri a Marta.
dire	**Ha detto *di*** preparare un dolce per stasera.
pregare	La **prego *di*** entrare in sala, il film sta iniziando.
ricordarsi	**Ti sei ricordato *di*** spegnere la stampante?
rifiutarsi	**Mi rifiuto *di*** firmare questo documento.

- **Verbo + *a* +** infinito

abituarsi	**Mi sono abituato a** guidare in Italia.
aiutare	Scusa, mi **aiuti *a*** spostare questo mobile?
costringere	Ti **ha costretto *a*** fare questo?
decidersi	Non **si decide *a*** darmi una risposta.
divertirsi	**Ti diverti *a*** fare questi scherzi stupidi?
imparare	**Impara *a*** rispettare le regole.
insegnare	Chi ti **ha insegnato a** sciare?
invitare	Vi **invito** tutti ***a*** bere qualcosa da me.
restare	Dai, **resta *a*** guardare il film con noi.
rinunciare	Anche se piove non **rinuncio *a*** uscire.
sbrigarsi	**Sbrigati *a*** finire i compiti!

! NOTA BENE

- I verbi che reggono il **congiuntivo** (*) usano la preposizione **di** + ***infinito*** quando il soggetto è lo stesso per entrambi i verbi:

Spero che *Marina faccia* presto.
io — lei

Spero di ***fare*** presto.
io — io

Aspetto che *vediate* i risultati.
io — voi

Aspettano di ***vedere*** i risultati.
loro — loro

ESEMPI

avere paura	Lui **ha paura di** prendere l'aereo.
avere bisogno	**Ho bisogno di** parlare con l'avvocato.
avere voglia	**Ho voglia di** mangiare una pizza.
chiedere	**Ha chiesto di** partecipare alla riunione.
credere	**Crede di** essere un grande attore, figurati!
decidere	**Ha deciso di** partire il mese prossimo.
pensare	Marco **pensa di** parlare bene l'inglese.
permettere	Ci **permetteranno di** entrare?
pretendere	Maria **pretende di** avere sempre ragione.
vergognarsi	Non **si vergognano di** dire queste cose?

(*) verbi che esprimono un'opinione, una volontà, un'attesa, una speranza, un dubbio, un timore e così via.
Vedere la scheda 22, **Il congiuntivo presente: verbi regolari** (p. 75).

ESERCIZI

1. Abbina le frasi delle due colonne

1. Insomma, sbrigati
2. Ho cominciato
3. Hai provato
4. Hai cercato
5. Il bambino si è messo
6. In aeroporto mi sono accorta
7. Finalmente ho finito
8. Mi piace il caos e non mi abituerò mai

a) di fare una dieta seria?
b) a mangiare meno?
c) di aver dimenticato il biglietto.
d) a chiudere le valigie!
e) di pulire il garage!
f) a vivere in campagna.
g) a piangere senza motivo.
h) a fare yoga regolarmente.

2. Leggi il testo e scegli la preposizione corretta

Ormai è impossibile cercare 1)di/a ignorare il problema: l'inquinamento dell'aria è diventata una questione di rilevanza mondiale. Il Protocollo di Kyoto, in vigore dal febbraio 2005, chiede agli stati firmatari 2)di/a ridurre le emissioni di anidride carbonica. Tutti noi, però, possiamo fare qualcosa, per esempio sforzarci 3)di/a adottare comportamenti più corretti. Possiamo decidere 4)di/a usare per la nostra casa le nuove "vernici intelligenti" che aiutano 5)di/a usare di meno caloriferi e condizionatori oppure provare 6)di/a fare la spesa in uno dei cento negozi italiani che hanno scelto 7)di/a rinunciare 8)di/a confezionare la merce, evitando quindi spreco di carta e plastica. In fondo, non è difficile imparare 9)di/a rispettare l'ambiente.

3. *Di* o *A*? Completa le frasi

1. Che peccato! Ha smesso .... nevicare.
2. Paola si è finalmente decisa .... imparare l'inglese.
3. Avete provato .... parlare con il direttore?
4. Il dottore ha detto che devo rinunciare .... mangiare dolci e fritti.
5. Andiamo .... trovare Monica?
6. Scusi, Le dispiacerebbe aiutarmi .... compilare questo modulo?
7. Abbiamo cercato .... convincerlo ma non ci siamo riusciti.
8. Non ti accorgi .... essere un po' troppo aggressivo?

4. Completa le frasi, facendo attenzione alla preposizione corretta, e segna il gruppo di appartenenza del verbo sottolineato, come nell'esempio

inizio *continuazione* *fine* *capacità* *tentativo* *movimento*

1. Cercherò ...**di arrivare in tempo**........................ ...**tentativo**................
2. Vado ....
3. Termino ....
4. Non riesce ....
5. Iniziamo ....
6. Ha continuato ....
7. Vieni ....
8. Mi sono messo ....

11 PRONOMI INTERROGATIVI

Nelle domande (dirette o indirette) si usano spesso i pronomi interrogativi:

Chi
Che / Che cosa / Cosa
Quale
Quanto

1

Chi

- Indica **l'essere animato (persona o animale)**. È invariabile. Si può usare da solo o dopo le preposizioni.

ESEMPI

A: **Chi** è al telefono?
B: Sono **Paola Rossi**. (chi = *Paola*)

A: **Con chi** sei uscita ieri?
B: **Con Pierluigi**. (con chi = *con Pierluigi*)

A: Guarda, sono arrivati dei fiori ma non so **per chi** sono.
B: Vediamo se c'è un biglietto … Ah, sono **per me**! (per chi = *per me*)

A: **Per chi** è questa nuova ciotola?
B: **Per Cirillo**, il mio gatto. (per chi = *per il mio gatto*)

- Quando ***Chi*** indica il soggetto della frase è singolare e quindi anche il verbo è alla 3ª persona singolare.

ESEMPI

Chi parla?
Chi è entrato?
Chi verrà alla festa?

- ***Chi*** può indicare anche un plurale con il verbo *essere*.

ESEMPI

Chi **sono** *queste persone*? (chi = *queste persone, i tuoi amici*)
Chi **sono** *i tuoi amici*?

2

Che / Che cosa / Cosa

- Indica **la cosa** (un oggetto oppure un'azione), quindi non si può usare con gli esseri animati. È invariabile. Si può usare da solo o dopo le preposizioni.

ESEMPI

A: **Che** mangiamo oggi?
B: **Pollo** arrosto. (che = *il pollo*)

A: **A che** serve questo?
B: **A togliere** i parassiti dalle piante. Stai attento, è velenoso. (a che = *a togliere*)

A: Hai il cavatappi?
B: No.
A: Allora **con che** apriamo la bottiglia?
B: Prova **con questo coltello**. (con che = *con il coltello*)

- Usiamo ***Che***, anche come **aggettivo interrogativo** (seguito da un nome), con il significato di *quale*.

ESEMPI

Che caramelle mangi?
Che cantante preferisci?
Che lavoro fai?

3 Quale

- Serve a specificare la qualità o il tipo. Indica cose o persone. Si può usare da solo o preceduto da preposizioni. Ha due forme: singolare e plurale:

	S.	PL.
M./F.	**quale**	**quali**

ESEMPI

A: C'è **vino bianco o rosso**. **Quale** vuoi?
B: Rosso, grazie.

A: **Quali** sono **i tuoi interessi**?
B: Mi piace la musica e anche fare sport.

A: Conosci **quella ragazza**?
B: **Quale**?
A: La bionda.

A: Per favore, porta questo caffè **a quel signore**.
B: **A quale**?
A: Al signore calvo con la giacca grigia.

- Molto spesso usiamo ***Quale*** come **interrogativo** (seguito da un nome), con lo stesso significato.

4 Quanto

- Serve a specificare la quantità. Si può usare da solo o preceduto da preposizioni. Ha quattro forme per il maschile, il femminile, il singolare e il plurale:

	S.	PL.
M.	**quanto**	**quanti**
F.	**quanta**	**quante**

ESEMPI

A: Vorrei della **mortadella**.
B: **Quanta**?
A: Facciamo 3 etti. (quanta = *la mortadella*)

A: Hai dei **fogli bianchi** da darmi?
B: **Quanti** ne vuoi?
A: 10 bastano. (quanti = *fogli*)

A: Lo conosco da un sacco di **tempo**.
B: **Da quanto**?
A: Almeno da 10 anni. (da quanto = *tempo*)

- Molto spesso usiamo ***Quanto*** come **aggettivo interrogativo** (seguito da un nome), con lo stesso significato.

ESEMPI

Quanti anni hai?
A quante persone l'hai detto?
Da quanto tempo lavori qui?
Quanta carta ti serve?

! NOTA BENE

- Tutti gli aggettivi e i pronomi interrogativi si possono usare in **frasi esclamative** per esprimere ammirazione, disgusto, sorpresa, ironia e così via.

ESEMPI

Che bella ragazza!	(*ammirazione*)
Quanta sporcizia in questa camera! Perché non ti decidi a pulire?	(*disgusto*)
Siamo invitati anche noi? **Quale** onore!	(*sorpresa*)
Tu sei stanco? A **chi** lo dici!	(*ironia*)
A: Perché non parli con lei? B: A **che** pro? Ha già deciso e non cambierà idea.	(*cinismo/rassegnazione*)

ESERCIZI

1. Completa correttamente con *chi, che, quale, quanto*

1. A: A .... hai spedito l'invito per l'inaugurazione?
   B: A circa 300 persone.
   A: Uhm, non bastano, dobbiamo spedirne altri 200.
   B: Va bene, ma a ....? Io ho già contattato tutti quelli che avevo nel database.
2. A: Scusi, ... viene quella giacca di pelle in vetrina?
   B: ....?
   A: Quella chiara, corta.
   B: Ah, quella è scontata del 20%, viene 120 euro.
3. A: .... era al telefono?
   B: Mah, niente, hanno sbagliato numero.
4. A: Mamma mia, ... film orrendo!
   B: Hai ragione, volevo uscire già dal primo tempo.
5. A: Scusa, ... hai detto? Ero distratta.
   B: Ti ho chiesto se hai visto Paolo recentemente.
   A: Paolo ....?
   B: Il fratello di Luca ...
   A: Ah, lui. No, Luca mi ha detto che si è trasferito a Roma per lavoro.
6. A: .... hai salutato?
   B: Una delle sorelle di Piero.
   A: Un'altra?! Ma .... ne ha?
   B: Ah, è una famiglia numerosa, sono in sei, e Piero è l'unico maschio.

2. Ricostruisci le frasi

1. Con chi
2. Da quanto
3. Per quanto
4. Quale
5. Da che
6. Secondo chi
7. Con che
8. Quanta

a) dipende?
b) ti serve?
c) ne hai ordinata?
d) si prepara?
e) avete il gatto?
f) vi fermate?
g) è sbagliato?
h) andate?

3. Scrivi le domande usando *chi, che, quale, quanto* e le preposizioni quando necessario

1. A: ....?
   B: Con Paolo.
2. A: ....?
   B: Circa due settimane.
3. A: ....?
   B: Per un anno e mezzo.
4. A: ....?
   B: Quelli blu.
5. A: ....?
   B: Più o meno quindici.
6. A: ....?
   B: Da mia sorella.
7. A: ....?
   B: Al signore seduto al tavolo 6.
8. A: ....?
   B: Con lo yogurt e i frutti di bosco.

4. Inserisci nei dialoghi le seguenti espressioni per esprimere ironia, sorpresa, disapprovazione, disgusto ...

a chi lo dici   *quale onore*   *che bello*   *che schifo*   *quanto spreco*   *a che pro*

1. A: Siamo stati invitati da Lisa e Guido per il fine settimana.
   B: ....! E come mai si sono fatti vivi dopo tutto questo tempo?
   A: Fanno l'inaugurazione della nuova casa e così hanno invitato un sacco di gente.
2. A: Luisa è piena di vestiti che non si mette, e continua a comprarne altri.
   B: ....! Ma non potrebbe regalarli a qualcuno? Con tutta la gente che ha bisogno!
3. A: Non sopporto più di stare dai miei, continuano ad assillarmi, non sono libero di fare niente.
   B: ....! Ma intanto, se non troviamo lavoro come facciamo ad andarcene?
4. A: Ho avuto il posto!
   B: ....! Quando cominci?
   A: Alla fine di questo mese.
5. A: Senti, ma se le cose al lavoro vanno così male, perché non ne parli con Giorgio?
   B: ....? Lui non ci può fare niente, è il capo che decide.
6. A: ....! Da quanto non pulisci?
   B: Uffa, lasciami in pace, non ho tempo adesso.

12 PRONOMI INDEFINITI

I pronomi indefiniti **sostituiscono persone o cose** che non sono indicate con esattezza.

ESEMPI

Vi posso offrire **qualcosa**? (qualcosa = *da mangiare o da bere, non specifico*)
Non ho visto **nessuno**. (nessuno = *una persona, non dico quale*)
Tu non hai fatto ferie, la tua collega ne ha fatte **troppe**. (troppe = *sostituisce* ferie *ma non indica esattamente la quantità*)

Esistono tre gruppi:

1 Pronomi con **quattro forme**:

alcuno
tanto
altrettanto
altro
uno
molto
poco
troppo
tutto

	S.	PL.
M.	-o	-i
F.	-a	-e

ESEMPI

A: Ci sono ***delle belle cose*** in quel negozio?
B: **Alcune** sì, **altre** sono molto care e secondo me non di buona qualità. (alcune, altre = *cose*)

A: Quanti ***giorni*** sei stato in Giappone?
B: **Pochi**, sono andato per lavoro. (pochi = *giorni*)

A: C'era molta ***gente*** al matrimonio?
B: **Tanta**, forse **troppa**. (tanta, troppa = *gente*)

A: Hai speso molto per il viaggio?
B: Beh, ho speso 400 ***euro*** per l'aereo e **altrettanti** per il vitto e l'alloggio. (altrettanti = *euro*)

• *Uno* e *Altro* si possono usare in correlazione.

ESEMPI

A: Dove sono ***i ragazzi***?
B: **Uno** a studiare, **l'altro** in palestra.

Siamo senza ***segretarie***, **una** è in ferie, **l'altra** in maternità.

2 Pronomi con **due forme**:
(*solo al singolare o solo al plurale*)

qualcuno
ciascuno
ognuno
nessuno

	S.
M.	**-o**
F.	**-a**

certi (certuni)

	PL.
M.	**-i**
F.	**-e**

ESEMPI

Certi proprio non capiscono l'educazione!
Ognuno deve lavorare.

A: Hai visto **qualcuno**?
B: No, non c'è **nessuno**.

La Repubblica
riconosce a tutti
i cittadini
il diritto al
lavoro

3 Pronomi con **una sola forma *invariabile***:

chiunque (chicchessia) (*solo per le persone*)

qualcosa
niente (nulla) (*solo per le cose*)

ESEMPI

È una persona che non parla con **chiunque**.

A: Ti offro **qualcosa**?
B: **Nulla,** grazie, ho già mangiato.

! NOTA BENE

- Molti pronomi indefiniti sono anche aggettivi (*) o avverbi, in particolare:

  tanto, **altrettanto**, **poco**, **parecchio**, **molto**, **troppo**

ESEMPI

Ho mangiato **troppo**
poco
parecchio
ecc.

(*) vedere la scheda 4, **Aggettivi indefiniti** (p. 22).

ESERCIZI

1. Completa i dialoghi con i seguenti pronomi indefiniti alla forma giusta

ognuno *alcuno* *altro* *qualcosa* *chiunque* *qualcuno* *troppo*

1. A: È venuto ....?
   B: No, perché?
   A: Mi è sembrato di sentire bussare alla porta.
2. A: Mamma mia quanta gente che aspetta la metropolitana!
   B: .... Io aspetto il prossimo treno.
   A: Io sono già in ritardo, cercherò di salire comunque.
3. A: Come vanno i nuovi assunti?
   B: Al solito. .... imparano in fretta e lavorano bene, ... non si danno molto da fare.
4. A: Cerchi ....?
   B: Sì, le mie chiavi. Tu le hai viste?
5. A: Ma sei matta a tenere la porta aperta così?! Può entrare ....!
   B: Stai calmo, adesso la chiudo.
6. A: Che bel buffet! È per noi?
   B: Certo. .... può prendere quello che vuole.

2. Abbina le frasi

1. Non mettere più zucchero:	a) può farlo chiunque.
2. C'è molto traffico?	b) e ne compro altrettanti nuovi.
3. Chi era al telefono?	c) ognuno vuole avere ragione.
4. Se continui a spendere così	d) Beh, a qualcuno piace.
5. Non è difficile:	e) ce n'è già troppo.
6. Litigate sempre e	f) Nessuno, hanno sbagliato.
7. Butto tutti i vestiti che non metto più	g) non ti resterà niente.
8. Che robaccia! Ma come fanno a venderla?	h) Parecchio, è l'ora di punta.

3. Scrivi la domanda o la risposta usando un pronome indefinito

1. A: ....?
   B: Sì, è passata Angela e ti ha lasciato questa busta.
2. A: Che cosa hai detto?
   B: ....
3. A: ....?
   B: Grazie, prendo volentieri un caffè.
4. A: Chi stai aspettando?
   B: ...., perché?
5. A: Deve parlare con una persona in particolare?
   B: No, ...
6. A: ....?
   B: No, va bene così.

4. Completa il dialogo con i pronomi indefiniti giusti

A: Mi sembri un po' giù. (1) .... non va?
B: No, sono solo stanco. C'è troppo lavoro, ci vorrebbe (2) .... che mi desse una mano.
A: Beh, se è solo per questo, ce ne sono fin (3) .... che cercano lavoro ...
B: Sì, certo, ma io non voglio prendere (4) .... Ci vorrebbe (5) .... in gamba, con molta voglia di lavorare e impegnarsi, ma che vada anche bene con le persone che abbiamo già.
A: Allora hai già provato a cercare?
B: Stiamo cercando da mesi, figurati, ma non troviamo (6) ....
A: Mi sembra strano, però, con tutta la gente disoccupata che c'è in giro ...
B: Eh, il problema è che (7) .... non hanno esperienza, (8) .... che potrebbero andare bene chiedono (9) .... e noi, come sai, non possiamo pagare (10) ....
A: Ascolta, se vuoi, mi informo e vedo se fra le persone che conosco c'è (11) .... interessato.
B: Grazie, se puoi, mi faresti un favore.

13 ESPRESSIONI CON *CI* e *NE*

1 Come già visto nel Volume 1, ***Ci*** sostituisce un luogo.

ESEMPI

Vado **a Roma** e **ci** rimango tre giorni.	(ci = *a Roma*)
Che cosa **ci** fai **qui** a quest'ora?	(ci = *qui*)

Tuttavia, esistono molte **espressioni formate da** un **verbo + CI** che non seguono del tutto questa regola. Ecco alcuni esempi:

capirci	**cascarci**
contarci	**crederci**
metterci	**pensarci**
provarci	**riuscirci**
sentirci	**scommetterci**
tenerci	**vederci**
volerci	

- L'uso di queste espressioni nella lingua è idiomatico e deve essere acquisito con la pratica. Diamo alcuni esempi:

ESEMPI

A: L'esame è troppo difficile, non lo passerò mai.	
B: Dai, almeno **provaci**!	(*provaci* = prova *a fare l'esame*)
A: È inutile, **non ci riuscirò** mai.	(*non ci riuscirò* = non riuscirò *a passare l'esame*)
A: Quanto **ci scommetti** che Mario non ti restituirà più i soldi che gli hai prestato?	(*ci scommetti* = scommetti *su questo fatto*)
B: Ma se glieli ho chiesti già tre volte!	
A: Eh, ma lui da quell'orecchio **non ci sente**!	(*non ci sente* = non sente *quello che dici*)
A: Hai sentito che Mauro **si compra una Ferrari**?	
B: **Non ci credo**!	(*non ci credo* = non credo *a questa cosa*)

A: Sai? Ho detto a Marina per scherzo che il mese prossimo ci sposiamo e lei **ci è cascata**!
B: È proprio una credulona!
(*ci è cascata* = è cascata *su quello che ho detto, ha creduto a tutto*)

A: Marco ha finalmente ottenuto la promozione, dopo tanto tempo.
B: Sì, lui **ci ha** sempre **creduto**.
(*ci ha creduto* = ha creduto *alla promozione*)

A: Senti! C'è Tommaso al telefono, vuole parlarti.
B: Mi dispiace, **non ci parlo**, mi ha fatto troppo arrabbiare.
(*non ci parlo* = non parlo *con Tommaso*)

2 Come già visto nel Volume 1, ***Ne*** sostituisce una parte di una quantità.

ESEMPI

A: Quanti panini vuole?
B: Me **ne** dia **cinque**. (ne = *di panini*)

A: Prendi un po' di frutta!
B: No, grazie, non **ne** voglio. (ne = *quantità 0 di frutta*)

Tuttavia, esistono molte **espressioni formate da** un **verbo + NE** che non seguono del tutto questa regola.
Ecco alcuni esempi:

dirne
esserne (+ aggettivo)
parlarne
pensarne
saperne
sentirne parlare
valerne la pena
non poterne più

- L'uso di queste espressioni nella lingua è idiomatico e deve essere acquisito con la pratica.

ESEMPI

A: Ti do un passaggio in macchina?
B: **Non ne vale la pena**, abito a due passi da qui.
(*non ne vale la pena* = non vale la pena *di darmi un passaggio, non è necessario*)

A: **Che ne dici** di andare da Fernando, stasera?
B: Buona idea!
(*che ne dici* = che dici *del fatto di andare da Fernando*)

Sono andata a Roma e **ne sono tornata** entusiasta. (*ne sono tornata* = sono tornata da Roma)

A: Allora, com'è la faccenda di Monica?
B: **Non ne so** niente. (*non ne so niente* = non so niente *di questa faccenda*)

A: Ma dai! **Ne parla** tutto l'ufficio. Dicono che ha problemi con il capo ...
(*ne parla* = parla *di questa faccenda*)
B: Io **non ne ho** mai **sentito parlare**.
(*non ne ho sentito parlare* = non ho sentito parlare *di questa faccenda*)

Sto parlando da tre ore: **non ne posso più**! (*non ne posso più* = sono stanco/a, sono stufo/a di questo!)

ESERCIZI

1. Abbina ciascuna espressione con *ci* o *ne* al significato corrispondente

1. Che ne dici?
2. Non ne vale la pena
3. Non ci credo!
4. Ci sei cascato!
5. Ne ho sentito parlare
6. Ci conto
7. Ci tiene molto
8. Non ci provare!

a) Hai creduto a uno scherzo.
b) per lui è molto importante.
c) Non devi neanche pensare di fare questa cosa.
d) Sei d'accordo o no?
e) non puoi deludermi.
f) Non è possibile.
g) è inutile fare questa cosa.
h) lo conosco di nome.

2. Completa i dialoghi con le seguenti espressioni coniugate alla forma giusta

riuscirci *saperne* *pensarci* *scommetterci* *sentirci* *esserne*

1. A: Mi sono dimenticata di fare la spesa!
   B: Non preoccuparti, ... io.
2. A: Mamma, voglio parlare anch'io con il nonno al telefono!
   B: Sì, ma parla forte, non .... bene.
3. A: Che hai, stai male?
   B: Domani ho l'esame, ma non mi ricordo niente, farò una figuraccia!
   A: Ma va! Andrai benissimo, ... sicura!
   B: Dici davvero?
   A: Quanto ....? Prenderai il massimo.
4. A: Hai preso tu il messaggio di Franchini? Doveva confermare l'appuntamento di giovedì ...
   B: Io sono appena arrivata, forse .... qualcosa Carolina.
5. A: È inutile, non .... mai!
   B: Dai, non scoraggiarti, vedrai che con un po' di impegno migliorerai.

3. Trova e scrivi la frase che precede le seguenti affermazioni

1. Ci penso io. ....
2. Non ci credo! ....
3. Non ci capisco niente. ....
4. Non ci vedo bene. ....
5. Non ne so niente. ....
6. Ne ho sentito parlare. ....
7. Ci mettiamo un'ora. ....
8. Non ci vuole ancora molto. ....
9. Ci scommetto la testa! ....
10. Contaci! ....

4. Completa opportunamente con le espressioni con *ci* e *ne*

1. A: Che caldo qui! Puoi aprire la finestra?
   B: ...., si è incastrata!
2. A: Abbiamo tutto tranne il vino.
   B: Non preoccuparti, Gianni ha detto che ....
3. A: Allora, avete visto la casa? È veramente un affare come dicevano?
   B: Beh, il prezzo è basso, però è tutta da ristrutturare: per noi non ....
4. A: Ti dispiace se cambiamo posto? Ho una colonna proprio davanti, non ....
   B: Certo, non c'è problema.

5. A: Paolo non viene con noi domani.
   B: .... sicuro? L'ho sentito ieri e non mi ha detto niente.
6. A: Franca non ci darà mai quei soldi, non le interessa il progetto.
   B: Che ....? Magari ha cambiato idea.
7. A: Mia madre mi ha dato il permesso! Posso venire in vacanza con voi!
   B: Non ....! Come hai fatto a convincerla?
8. A: Quanto .... che Marta non si fa vedere neanche questa volta?
   B: Dai, un po' di pazienza! È in ritardo di soli 10 minuti!

14 I PRONOMI COMBINATI

1 In italiano è frequente l'uso dei ***pronomi diretti*** per la 3ª persona in combinazione ***con i pronomi indiretti***: **pronomi combinati.**

ESEMPI

Regalo ***un libro***	= ***LO*** regalo	(***LO*** = *un libro*: pronome diretto M.S.)
Regalo ***a Maria***	= ***LE*** regalo	(***LE*** = *a Maria*: pronome indiretto F.S.)
Regalo **un libro a Maria**	= **GLIELO** regalo	(**GLIELO** = *LE* + *LO*: pronome indiretto F.S. + pronome diretto M.S.)

Ecco la tabella completa dei pronomi combinati:

Pronomi indiretti		Pronomi diretti	**PRONOMI COMBINATI**	
(a me)	MI	LO	**ME LO**	(LA, LI, LE)
(a te)	TI	LA	**TE LO**	»
(a noi)	CI	LI	**CE LO**	»
(a voi)	VI	LE	**VE LO**	»
(a lei/a Lei)	LE		**GLIELO**	»
(a lui/a loro)	GLI		**GLIELO**	»

NOTA ALLA TABELLA:

1) La *"i"* dei pronomi indiretti diventa *"e"* nella combinazione: **me** lo porti (**non** *si dice/scrive*: mi lo porti).
2) I pronomi combinati per la **3ª persona** singolare e plurale, maschile, femminile e formale, **sono uguali**.

ESEMPI

A: **Claudio** ha dimenticato qui **gli occhiali**: **glieli** puoi dare tu?
B: Certo, non ti preoccupare.
(***glieli*** *puoi dare* = puoi dare **gli occhiali a Claudio**)

A: È pronta **la relazione**?
B: Quasi: **te la** porto questo pomeriggio.
(***te la*** *porto* = porto **a te la relazione**)

A: Il vostro **olio** è buonissimo!
B: Grazie. **Ce lo** mandano tutti gli anni i nostri amici dalla Puglia.
(***ce lo*** *mandano* = mandano **a noi l'olio**)

Signor Rossi, appena è pronto **il contratto glielo** spedisco. (***glielo*** *spedisco* = spedisco **a Lei il contratto**)

A: Claudia e Marco sanno **della festa**?
B: Non ancora, **glielo** dico stasera. (***glielo*** *dico* = dico **a loro questa cosa**)

2 La posizione dei pronomi combinati è la seguente:

- **prima** del verbo
- se c'è un infinito, può stare **prima oppure alla fine**, attaccato all'infinito

ESEMPI

Dico **qualcosa a Gianfranco**. = **Glielo** dico.

Posso dire **qualcosa a Gianfranco**. = **Glielo** posso dire/Posso dir**glielo**.

3 Se i pronomi combinati si usano con un **tempo composto**, è necessaria la concordanza del participio passato in **genere e numero** in base al pronome diretto (LO, LA, LI, LE). È bene ricordare che, nei tempi composti, LO e LA si scrivono L'.

ESEMPI

Tempo composto	***oggetto***	***oggetto indiretto***	
Ho portato	**una pianta** (*LA*)	*a Maria* (*LE*)	= Glie**l**'ho portat**a**
Avrei comprato	**i pantaloni** (*LI*)	*a voi* (*VI*)	= Ve **li** avrei comprat**i**

- Con **un tempo composto e l'infinito** ci sono due possibilità:

Aveva voluto mandare **le lettere** *a loro*. = Glie**le** aveva volut**e** mandare/Aveva voluto mandar**gliele**.
Non ho potuto dire **la verità** *a te*. = Non **te l**'ho potut**a** dire/Non ho potuto dir**tela**.

4 Anche il pronome partitivo ***NE*** si può combinare con i pronomi indiretti:

ESEMPI

Mi dia un po' *di quel pane*.	(*NE*)	MI + *NE*	= ME NE dia un po'.
Gli ho portato *tre libri*.	(*NE*)	GLI + *NE*	= GLIENE ho portati tre.
Ti parlo dopo *di questo progetto*.	(*NE*)	TI + *NE*	= TE NE parlo dopo.

Ecco la tabella completa:

Pronomi indiretti		Partitivo	**PRONOMI COMBINATI**
(*a me*)	MI		**ME NE**
(*a te*)	TI		**TE NE**
(*a noi*)	CI	NE	**CE NE**
(*a voi*)	VI		**VE NE**
(*a lei/a Lei*)	LE		**GLIENE**
(*a lui/a loro*)	GLI		**GLIENE**

La combinazione con ***NE*** segue le regole generali per la posizione dei pronomi e per l'uso con i tempi composti.

! NOTA BENE

- È chiaro che l'uso dei pronomi combinati è possibile **solo** con i verbi che ammettono sia i pronomi diretti (o il NE) che i pronomi indiretti. Ecco alcuni esempi di tali verbi:

comprare	dare
regalare	mandare
spedire	portare
consegnare	dire
parlare	spiegare
dimostrare	confermare
comunicare	scrivere
passare	promettere

ESERCIZI

1. Completa con il verbo fra parentesi e i pronomi combinati, come nell'esempio

1. A: Quanto tempo devo aspettare per il pacco?
   B: Guardi, possiamo ..... *consegnarglielo* .... alla fine di questa settimana. (consegnare)
2. A: Che bello il bracciale di Giovanna!
   B: .... suo marito dal Messico. (portare)
3. A: Hai invitato tuo fratello alla festa?
   B: .... ma non può venire. (dire)
4. A: Allora, che cosa ha detto Gianni del progetto?
   B: Non .... ancora. (parlare)
5. A: Dove si potrebbe andare a mangiare stasera?
   B: Andate da *Piero*, ... mio fratello. (raccomandare)
6. A: Perché prendi questa tisana?
   B: .... il medico per la tosse. (consigliare)
7. A: Vieni al cinema con me stasera?
   B: Non posso, devo portare Marco al Luna Park, ... (promettere)
8. A: Adesso funziona la fotocopiatrice?
   B: No, ... e .... un'altra in sostituzione per qualche giorno. (cambiare/dare)

2. Riscrivi le frasi con le parti evidenziate usando i pronomi combinati

1. A: Allora, hai detto a Simona che non c'è problema?
   B: Sì, ho detto a Simona che non c'è problema.
   ....
2. A: Sono Marini, vorrei parlare con il Dott. Ardino.
   B: Un attimo, passo il Dott. Ardino a lei.
   ....
3. A: Pronto, c'è Maria? Sono Marco.
   B: Un attimo, passo Maria a te.
   ....

Un attimo, per favore.

4. A: Signora, ha sentito la novità?
   B: Sì, mi hanno parlato della novità.
   ....
5. A: Diresti una cosa del genere a tua madre?
   B: No, non direi mai una cosa del genere a mia madre.
   ....
6. A: Non abbiamo capito come si fa quest'esercizio.
   B: Va bene, spiego a voi quest'esercizio di nuovo.
   ....
7. A: Avete già chiesto al capo le ferie?
   B: No, non abbiamo ancora chiesto le ferie al capo.
   ....
8. A: Che belle penne che hai!
   B: Ti piacciono? Ti regalo una di queste penne!
   ....

Ha sentito cosa è successo?!

3. Inserisci i seguenti pronomi nel dialogo

ce lo *te lo* *te ne* *glielo (2)* *lo* *la* *le*

A: Abbiamo un impegno per sabato.
B: Che impegno?
A: (1) .... avevo parlato la settimana scorsa: siamo invitati da Angela.
B: Non mi ricordo, comunque non posso, mi sono messo d'accordo con Pino per giocare a calcetto.
A: Uffa! Ma per una volta non potresti rimandare? Angela ci tiene, e poi (2) .... ho promesso!
B: Senti, perché non ci vai da sola? In fondo io non (3) .... conosco neanche molto bene ...
A: Appunto! Sarebbe ora che vi conosceste meglio. Senti, (4) .... chiedo per favore, che ti costa venire?
B: Che stress! E chi ci sarebbe, poi, a casa di questa Angela?
A: I nostri ex compagni di università, è una specie di rimpatriata, tutta gente simpaticissima, vedrai.
B: No, senti, è tutta gente che non conosco, poi Pino il campo (5) .... ha già prenotato, se non giochiamo sabato, chissà quando (6) .... ridanno.
A: Insomma, non vuoi venire! E come (7) .... dico a Angela?
B: Vedi tu, trova qualche scusa, magari puoi dir (8) .... che non mi sento bene.
A: Al solito, con te non si può fare mai niente.

4. Completa il dialogo con i pronomi semplici e combinati

A: Signorina, ha preparato le lettere che (1) .... avevo chiesto?
B: Sì dottore, (2) .... ho messe sul tavolo. Non (3) .... ha viste?
A: No, qui non ci sono.
B: Mah, (4) .... sembra strano. Forse Luisa (5) .... ha portate al Dottor Marini per far (6) .... vedere. Vuole che (7) .... faccia un colpo di telefono?
A: Lasci perdere, ci penso io. Piuttosto, (8) .... faccia un favore: chiami Brambati e (9) .... dica che abbiamo bisogno urgente di quelle pratiche sulle assicurazioni, e che (10) .... mandi un fax appena possibile.
B: (11) .... è già arrivato un fax da Brambati. Ecco (12) .... qui.
A: Sì, sì, ma non è quello che (13) .... serviva. (14) .... richiami e insista per la risposta. (15) .... voglio entro stasera.
B: Subito.

15 I PRONOMI RELATIVI

1

I pronomi relativi servono a **sostituire un nome** e nello stesso tempo a **mettere in relazione due frasi**:

ESEMPI

Frase 1: Mario ha incontrato *Luisa*.
+
Frase 2: *Luisa* gli ha parlato a lungo di te.

= Mario ha incontrato Luisa, **che** gli ha parlato a lungo di te.
(**che** = *Luisa*)

Frase 1: Ti ho parlato *di Luca*.
+
Frase 2: *Luca* è stato licenziato.

= Luca, **di cui** ti ho parlato, è stato licenziato.
(**di cui** = *di Luca*)

I pronomi relativi possono sostituire un soggetto, un oggetto diretto o un complemento indiretto.

2

Pronomi relativi soggetto e oggetto diretto:

Che (*invariabile*)

	S.	PL.
M.	**il quale**	**i quali**
F.	**la quale**	**le quali**

Il significato è uguale, tuttavia **il quale** si usa raramente come oggetto.

ESEMPI

La ragazza **che** mi hai presentato è molto simpatica. (*che* = la ragazza, *oggetto F.S.*)

Ho parlato con *Paolo*, **il quale** mi ha consigliato di rivolgermi ad un avvocato. (*il quale* = Paolo, *soggetto M.S.*)

Le persone **che** devono fare la visita dal dottor Marchi sono pregate di aspettare qui. (*che* = le persone, *soggetto F.PL.*)

Abbiamo conosciuto dei validi *consulenti*, **i quali** potrebbero aiutarci. (*i quali* = i consulenti, *soggetto M.PL.*)

- I pronomi *che, il quale ecc.* possono essere preceduti da:
  - **coloro**, **colui**, **colei**
  - **quello**, **quella**, ...

- Il pronome *chi* ha lo stesso significato di **coloro**, **colui**, **colei che**.

ESEMPI

Coloro *i quali* (***che***) hanno terminato l'esame, possono uscire. (*coloro i quali* = le persone che)

Non capisco **quello che** dici. (*quello che* = le cose che)

Colui *che* (***il quale***) ha parlato è pregato di alzarsi in piedi. (*colui che* = l'uomo che)

Chi vuole partecipare al concorso, deve spedire la cartolina entro il 31 dicembre. (*chi* = la persona o le persone che)

A: Mi puoi prestare *una giacca*?
B: Certo, scegli **quella che** vuoi. (*quella che* = la giacca che)

3

Pronomi relativi complemento indiretto:

preposizioni:
a
di
in
da + **cui** (invariabile) o **il quale, la quale, i quali, le quali**
con
per
su
tra/fra

ESEMPI

Le persone **alle quali** (***a cui***) sto pensando hanno grande esperienza.	(*alle quali* = alle persone)
La ragione **per cui** (***per la quale***) ti scrivo è molto seria.	(*per cui* = per la ragione)
Ci sono molti alberghi, **di cui** (***dei quali***) il più bello è certamente il Palace.	(*di cui* = di questi alberghi)

Ricordiamo che **NON** è possibile usare una **preposizione + *che***:
La villa **in cui** abitiamo è molto vecchia. (***non*** *si dice*: in che abitiamo)

4

Casi particolari

- L'articolo **il + che** sostituisce **un'intera frase**:

ESEMPI

Nostro figlio non studia, **il che** ci preoccupa.	(*il che* = il fatto che nostro figlio non studi)
La situazione economica dell'azienda è solida, **il che** ci fa essere ottimisti per il futuro.	(*il che* = il fatto che la situazione economica sia solida)

- Gli articoli **il**, **la**, **i**, **le** + **cui** esprimono un **significato possessivo**.

Gli articoli si concordano con **l'oggetto posseduto, *cui*** si riferisce invece al ***possessore***:

ESEMPI

Ti ricordi di ***Marta***, **il *cui* fratello** veniva con te a scuola?	(*il cui fratello* = il fratello (M.S.) ***di Marta***)
Imbarcheremo per primi ***i passeggeri*** **i *cui* biglietti** iniziano dalla fila 19.	(*i cui biglietti* = i biglietti (M.PL.) ***dei passeggeri***)
Quella società, **la *cui* situazione** finanziaria non è buona, rischia di licenziare 500 lavoratori.	(*la cui situazione* = la situazione (F.S.) ***della società***)

! **NOTA BENE**

- **Quello che**, con significato generale può essere sostituito da **ciò che**:

ESEMPI

Non ho capito **quello che** hai detto.	=	Non ho capito **ciò che** hai detto.
Prendi **quello che** vuoi.	=	Prendi **ciò che** vuoi.

- Queste forme possono essere precedute da **tutto**: in questo caso, è bene ricordare che non è possibile omettere **quello** o **ciò**:

ESEMPI

Non ho capito **tutto quello che** hai detto. (***non** si dice*: Non ho capito *tutto che* hai detto)
Prendi **tutto ciò che** vuoi. (***non** si dice*: Prendi *tutto che* vuoi)

- È possibile usare **il cui, la cui ecc.** preceduto dalle **preposizioni**, se il verbo lo richiede:

ESEMPI

È una persona **della *cui* onestà sono sicura**. (*della **cui** onestà* = **sono sicura dell'onestà** della persona)

Sono amici **sul *cui* appoggio** possiamo sempre **contare**. (*sul **cui** appoggio = possiamo* **contare sull'appoggio** degli amici)

Questa struttura è piuttosto complessa e usata prevalentemente nella lingua scritta.

ESERCIZI

1. Sottolinea nelle seguenti frasi i pronomi relativi e spiega che cosa sostituiscono

1. Conosco un ragazzo che parla benissimo il russo.
2. È un lavoro per cui vale la pena rischiare.
3. Alla fine non siamo dovuti andare a quel noioso matrimonio, il che mi ha fatto molto piacere.
4. Coloro che la pensano diversamente da me, sono pregati di esprimere la loro opinione.
5. Per Paolo e Giorgio, ai quali non piacciono i dolci, ho portato un bel pezzo di parmigiano.
6. Ti ricordi di Marta, il cui fratello veniva con te a scuola? Ha avuto un brutto incidente.
7. Chi vivrà, vedrà.
8. Non capisco mai quello che vuoi dire veramente.

2. Scegli il pronome relativo giusto per completare le frasi

che *cui* *il cui* *il che* *chi*

1. A: Allora, com'è finita la tua storia con la Telecom?
   B: Al solito, guarda: dicono che per ottenere il rimborso a .... ho diritto devo mandare una raccomandata, poi aspettare il conguaglio nella prossima bolletta, eccetera, eccetera ...
2. Signore e signori, buongiorno e benvenuti sul volo AZ 1234 per Roma Fiumicino. Imbarcheremo per primi i passeggeri .... posto va dalla fila 19 alla fila 36.
3. A: Allora, ho saputo che hai cambiato lavoro!
   B: Sì, lavoro per una società internazionale .... vende via Internet.
   A: E sei contenta?
   B: Beh, posso lavorare da casa, ... è meglio per il bambino, però mi manca un po' l'atmosfera .... c'era in ufficio.
4. A: Avremo abbastanza da mangiare per tutti quelli .... vengono?
   B: Ma sì, io ho detto che .... viene alla cena deve comunque portare qualcosa.
   A: Sì, ma sai come sono, magari portano solo da bere ...
   B: .... è sempre una buona cosa!
   A: Certo, ma ...
   B: Va bene, non ti preoccupare, nel caso in .... mancasse da mangiare, abbiamo sempre le pizze nel congelatore.

5. A: Che cosa voleva da te il direttore?
   B: Niente.
   A: Ma scusa, ci sarà un motivo per .... ti ha fatto andare nel suo ufficio in fretta e furia!
   B: Ma niente, ti dico, sai com'è fatto, è uno a .... piace fare un po' di scena.

3. Completa la lettera con i pronomi relativi

Condominio di Via Morganti 16
Alla c.a. dell'Amministratore

Egr. Dott. Ferrini,
il motivo (1) .... le scrivo è il fatto che, nonostante i ripetuti avvertimenti, molti condomini continuano a lasciare negli spazi comuni, (2) .... dovrebbero per regolamento essere sempre liberi, biciclette, oggetti ingombranti, giocattoli dei bambini ed altro ancora. Questa situazione ha già causato diversi incidenti, (3) .... il più grave proprio stamattina: mia madre, una signora di 80 anni, reduce da un'operazione, mentre usciva dal portone della nostra scala ha inciampato su un oggetto, (4) .... si è rivelato poi un pattino a rotelle, (5) .... proprietario è senza dubbio uno dei ragazzini che abitano qui; come risultato, mia madre ha dovuto essere accompagnata al pronto soccorso, dove per fortuna non hanno diagnosticato nessuna frattura, ma comunque lo spavento è stato considerevole, per non parlare del fatto che mi ha comportato la perdita di una giornata di lavoro. La prego vivamente, anche a nome di altri condomini, (6) .... firme troverà in fondo a questa lettera, di fare il possibile affinché episodi del genere, (7) .... non sono degni di una civile e rispettosa convivenza, non si ripetano.

Cordiali saluti
Silvana Romano

4. Unisci le frasi usando i pronomi relativi. Fai tutti i cambiamenti necessari

1. a. Ha trovato finalmente un lavoro. ....
   b. Con questo lavoro, può permettersi l'affitto. ....
2. a. Mia moglie è depressa. ....
   b. Questa cosa mi preoccupa molto. ....
3. a. Ti ho parlato di mia zia. ....
   b. La zia ha una casa in montagna. ....
   c. La casa è bella ma in cattive condizioni. ....
4. a. Ho conosciuto delle persone. ....
   b. Quelle persone parlano solo di calcio. ....
   c. Questa cosa mi fa annoiare. ....
5. a. Marco abitava con la sorella. ....
   b. La sorella di Marco si è trasferita all'estero. ....
   c. Marco pensa di cambiare casa. ....
6. a. Non parlo mai di quelle cose. ....
   b. Io non mi intendo di quelle cose. ....
7. a. Cercano una segretaria: ....
   b. questa segretaria deve parlare bene due lingue. ....
   c. Devono potersi fidare di questa segretaria. ....
8. a. Ha detto che avrebbe finito lui il lavoro. ....
   b. Non so se ha fatto questa cosa. ....

16 VERBI SEGUITI DA DUE PRONOMI (VERBI PRONOMINALI)

I verbi pronominali hanno **all'infinito uno o due pronomi** (*).
I verbi pronominali con due pronomi all'infinito sono molto usati nelle espressioni idiomatiche.

ESEMPI

(*infinito* = **farcela**) Non **ce la faccio** a finire il lavoro per oggi. (*significa*: non posso finire)

(*infinito* = **cavarsela**) A: Sei bravo a scuola?
B: Beh, **me la cavo**. (*significa*: sono abbastanza bravo)

- I pronomi aggiunti all'infinito possono essere:

  Si riflessivo **Ci** **Ne** **La**
  Di questi, cambia nella coniugazione solo il **Si riflessivo**, in base al soggetto. Ricordiamo che la **"i"** dei pronomi diventa **"e"** nella combinazione con un altro pronome.

- Ecco alcuni esempi di verbi pronominali con due pronomi all'infinito:

farcela	*riuscire a fare qualcosa*
cavarsela	*ottenere un risultato abbastanza positivo*
accorgersene	*capire/notare*
andarsene	*andare via da un posto*
avercela (con)	*essere arrabbiati* (con)
approfittarsene	*sfruttare una persona/una situazione*
lavarsene (le mani)	*non interessarsi di una situazione*
legarsela (al dito)	*non dimenticare un'offesa*
passarsela (bene/male)	*stare bene/male in un posto/una situazione*
prendersela	*offendersi*
mettercela (tutta)	*fare il massimo sforzo*
non sentirsela	*non avere il coraggio*
sbrigarsela	*finire qualcosa*
vedersela (brutta)	*salvarsi per miracolo*

- Ecco qualche esempio di coniugazione a un tempo semplice e a un tempo composto:

	Presente	**Passato prossimo**	
andarsene	me ne vado	me ne sono	
	te ne vai	te ne sei	andat**o/a**
	se ne va	se n'è	
	ce ne andiamo	ce ne siamo	
	ve ne andate	ve ne siete	andat**i/e**
	se ne vanno	se ne sono	

	Presente	**Passato prossimo**	
farcela	ce la faccio	ce l'ho	
	ce la fai	ce l'hai	
	ce la fa	ce l'ha	
	ce la facciamo	ce l'abbiamo	fatt**a**
	ce la fate	ce l'avete	
	ce la fanno	ce l'hanno	

FRASI

A: Mio figlio mi ha preso ancora la macchina senza dirmi niente! Adesso come faccio?
B: Sei troppo permissiva con lui, e **se ne approfitta**.

A: Perché Simona ti è così antipatica?
B: Eravamo molto amiche, poi ho scoperto che usciva con il mio ragazzo, e **me la sono legata** al dito.

A: Che stupidi scherzi!
B: Dai, **non prendertela**, siamo amici!

A: Lo sapevi che Marco porta il parrucchino?
B: Davvero? Non **me n'ero mai accorta**!

A: A che ora ci vediamo domani?
B: Dunque, devo passare in banca, ma penso di **sbrigarmela** in mezz'ora, possiamo fare alle 12.
A: Perfetto!

(*) Per esempi di verbi pronominali con un pronome vedere Volume 1, scheda 34, **Le espressioni Ci vuole/Ci metto** (p. 102) e scheda 46, **Ci e Ne** (p. 129).

! NOTA BENE

- Per la posizione dei pronomi i verbi pronominali seguono le regole generali.

Attenzione:

Verbi in **-cela** → *I pronomi* ***non cambiano*** *nella coniugazione del verbo.*
Nei tempi composti richiedono l'ausiliare ***avere***.

Verbi in **-sene/-sela** → *I pronomi* ***cambiano*** *nella coniugazione del verbo.*
Nei tempi composti richiedono l'ausiliare ***essere***.

ESEMPI

Verbi in **-cela** (*mettercela*)

Io **ce la metto** tutta, ma non riesco a giocare bene a tennis.

Noi **ce la mettiamo** tutta, ma non riusciamo a finire il lavoro in tempo.

Ce l'hanno messa tutta, ma non sono riusciti a passare l'esame.

Verbi in **-sene/-sela** (*andarsene*)

Io **me ne vado** adesso perché ho da fare a casa.

Noi **ce ne andiamo** perché ci annoiamo.

A: Hai visto Giorgio e Luca alla conferenza?
B: Sì, ma **se ne sono andati** presto.

ESERCIZI

1. Abbina le espressioni al loro significato

1. Finalmente ce l'ho fatta!
2. Me la sono cavata
3. Non me ne sono accorto
4. Me ne vado
5. Ce l'ho con lui
6. È uno che se ne approfitta
7. Se n'è lavato le mani
8. Se la sono legata al dito
9. Se la passa bene
10. Te la sei presa
11. Ce la devi mettere tutta
12. Non me la sento
13. Me la sbrigo in due minuti
14. Se l'è vista brutta

a) non ho il coraggio di fare questa cosa.
b) si è salvato per miracolo.
c) non si è interessato assolutamente.
d) ti sei offeso.
e) devi fare il massimo sforzo.
f) ho ottenuto un risultato abbastanza positivo.
g) la sua situazione è buona.
h) non intendono dimenticare l'offesa.
i) vuole sfruttare una persona o una situazione.
l) sono riuscito a fare quello che volevo.
m) finisco subito.
n) sono arrabbiato con lui.
o) vado via da qui.
p) non ho capito o notato qualcosa.

2. Completa le frasi con il verbo pronominale giusto coniugato opportunamente. Scegli fra i verbi dati (alcuni non si devono usare)

farcela *cavarsela* *andarsene* *sbrigarsela* *lavarsene le mani* *mettercela tutta*
legarsela al dito *passarsela bene* *approfittarsene* *prendersela* *accorgersene*

1. A: Allora, hai installato il programma?
   B: Beh, io ...., ma non ci sono riuscita.
2. A: .... a portare tutto da solo?
   B: Sì, non è pesante.
3. A: Sai che Mario non mi ha ancora restituito i soldi che gli ho anticipato?
   B: Ha fatto così anche con me, è uno che ....
4. A: Perché il capo non ti ha dato il permesso?
   B: Ti ricordi di quella volta che mi aveva chiesto di fare gli straordinari e gli ho detto che non potevo? Evidentemente ....
5. A: Ma che cos'aveva Gino? Non mi ha neanche salutato!
   B: .... perché hai parlato male di Luca, sai che è il suo migliore amico.
6. A: Lo sapevi che Pietro e Gisella stanno insieme?
   B: Davvero? Non ....!
7. A: Vieni con noi a prendere un aperitivo?
   B: No, è tardi, ...
8. A: Senti, ho deciso, parto per l'Australia con Sara.
   B: Va bene, fai quello che vuoi, io ....

3. Riscrivi le frasi usando i verbi pronominali appropriati

1. È riuscito a passare l'esame perché si è impegnato moltissimo.
   ....
2. Non lo considero un vero amico perché cerca sempre di sfruttarmi.
   ....
3. Perché hai detto quelle cose a Silvia? Lo sai che è una che si offende facilmente!
   ....

4. A: Sei già qui?
   B: Sì, ho fatto tutto prima del previsto.
   ....
5. Ti sei tagliato i capelli? Non l'avevo notato.
   ....
6. Non ho il coraggio di dargli questa brutta notizia.
   ....
7. A: Come state?
   B: Non ci lamentiamo, le cose vanno bene.
   ....
8. Ragazzi, abbiamo finito, possiamo tornare a casa.
   ....

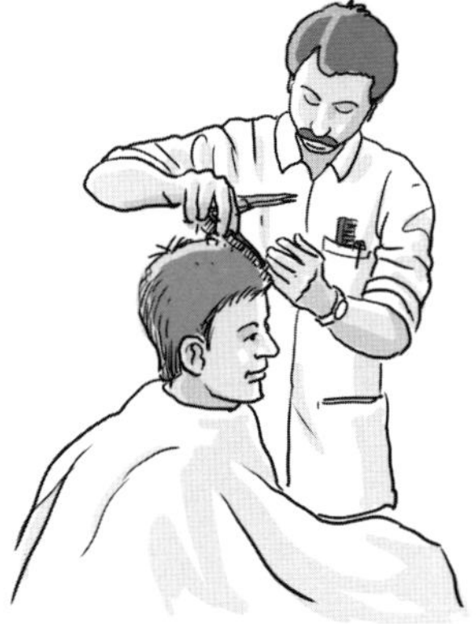

I capelli corti ti stanno bene!

4. Completa i brevi dialoghi con la battuta mancante usando un verbo pronominale

1. A: Allora, com'è andato l'esame?
   B: ....
2. A: Puoi portare anche quella borsa?
   B: ....
3. A: Che hai, sei arrabbiato?
   B: ....
4. A: Se siete stanchi, possiamo fare una sosta.
   B: ....
5. A: È vero che ha avuto un incidente?
   B: ....
6. A: C'era fila in posta?
   B: ....
7. A: Attento, hai una scarpa slacciata.
   B: ....
8. A: Vi fermate a cena?
   B: ....

17 IL FUTURO SEMPLICE PER IPOTESI E DEDUZIONI

1

In italiano usiamo il futuro semplice, oltre che per parlare di azioni e situazioni future, anche per **fare ipotesi e deduzioni nel presente.**

Per fare ipotesi o deduzioni nel presente, possiamo usare varie strategie:

- un **verbo di opinione** (penso, credo, mi sembra ...) + congiuntivo presente
- il ***verbo dovere*** + infinito
- un **avverbio** (forse, probabilmente ...) + verbo al presente indicativo

Per esempio:
A: Senti, sai quanti anni ha Marisa?

B: Marisa? Mah ... **penso che** abbia 30 anni.
B: Marisa? Mah ... ***dovrebbe*** avere 30 anni.
B: Marisa? Mah ... **forse** ha 30 anni.

Come abbiamo detto, è anche molto comune usare il **futuro semplice**, che ha il vantaggio della sintesi:

B: Marisa? Mah ... **avrà** 30 anni ... *(forse ha 30 anni, non sono sicuro, è un'ipotesi)*

ESEMPI

A: Non capisco perché il cellulare di Gianna è sempre spento!
B: Eh dai, non essere geloso! **Starà** lavorando .. *(probabilmente sta lavorando)*

Scusami Elena, **avrai** fame! Non ti ho ancora offerto niente! *(forse hai fame)*

A: Sono stanchissimo. Che ore **saranno**?
B: Mah ... **saranno** le undici. Ma non c'è un orologio qui? *(probabilmente sono le undici)*

Usiamo **la terza persona singolare del verbo ESSERE** come espressione – veloce ed efficace – di dubbio:

ESEMPI

A: Sai, in banca mi hanno consigliato di vendere subito le mie azioni: dicono che è il momento buono!
B: Uhm, **sarà** ... io aspetterei ancora un po'. *(forse è come ti hanno detto ma io ho dei dubbi)*

A: Mario, perché non compri queste carote? Vedi? Sono biologiche.
B: Ma costano il doppio!
A: Sì, però vengono da coltivazioni biologiche: niente pesticidi, niente crescita forzata. Insomma sono più sane!
B: Mah ... **sarà**! *(forse è così ma io non ne sono convinto)*

! NOTA BENE

- Diventa fondamentale accompagnare il verbo al futuro con **un'intonazione di incertezza** e spesso anche con segnali discorsivi appropriati (mah, mhm, bah, beh, boh ...) per non creare equivoci con il significato proprio del verbo futuro:

Marisa? Avrà 30 anni il mese prossimo. *(nessun segnale discorsivo, intonazione ferma di certezza)*

ESERCIZI

1. Sostituisci le espressioni evidenziate con un verbo al futuro semplice

1. A: Sa, mio figlio è violinista nell'orchestra della Scala.
   B: E deve suonare benissimo, immagino! = ...
2. A: Sai dov'è Cristina?
   B: Cristina? Mah ... penso che sia a casa. = ...
3. Che traffico! Credo che sia meglio cambiare strada. = ...
4. A: Silvia, come mai i bambini sono così silenziosi?
   B: Mhm ... probabilmente stanno facendo i compiti. = ...
   A: Non è che forse stanno combinando qualcosa? = ...
5. Questa è la tua camera. Ti lascio riposare, probabilmente sei stanca! = ...
6. Allora, hai finalmente cambiato la macchina o no? Dovrebbe essere a pezzi ormai! = ...

2. Completa le frasi con un verbo appropriato al futuro semplice

1. Il biglietto per il concerto? Mah, ... una ventina di euro ma è meglio chiedere.
2. Abbiamo dormito un sacco! Che ore .... ?
3. A: Hai visto il quadro che hanno in soggiorno? Dicono che è un autentico Modigliani!!
   B: Mhm ....
4. Ma quanti anni .... la signora Valenti? Sembra così giovane!

3. Abbina le frasi e indica se si tratta di un futuro vero o di un futuro per fare un'ipotesi

1. Quest'anno la Pasqua	a) Sarà a casa ...	....
2. Dov'è Nicoletta?	b) Avrai sete!	....
3. Vai a Cuba come al solito?	c) No, arriverà alle dieci.	....
4. Che caldo! Vuoi una birra fresca?	d) Starà dormendo.	....
5. C'è Laura?	e) No, andrò in montagna.	....
6. Perché Anna non risponde?	f) sarà alla fine di marzo.	...vero...

4. Completa l'email di Simona con i seguenti verbi al futuro semplice

essere *costare* *avere* *studiare* *essere*

Ciao Marcella,
ho sentito che Fabio e Tiziana vogliono andare a vivere in campagna. 1) .... vero? A me sembra strano perché a Fabio piace troppo la città, il caos, uscire la sera etc... Mah, 2) .... una decisione di Tiziana ... In ogni caso, hanno visto un grande casale in Umbria, già ristrutturato e con molto terreno intorno. 3) .... un sacco di soldi, non credi? E se poi non gli piace vivere lì? Ieri ho provato a chiamare Luciano per avere altre notizie ma il suo cellulare è sempre spento, 4) .... per l'esame di anatomia. Insomma, sono molto curiosa ma non voglio chiamare direttamente loro perché non conosco bene Tiziana (l'ho vista una sola volta!) e poi non vorrei disturbare, 5) .... un sacco di cose da fare ... Tu sai qualcosa di più? Fammi sapere. Baci. Simona

18 IL FUTURO COMPOSTO PER IPOTESI E DEDUZIONI

Usiamo il futuro composto per fare delle ipotesi o deduzioni, riferite ad **azioni o situazioni del passato.**
Per fare delle ipotesi o deduzioni nel passato, possiamo usare varie strategie:

- un **verbo di opinione** + congiuntivo passato, imperfetto o trapassato
- il ***verbo dovere*** + infinito passato
- un **avverbio** (forse, probabilmente ...) + verbo al passato indicativo

Per esempio:
A: Perché stamattina Piero non è venuto a lezione?

B: Beh, **credo che** abbia bevuto troppo ieri sera, alla festa di Carla ...
B: Beh, ***deve*** aver bevuto troppo ieri sera, alla festa di Carla ...
B: Beh, **probabilmente** ha bevuto troppo ieri sera, alla festa di Carla ...

Come abbiamo già detto, è anche molto comune usare il **futuro composto**:

B: Beh, **avrà bevuto** troppo ieri sera, alla festa di Carla ...

ESEMPI

A: A che ora è arrivato l'avvocato?
B: Mah, **saranno state** le dieci e mezza ...

Bruno è in ritardo, **avrà trovato** traffico ...

A: Roberta, che ha Enrico? Mi sembra un po' nervoso ...
B: Mhm, **avrà parlato** con il capo, per l'aumento ...

! NOTA BENE

- Anche in questo caso il verbo al futuro composto si accompagna con **un'intonazione di incertezza** e spesso anche con segnali discorsivi che indicano incertezza (mah, mhm, bah, beh, boh ...).

ESERCIZI

1. Sostituisci le espressioni evidenziate con un verbo al futuro composto

1. A: Quando hai conosciuto il dottor Solari?
   B: Uhm, mi sembra che sia stato dieci anni fa, a un congresso. = ...
2. Ho un po' di mal di testa, forse ho preso troppo sole. = ...
3. A: A che ora hai spedito il fax?
   B: Penso che fossero le undici. = ...
4. Non ti ha chiamato? Probabilmente ha perso il tuo numero. = ...
5. Marco si è sposato molto presto, mi sembra che avesse 20 anni. = ...
6. A: Dov'è finito Carlo? Pensi che si sia perso? = ...
   B: Ma no, deve aver trovato traffico. = ...

2. Completa le frasi con un verbo appropriato al futuro composto

esserci *divertirsi* *essere* *lasciare*

1. Hai lavorato un anno in Cina? Beh, ... difficile imparare il cinese.
2. Siete stati a Disneyland? I bambini .... molto!
3. Se si è comportato così .... un buon motivo, no?
4. A: Non trovo le chiavi della macchina.
   B: Beh, le .... a casa, come al solito.

3. Rispondi alle domande facendo un'ipotesi con un verbo al futuro composto

1. Perché Nicoletta è rimasta a casa? ....
2 A che ora è finito il film? ....
3. Perché Cristina non ha passato l'esame? ....
4. Perché Mario e Luisa sono così nervosi? ....
5. Perché ieri l'aeroporto è rimasto chiuso? ....
6. Perché i bambini sono così stanchi? ....

4. Completa l'email di Marcella con i seguenti verbi al futuro semplice o composto

essere *valutare* *essere* *traslocare*

Ciao Simona,
grazie della tua mail. Io non sapevo niente del trasferimento di Fabio e Tiziana! Ho chiamato Luciano, lui sa sempre tutto e mi ha detto che in effetti hanno comprato un casale in Umbria. Ormai 1) .... già ...., perché vogliono aprire al più presto un Bed&Breakfast. Immagino i genitori di Fabio! 2) .... molto preoccupati: gestire una struttura turistica deve essere molto faticoso (sveglia alle 6, lavorare fino a tardi) e insomma Fabio non mi sembra il tipo adatto ... Luciano invece è entusiasta, dice che è un'idea fantastica e che funzionerà alla grande. Mhm, 3) ....
Comunque 4) .... bene tutti i pro e i contro, no? Appena ho altre notizie ti scrivo. Nel frattempo, bacioni anche a te.
Marcella

19 IL FUTURO: ALTRI USI

Il futuro (come l'imperfetto e il condizionale) può avere l'effetto di **attenuare**, **rendere meno forte** un'affermazione.

In particolare, usiamo il futuro per:

- rendere meno forte, più cortese una nostra affermazione.
  Ti **dirò**, non ho capito bene quello che intendi.

- anticipare un'opinione che attribuiamo all'interlocutore (con cui non siamo d'accordo) e rendere quindi più cortese la nostra opinione opposta.
  Non mi **dirai** che questa casa ti piace!

- dare ragione all'interlocutore prima di esprimere un'opinione opposta (uso *concessivo*: "ti concedo che ... ma ..."), spesso accompagnato da *anche*.
  Avrai *anche* ragione, ma non credo sia una buona idea fare così.

- attenuare un comando o un'affermazione forte (sostituisce l'imperativo)
  A: Allora, sei pronto? Andiamo?
  B: Ah no, ci **andrai** tu allo stadio con questa pioggia! Io resto a casa.

  A: Allora dottore, che devo fare?
  B: **Prenderà** questo sciroppo ogni tre ore e **starà** il più possibile a letto.

ESEMPI

Non **sarò** certo io a dirLe cosa fare, dottore! (*rendiamo meno forte la nostra affermazione*)

Lei, signor ministro, **ammetterà** che il deficit quest'anno è aumentato del 3%.
Non **crederai** spero che io abbia letto le tue mail personali! (*anticipiamo l'opinione dell'interlocutore*)

Senti, Marco **sarà** *anche* un ottimo avvocato, ma preferisco non lavorare più con lui.
Ti **sembrerà** strano, ma a me piace passare le vacanze in città. (*ti concedo che ... ma ...*)

Insomma basta, **farete** quello che dico io!
Maleducato **sarà** Lei! Io ho rispettato la fila! (*rendiamo meno forte la nostra affermazione*)

ESERCIZI

1. Attenua le seguenti frasi trasformando il verbo evidenziato in un futuro

1. Avvocato, mi scusi / .... se non l'accompagno ma ho una riunione.
2. Ti dico / .... che non mi sembra una buona idea.
3. Pigro sei / .... tu! Io lavoro come un somaro!
4. Le dico / .... , questo ristorante non mi piace per niente.
5. Signora non posso dirLe di più, vuole scusarmi / .... , è una questione privata.
6. Manda / .... subito un biglietto di ringraziamento alla signora Puglisi.

2. Inserisci i seguenti verbi nelle frasi

sembrerà   vorrai   dirai   sarà   dirà   ammetterai

1. .... anche come dici tu ma resto della mia opinione.
2. Lei mi .... che hanno agito in buona fede ma hanno commesso un reato!
3. Insomma, ... che il mare della Sardegna è il più bello d'Italia!
4. Non mi .... che ti è piaciuto il film? Era noiosissimo.
5. Le .... ingenuo da parte mia, ma io credo alle promesse del governo.
6. Non .... chiamare il dottore per due linee di febbre?

3. Leggi le frasi e indica la funzione del verbo al futuro

a) esprime una previsione   b) esprime un' ipotesi   c) esprime un'azione futura   d) attenua la frase

1. Mi vorrà scusare se Le dico queste cose ma è mio dovere. ....
2. Se continui a bere così tanto, starai male! ....
3. A: Sai l'ora?
   B: No ma saranno le tre, credo. ....
4. Vivere in campagna sarà anche rilassante ma non è un po' noioso? ....
5. Le dirò, ho qualche obiezione sulla vostra proposta. ....
6. A: Elena, dove sono i miei occhiali?
   B: Mah, saranno sul divano, come al solito. ....
7. Domani sera andremo a cena da Cecilia. ....
8. Ammetterai spero che l'albergo era terribile! ....

4. Cosa rispondi? Non sei d'accordo con il tuo interlocutore: usa un verbo al futuro per attenuare la tua risposta

1. A: E questo, vedi, è il progetto finale: che ne pensi?
   B: ....
2. A: Luisa è davvero una bella ragazza, non credi?
   B: ....
3. A: Non capisco perché non vuoi fare le vacanze al lago: è così rilassante!
   B: ....
4. A: Ma signora Grassi, deve già andare via?
   B: ....

20 IL PASSATO REMOTO

1 Il passato remoto **indica un'azione completamente conclusa nel passato**:

La Seconda Guerra Mondiale **terminò** nel 1945.

È un tempo usato in letteratura, nel racconto dei fatti storici e, a volte, nei reportage giornalistici.

2 Per formare questo tempo bisogna togliere -**ARE** -**ERE** -**IRE** dal verbo all'infinito e aggiungere le desinenze del **passato remoto**:

Verbi regolari:

- ARE (parlare)	**- ERE** (credere)	**- IRE** (dormire)
parl**ai**	cred**ei** (o credetti)	dorm**ii**
parl**asti**	cred**esti**	dorm**isti**
parl**ò**	cred**é** (o credette)	dorm**ì**
parl**ammo**	cred**emmo**	dorm**immo**
parl**aste**	cred**este**	dorm**iste**
parl**arono**	cred**erono** (o credettero)	dorm**irono**

ESEMPI

(*lei - arrivare, lei - trovare*) Anna *arrivò* in quel paesino di montagna a notte fonda e non *trovò* nessuno che la aiutasse con le valigie.

(*noi - parlare, voi - ascoltare*) *Parlammo* per ore del nostro problema e non ci *ascoltaste*.

(*loro - finire, io - dovere*) I soldi *finirono*, e io *dovetti* (dovei) vendere la casa.

3 Il passato remoto ha un'alta percentuale di **verbi irregolari**.

ESSERE	**AVERE**
fui	ebbi
fosti	avesti
fu	ebbe
fummo	avemmo
foste	aveste
furono	ebbero

Riportiamo di seguito alcuni verbi irregolari tra i più comuni.

- Per la memorizzazione di queste forme irregolari può essere d'aiuto notare che in moltissimi verbi soltanto la 1ª persona singolare e la 3ª singolare e plurale sono irregolari.

bere	**bevvi**, bevesti, **bevve**, bevemmo, beveste, **bevvero**
chiedere	**chiesi**, chiedesti, **chiese**, chiedemmo, chiedeste, **chiesero**
conoscere	**conobbi**, conoscesti, **conobbe**, conoscemmo, conosceste, **conobbero**
correre	**corsi**, corresti, **corse**, corremmo, correste, **corsero**
dare	**diedi** (detti), desti, **diede** (dette), demmo, deste, **diedero** (dettero)
decidere	**decisi**, decidesti, **decise**, decidemmo, decideste, **decisero**
dire	**dissi**, dicesti, **disse**, dicemmo, diceste, **dissero**
fare	**feci**, facesti, **fece**, facemmo, faceste, **fecero**
mettere	**misi**, mettesti, **mise**, mettemmo, metteste, **misero**
prendere	**presi**, prendesti, **prese**, prendemmo, prendeste, **presero**
rispondere	**risposi**, rispondesti, **rispose**, rispondemmo, rispondeste, **risposero**
sapere	**seppi**, sapesti, **seppe**, sapemmo, sapeste, **seppero**
scendere	**scesi**, scendesti, **scese**, scendemmo, scendeste, **scesero**
stare	**stetti**, stesti, **stette**, stemmo, steste, **stettero**
tenere	**tenni**, tenesti, **tenne**, tenemmo, teneste, **tennero**
vedere	**vidi**, vedesti, **vide**, vedemmo, vedeste, **videro**
venire	**venni**, venisti, **venne**, venimmo, veniste, **vennero**
vincere	**vinsi**, vincesti, **vinse**, vincemmo, vinceste, **vinsero**
volere	**volli**, volesti, **volle**, volemmo, voleste, **vollero**

ESEMPI

(*essere, conoscere*)	Il castello **fu** edificato nel XIII secolo e **conobbe** il suo massimo splendore nel Rinascimento.
(*avere, venire*)	La catastrofe **ebbe** conseguenze spaventose per il Paese e alla popolazione **vennero** a mancare i mezzi di sopravvivenza.
(*dire, stare*)	Mi **disse** che aveva delle informazioni riservate, perciò **stetti** ad ascoltarlo con estrema attenzione.
(*vincere, vedere*)	La squadra **vinse** il campionato per due stagioni di seguito, ma all'inizio della terza si **vide** subito che non era in grado di ripetere i successi passati.
(*fare, essere*)	**Facemmo** tutto il possibile, ma non **fummo** in grado di salvarlo.

! NOTA BENE

- Il **passato remoto** segnala un'azione conclusa e che non "lascia tracce" nel presente. Questo è evidente nel caso di fatti oggettivi e lontani nel tempo:

Il Rinascimento **fu** per l'Italia un periodo di grande splendore e ricchezza.
L'era dei dinosauri **finì** per le conseguenze dell'impatto di un asteroide sulla Terra.

- Tuttavia è possibile che un'azione conclusa nel passato abbia effetti che persistono al momento presente: in questo caso si usa il passato prossimo.

Da bambino **ebbi** una baby sitter inglese.	(*azione conclusa, nessun legame con il momento presente*)
Da bambino **ho avuto** una baby sitter inglese e per questo parlo molto bene l'inglese.	(*azione conclusa ma con conseguenze nel presente*)

- È anche possibile che un'azione – pur oggettivamente conclusa nel passato e senza conseguenze visibili al momento presente – venga *sentita, percepita* come ancora viva e con effetti persistenti:

L'anno scorso **persi** il mio orologio d'oro durante le vacanze.
(azione conclusa, è un fatto oggettivo e lontano anche psicologicamente)
Ho perso il mio orologio d'oro l'anno scorso e ancora ci penso. Che rabbia!
(azione conclusa ma sentita ancora viva al momento presente)

Il **passato remoto** segnala quindi distacco, lontananza non soltanto da un punto di vista oggettivo, temporale ma anche percettivo, psicologico.

- Il **passato remoto** viene usato (in alternanza con il passato prossimo) in Toscana e nell'Italia centrale; nel sud Italia c'è una forte presenza del passato remoto (anche se con valore diverso). Nel nord Italia invece, nel parlato (e nello scritto informale) si usa solamente il passato prossimo.

- **L'italiano standard** – modellato sulla lingua parlata nell'Italia del nord ovest – **non** prevede l'uso del **passato remoto** nella lingua parlata e nello scritto informale. Per parlare di fatti o situazioni del passato si usano quindi soltanto il passato prossimo, l'imperfetto e il trapassato prossimo:

Allora ragazzi, Colombo ha scoperto l'America nel 1492. Era un uomo molto coraggioso ed era partito con tre barche, chiamate Niña, Pinta e Santa Maria.

L'insegnamento attuale della lingua italiana spinge gli studenti stranieri all'apprendimento dell'italiano standard (e non del modello toscano) e quindi non è necessario imparare un uso attivo del passato remoto. Tuttavia, poiché questo tempo verbale è comunemente presente in letteratura (a cominciare dalle favole) e nei testi scritti di tipo formale (ad esempio testi universitari) è molto importante *saper riconoscere* questo verbo e saper ricondurre le sue complesse forme verbali al giusto verbo infinito di origine (o, nel caso della lingua parlata, al passato prossimo corrispondente nell'italiano standard).

Morelli **ebbe** (= avere) molte disavventure in America e perciò **fu** (= essere) con molto piacere che **accettò** (= accettare) di ritornare in Italia.
Lasciai (= ho lasciato) Napoli dieci anni fa e mi ricordo che **feci** (= ho fatto) le valigie in fretta, per paura di cambiare idea all'improvviso. Pensa che **arrivai** (= sono arrivato) all'aeroporto tre ore prima.

ESERCIZI

1. Riconosci l'infinito di origine delle seguenti forme di passato remoto

passato remoto	*infinito*
1. corse	....
2. chiedeste	....
3. tenni	....
4. volle	....
5. desti	....
6. scappò	....
7. stemmo	....
8. facesti	....
9. furono	....
10. avemmo	....
11. seppe	....
12. restarono	....

2. Completa con i verbi dati al passato remoto

1. L'illustre scienziato .... di parlare e tutti lo .... (finire, applaudire)
2. Lo .... quella sera per l'ultima volta e lui ....:
   da quel giorno non .... più notizie del mio amico. (salutare, partire, avere)
3. Non .... molto tempo da loro perché .... una
   telefonata da Maria che ci chiedeva di tornare a casa immediatamente. (restare, ricevere)
4. Alessandro Magno .... un grande condottiero e
   .... i confini del suo regno fino in Oriente. (essere, portare)
5. .... il mio cane abbaiare e .... di colpo:
   .... che fosse entrato un ladro. (sentire, svegliarsi, pensare)

3. Leggi il seguente brano dell'opera *Il Barbiere di Siviglia* di Gioacchino Rossini, sottolinea i passati remoti (6) e trova l'infinito di origine

ATTO I, SCENA II

FIGARO

...
In Madrid io debuttai, ...
feci un'opera, e cascai; ....
e col mio bagaglio addosso ....
me ne corsi a più non posso ....
in Castiglia e nella Mancia, ...
nell'Asturie, in Catalogna; ....
poi passai nell'Andalusìa, ...
e girai l'Estremadura, ...
come ancor sierra Morena: ....
ed in fin nella Galizia; ....
in un luogo bene accolto, ...
in un altro in lacci avvolto; ....
ma però di buon umore, ...
d'ogni evento superior. ....

Figaro

4. Completa il testo con le forme date al passato remoto

diede *volle* *decise* *sviluppò* *fu (2 volte)* *impiegò*

La realizzazione dell'Ultima Cena di Leonardo da Vinci si inserisce nell'ambito dell'ampio rinnovamento artistico e culturale che Ludovico il Moro (1) .... a Milano a partire dal 1490. Il Duca (2) .... a Leonardo l'incarico di decorare la parete del Refettorio del Convento di Santa Maria delle Grazie; l'elaborazione del Cenacolo (3) .... abbastanza lenta, nonostante le sollecitazioni. Leonardo (4) .... , infatti, circa quattro anni (1494 - 1498) a realizzare l'opera, utilizzando una tecnica a secco, cioè a tempera, come se si trattasse di una grande tavola (4,60 x 8,80m). Uno dei motivi per cui Leonardo (5) .... di non affidarsi alla consolidata tecnica dell'affresco (6) .... che l'affresco, pur offrendo garanzie per la conservazione, impone il rispetto del tempo nella stesura; l'artista (7) .... invece avere la massima libertà nella fase esecutiva per correggere, modificare e ottenere particolari effetti cromatici.

21 IL TRAPASSATO REMOTO

1 Il **trapassato remoto** è un tempo composto formato da:

PASSATO REMOTO dell'**ausiliare** AVERE o ESSERE + PARTICIPIO PASSATO del verbo.

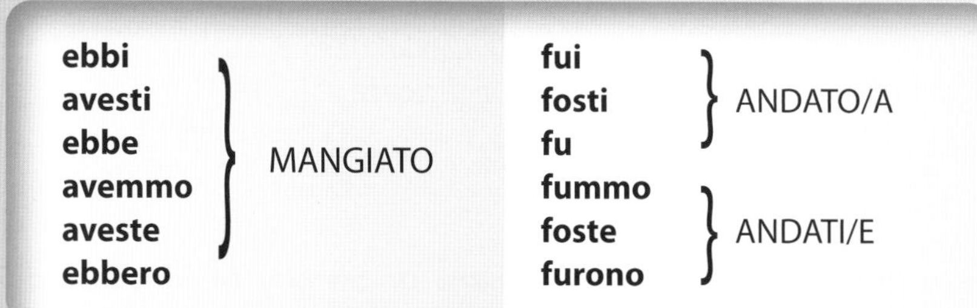

ebbi **avesti** **ebbe** **avemmo** **aveste** **ebbero**	MANGIATO	**fui** **fosti** **fu**	ANDATO/A
		fummo **foste** **furono**	ANDATI/E

ESEMPI

(*io - sentire*)	ebbi sentito
(*voi - stare*)	foste stati
(*loro - prendere*)	ebbero preso
(*noi - venire*)	fummo venuti
(*tu - svegliarsi*)	ti fosti svegliato
(*lui - finire*)	ebbe finito

2 Il trapassato remoto esprime un'azione **precedente a un'altra** azione **al passato remoto**; può essere introdotto da *locuzioni temporali* come:

non appena
quando
dopo che
(ecc.)

ESEMPI

Non appena **ebbi visto** quello che aveva fatto, *decisi* di telefonare alla polizia.	(*prima vedo, e poi decido*)
Quando **fu seduto**, *cominciò* a parlare.	(*prima si siede, e poi comincia a parlare*)
Dopo che **avemmo dimostrato** la nostra tesi, *ricevemmo* molti complimenti.	(*prima dimostriamo, e poi riceviamo*)

! NOTA BENE

- L'uso del **trapassato remoto** è strettamente legato a quello del passato remoto, perciò, nell'italiano moderno e parlato non è frequente.

ESERCIZI

1. Forma il trapassato remoto dei verbi tra parentesi

1. (lui - dormire) ....
2. (io - partire) ....
3. (voi - viaggiare) ....
4. (tu - rimanere) ....
5. (loro - alzarsi) ....
6. (noi - decidere) ....

2. Riscrivi le frasi usando il trapassato remoto

1. Prima aprì la finestra e poi saltò giù.
   ....
2. Prima parlai con il direttore e poi decisi di dare le dimissioni.
   ....
3. Prima entraste nella stanza e poi vedeste la confusione.
   ....
4. Prima arrivarono tutti e poi il presidente dichiarò aperti i lavori della Commissione.
   ....
5. Prima passammo a trovare Silvia e poi proseguimmo il viaggio.
   ....
6. Prima telefonaste a Giulia e poi andaste all'ospedale.
   ....

3. Passato o trapassato remoto? Scegli la forma giusta, facendo attenzione al rapporto temporale (azione precedente o no)

1. Dopo che finì/ebbe finito il romanzo, si addormentò di colpo.
2. Quando guardò/ebbe guardato in basso si sentì male.
3. Il treno partì proprio quando arrivai/fui arrivata sul binario.
4. Non appena ricevettero/ebbero ricevuto i soldi, cominciarono a costruire la casa.
5. Quando seppe/ebbe saputo tutta la verità, finalmente la perdonò.
6. Nel momento in cui lo vidi/ebbi visto, capii che era stato lui.

4. Completa il testo con le forme date di passato e trapassato remoto

ebbi caricato *portai* *entrai* *ebbi controllato* *uscii*
tornai *ebbi osservata* *mi avvicinai* *fui entrato*

LA CONFESSIONE DI UN LADRO

Erano le sei di sera quando (1) .... nell'appartamento 1, del numero 15 di Ladyhall Avenue, a Kingsmarkham. Non era ancora buio. Il portone non era chiuso a chiave, quindi non dovetti scassinarlo. Dopo che (2) .... mi diressi verso il soggiorno per vedere che cosa potevo rubare: (3) .... via solo il televisore. Appena lo (4) .... nel mio furgone, (5) .... all'appartamento e andai verso la camera da letto. Con mia sorpresa, nel letto vidi una donna. Lì per lì credetti che dormisse, ma quando l' (6) .... meglio mi insospettii: aveva un braccio che penzolava in modo strano. (7) .... e senza toccarla mi accorsi che era morta. A questo punto (8) .... dalla camera in tutta fretta e ritornai al furgone. Dopo che (9) .... se mi aveva visto qualcuno, me ne andai.

22 L'IMPERATIVO PER IL *LEI*

1

L'imperativo per il **Lei** (imperativo indiretto) si usa quando è necessario dare istruzioni, consigli ecc. in maniera **formale**.
Ecco la coniugazione per i verbi regolari:

	(-ARE)	(-ERE)	(-IRE)
	scusare	*prendere*	*sentire*
forma affermativa	SCUSI	PRENDA	SENTA
forma negativa	NON SCUSI	NON PRENDA	NON SENTA

ESEMPI

A: Vorrei parlare con il direttore.
B: Sì, **attenda** in linea, prego.

A: È permesso?
B: Prego, signora, **entri** pure!

A: **Scusi**, per andare alla stazione?
B: **Prenda** la prima strada a destra e **prosegua** sempre dritto.

Pronto?! Vorrei parlare con ...

2

Per i verbi irregolari, una regola pratica è quella di prendere la 1ª persona del presente indicativo e sostituire la **"o"** finale con una **"a"**.

Infinito		Presente	Imperativo per il **Lei**
fare	io	faccio	FACCIA
dire		dico	DICA
venire		vengo	VENGA
andare		vado	VADA
tenere		tengo	TENGA

Altri verbi irregolari

dare	DIA
stare	STIA
essere	SIA
avere	ABBIA
sapere	SAPPIA

ESEMPI

A: Quanto pago?
B: Sono 56 euro e 70.
A: Ecco a lei.
B: Grazie, **tenga** lo scontrino.

A: Dottore, è grave?
B: **Stia** tranquilla, signora, è stato solo un falso allarme.

Quant'è?

- Se ci sono dei **pronomi**, la posizione sarà sempre **prima** dell'imperativo per il **Lei**.

ESEMPI

(*accomodarsi*)	Prego, avvocato, **si *accomodi*** qui.
(*dare* + ***mi***)	**Mi *dia*** mezzo chilo di fettine di vitello, per favore.
(*andare* + ***ci***)	Non **ci *vada***, signora, perde solo tempo.
(*parlare* + ***gliene***)	**Gliene *parli*** domani, adesso non ha tempo.

ESERCIZI

1. Sostituisci le parti evidenziate con l'imperativo (*Lei*)

1. Signora, deve aspettare qui un momento. ....
2. Per favore, deve dirgli che non posso venire. ....
3. Mi dà mezzo chilo di fettine di vitello? ....
4. Deve andare dritto per circa 100 metri ....
   e poi deve girare a sinistra. ....
5. Non deve preoccuparsi, abbiamo ancora tempo. ....
6. Vuole accomodarsi qui, prego? ....
7. Deve stare calmo, non è successo niente di grave. ....
8. Mi può portare all'aeroporto, per cortesia? ....

2. Completa la ricetta mettendo i verbi dati alla terza persona singolare (*Lei*) dell'imperativo

togliere *mettere* *scaldare* *tritare* *tagliare*
cuocere *mescolare* *girare* *coprire*

POMODORI ALLA PROVENZALE

Per 4 persone occorrono 4 pomodori, 3 spicchi d'aglio, 100 grammi di pangrattato, un po' di prezzemolo, 2 cucchiai d'olio d'oliva, sale e pepe. (1) .... a metà i pomodori lavati e (2) .... una parte della polpa. (3) .... l'aglio e il prezzemolo e li (4) .... con il pangrattato, il sale, il pepe e 3 cucchiai d'acqua fino a ottenere una pasta con cui farcirà i pomodori. (5) .... l'olio in una padella, (6) .... i pomodori dal lato riempito a cuocere per 4 minuti. (7) .... i pomodori dall'altro lato, li (8) .... con un coperchio e li (9) .... per altri 6 minuti.

3. Completa le frasi con un verbo appropriato all'imperativo (*Lei*)

1. ...., non ha preso lo scontrino.
2. .... pure, vado a chiamare mio marito e gli dico che è arrivato.
3. Signora, la prossima volta .... di timbrare il biglietto prima di salire sul treno.
4. Silvia, ... i bambini a scuola alle 8.30 e poi .... a fare la spesa. Quando rientra, per favore, ... bene le pulizie nel salone e .... anche i vetri.
5. A: ...., signora.
   B: Da vari mesi ho un forte calo d'appetito e sono preoccupata. Che posso fare?
   A: Ha già fatto gli esami del sangue?
   B: No.
   A: Ecco, allora, li .... e poi .... da me con i risultati, così possiamo avere un'idea più precisa della causa
6. Non ...., altrimenti peggiora la situazione.
7. .... più tardi, per cortesia, l'avvocato è impegnato in una riunione.
8. ...., sa se c'è un ufficio postale in zona?

4. Leggi le frasi e prova a dare dei consigli usando l'imperativo (*Lei*)

1. Cerco una casa in affitto in montagna per la stagione sciistica.
....
2. Con due figli piccoli, io e mio marito non usciamo più la sera da anni.
....
3. Non so cosa regalare ai miei genitori per il loro anniversario.
....
4. Mio figlio non studia, sono preoccupata.
....
5. Non so se cambiare la macchina o no ...
....
6. Vorrei perdere qualche chilo ...
....
7. Il mio lavoro è troppo stressante.
....
8. Non so che fare nel mio tempo libero.
....

23 L'IMPERATIVO: CONTRASTO *TU/LEI*

È importante saper distinguere fra le forme dell'imperativo per il **Tu** e il **Lei**:

	TU	LEI
(-ARE) *scusare*	SCUS**A**	SCUS**I**
(-ERE) *prendere*	PREND**I**	PREND**A**
(-IRE) *sentire*	SENT**I**	SENT**A**

- Come si vede dalla tabella, le uscite in **"a"** e **"i"** sono esattamente invertite per il **Tu** e per il **Lei**, quindi è fondamentale ricordare se il verbo che si vuole usare è in -ARE, -ERE o -IRE.

ESEMPI

Tu

A: Ciao, Paola, sei occupata?
B: No, entr**a**!

A: Sono Angela, mi passi Franco?
B: Sì, attend**i** solo un attimo in linea.

A: Per colpa tua dobbiamo rifare tutto!
B: Sì, ma capisc**i** la situazione! Che altro potevo fare?

Lei

A: Signora, è occupata?
B: No, entr**i**!

A: Sono Rossi, mi passa il Sig. Tornaghi?
B: Sì, attend**a** solo un attimo in linea.

A: Per colpa sua dobbiamo rifare tutto!
B: Sì, ma capisc**a** la situazione! Che altro potevo fare?

- Con i verbi irregolari non c'è possibilità di confusione.

ESEMPI

	Tu	**Lei**
(*dare*)	**DA'/DAI**	**DIA**
(*fare*)	FA'/FAI	FACCIA
(*venire*)	VIENI	VENGA
(*stare*)	STA'/STAI	STIA
(*andare*)	VA'/VAI	VADA

- Per quanto riguarda la posizione dei pronomi, come regola di base con il **Tu** i pronomi si mettono **alla fine**, mentre con il ***Lei*** sono sempre ***prima*** del verbo all'imperativo:

ESEMPI

	Tu	**Lei**
(*fare* + ***mi***)	FAM**MI**	***MI*** FACCIA
(*parlare* + ***gli***)	PARLA**GLI**	***GLI*** PARLI
(*non preoccupar**si***)	NON PREOCCUPAR**TI** (*)	NON ***SI*** PREOCCUPI
(*dire* + ***me lo***)	DIM**MELO**	***ME LO*** DICA

(*) Con la forma negativa al **tu** il pronome si può mettere anche prima e il significato non cambia: "Non **ti** preoccupare".

FRASI

A: Marco, **ricordati** di portarmi quel libro.
B: Ah, già, me n'ero dimenticato!

A: Dottore, dottore, venga presto!
B: Signora, ***si calmi*** per favore e ***mi racconti*** tutto.

A: Dove la vuole la libreria, signora?
B: ***La lasci*** lì, per il momento, poi ci pensa mio marito.

A: Mio figlio mi tormenta perché vuole la macchina.
B: E tu **compragliela**, d'altra parte serve anche a te una macchina nuova.
A: Forse hai ragione.

ESERCIZI

1. Trasforma il seguente dialogo dal *tu* al *Lei*, cambiando i verbi

A: Scusa, mi sai dire come si va alla stazione centrale da qui?
B: A piedi o in macchina?
A: A piedi.
B: Allora vai dritto, poi dopo il primo semaforo gira a sinistra, prosegui dritto per circa 100 metri e sulla sinistra trovi la stazione.
A: Grazie. Senti, sai anche se c'è una farmacia sulla strada?
B: Sì, guarda, la trovi proprio accanto alla stazione.

....
....
....
....
....
....

2. Completa le seguenti frasi con l'imperativo (*Tu* o *Lei*) dei verbi dati fra parentesi e inserisci anche i pronomi quando necessario

1. .... attenta, signora, il pavimento è bagnato e si scivola. (stare)
2. Paola, ... una mano, non vedi che ho le valigie? (dare)
3. Prego, signora, ... qui: il dottore è subito da Lei. (accomodarsi)
4. Se tuo figlio insiste per avere la macchina nuova, ... (comprare)
5. Se non ti piace stare qui, ... (andarsene)
6. A: Buongiorno, signora, desidera?
   B: .... un etto di prosciutto crudo, ma .... sottile. (dare/tagliare)
7. A: Domani ho il colloquio! Sono nervosissima, e se non so cosa dire?
   B: ...., vedrai che andrà tutto bene! (preoccuparsi)
8. A: Dottore, è arrivato questo fax per lei.
   B: Ah, sì, ... sulla scrivania, per favore. (mettere)

3. *Tu* o *Lei?* Completa le frasi con l'imperativo e gli elementi mancanti (aggettivi possessivi, pronomi) alla forma corretta

1. Signorina, ... e .... là il .... cappotto.
2. A: ...., sono .... queste chiavi?
   B: Sì, grazie, meno male che le hai trovate!
3. Maria, ... le chiavi di casa.
4. Anna! .... tutto quel rumore!
5. A: ...., sa dirmi che cosa devo prendere per andare in centro?
   B: Mi dispiace, signora, non sono di qui.
6. Simone, ... di sopra i .... giocattoli!
7. A: La gonna che ho comprato ieri non va bene. Me .... con la taglia più grande, per favore.
   B: Certo, signora, ... questa. Il camerino è in fondo a destra.
8. A: Signorina, se telefona il Dott. Bianchi .... subito sull'altra linea.
   B: Va bene, ingegnere.

4. Correggi gli errori (7) negli imperativi (*tu* al posto del *Lei* e viceversa)

A: Signorina , mi faccia un favore. Vai da Marchi e gli dica di firmare queste lettere. ....
B: Va bene, dottore, vado immediatamente. ....

(Nell' ufficio di Marchi)

B: Scusi, Sig. Marchi, per favore, firmami queste lettere per il dottore. ....
C: Sì, va bene, aspetti un momento, signorina. Ecco. Senta, mi sa dire se ....
il dottore è libero dopo le due? Dovrei parlargli. ....
B: Aspetti, adesso chiamo la mia collega e controllo sulla sua agenda. ....
(telefona alla collega) Ciao, Anna, sono io. Senta, guarda sull'agenda del dottore, ...
per cortesia e mi dica se è libero dopo le due, ah, è in riunione fino alle tre ... .
C: Guardi se è possibile alle 5:30. ....
B: Un momento, scusa, a che ora ha detto? ....
C: 5:30. ....
B: Anna, dimmi se è libero alle 5:30 Ah, ho capito. *(parla con Marchi)* Senta, ...
la mia collega dice che dopo la riunione ha l'aereo per Parigi e ritorna dopodomani. ....
C: Va bene, non importa, però gli dica di farmi chiamare quando ha un minuto, ...
che devo discutere di una cosa con lui. ....
B: Senz'altro. ....

(Di nuovo dal Dottore)

B: Tenga le lettere firmate. ....

A: Grazie, signorina. Vediamo un po'... Ah, qui ci volevano due firme! Ritorni da Marchi, per favore e fagli firmare questo foglio qui, ma non perdere troppo tempo perché poi ho bisogno di lei. ....
....
....

B: Va bene dottore. ....

24 IL CONGIUNTIVO PRESENTE: VERBI REGOLARI

Il *modo* congiuntivo ha quattro ***tempi***: presente, passato, imperfetto e trapassato.
Il *modo* indica *com'è* il verbo, che cosa esprime (invece il ***tempo*** di un verbo indica ***quando*** si svolge l'azione).
Per formare il **congiuntivo presente** bisogna togliere -ARE, -ERE, -IRE dal verbo all'infinito e aggiungere le desinenze del congiuntivo.

	PARL**ARE**	PREND**ERE**	SENT**IRE**	PREFER**IRE**
io, tu, lui/lei	parl **i**	prend **a**	sent **a**	preferisc **a**
noi	parl **iamo**	prend **iamo**	sent **iamo**	prefer **iamo**
voi	parl **iate**	prend **iate**	sent **iate**	prefer **iate**
loro	parl **ino**	prend **ano**	sent **ano**	preferisc **ano**

ESEMPI

(*io - mangiare*)	mangi
(*lui - amare*)	ami
(*voi - perdere*)	perdiate
(*tu - decidere*)	decida
(*loro - partire*)	partano
(*lei - dormire*)	dorma
(*tu - capire*)	capisca
(*loro - spedire*)	spediscano

FRASI

Mi sembra che **ascoltino** spesso musica jazz.
Spero che Marina **arrivi** in tempo.
Ho paura che **perdano** soldi in investimenti sbagliati.
Non voglio che i bambini **vedano** questo film.
Siete davvero contenti che io **parta**?
Penso che **dormiate** un po' troppo, ragazzi!
Non ti sembra che Nicola **tossisca** un po' troppo? Dovrebbe andare da un medico!
È probabile che la zia **preferisca** rimanere a casa.

! NOTA BENE

- La *prima persona plurale* del congiuntivo presente ha la stessa forma del presente indicativo:

  Paolo crede **che noi partiamo** domani. Noi ***partiamo*** domani.

- Notiamo: "**che**" segnala la presenza di un congiuntivo.
  Con i verbi che indicano la soggettività o il desiderio (verbi di opinione, ipotesi, timore, dubbio, speranza) è frequente **l'omissione del "che"**.

ESEMPI

Non ti sembra stiano dormendo?
Penso sia un bellissimo regalo.
Suppongo Lei voglia vedere il progetto.
Temo sia un po' tardi per il cinema.
Dubito abbia capito il problema!
Speriamo arrivi in tempo!

- Con i verbi che indicano volontà, comando e con i verbi impersonali, si tende a conservare il **"che"**.

ESEMPI

Voglio che tu faccia come dico io.
Il mio capo pretende che io lavori anche il sabato.
Bisogna che puliate bene il giardino.
È meglio che lui non sappia niente.

- Nel congiuntivo presente (regolare e irregolare) la posizione dell'accento è la stessa del presente indicativo.

	ARRIVARE	ESSERE
io / tu / lui lei	arrivi	sia
noi	arriviamo	siamo
voi	arriviate	siate
loro	arrivino	siano

- Le prime tre persone del congiuntivo hanno la stessa desinenza: se il contesto non è sufficiente, per evitare equivoci può essere necessario esplicitare il pronome personale.

L'ingegnere vuole che **veda** il progetto al più presto. = *chi deve vedere il progetto?*

L'ingegnere vuole che **io** veda il progetto al più presto.
L'ingegnere vuole che **tu** veda il progetto al più presto.
L'ingegnere vuole che **Mario** veda il progetto al più presto.

ESERCIZI

1. Completa la tabella

	COMPRARE	LEGGERE	PARTIRE	CAPIRE
io	compri	....	parta	....
tu	....	legga	....	....
lui/lei	....	....	....	capisca
noi	....	....	partiamo	....
voi	compriate	....	....	capiate
loro	....	leggano	....	....

2. Abbina le frasi delle due colonne

1. Mi sembra che loro
2. Credo che Luca
3. Non voglio che i bambini
4. Roberto spera che voi
5. Signora, se è stanca è meglio che
6. Il mio medico vuole che io

a) parli il tedesco.
b) si sieda un po'.
c) capiate la situazione.
d) lavorino in banca.
e) smetta di fumare.
f) mangino troppi dolci.

3. Completa le frasi con un verbo appropriato al congiuntivo presente

finire *perdere* *guardare* *parlare* *spedire* *cercare*

1. Mi sembra che i Rossi .... una casa al mare.
2. È probabile che Carlo .... di lavorare molto tardi.
3. Penso che Massimo .... correntemente il francese.
4. Ho paura che i nonni .... il treno!
5. Preferisco che voi .... il pacchetto per via aerea.
6. Non voglio che i bambini .... troppa televisione.

4. Completa il testo con i seguenti verbi al congiuntivo presente

restare *rischiare* *continuare* *desiderare* *diventare*

Hamburger o pizza? Kebab o panino? Sushi o lasagne? Eh sì, dal fast food made in USA alle specialità etniche, oggi non c'è che l'imbarazzo della scelta. Pare che gli italiani 1) .... sperimentare gusti e sapori diversi dai soliti e quasi sembrerebbe che la grande tradizione culinaria italiana 2) .... di scomparire. Per fortuna non è così, perché tra un piatto di tagliatelle al ragù e uno dal nome impronunciabile gli italiani, in fondo, non hanno esitazioni. Anzi, sembra che la ricerca di prodotti genuini 3) .... sempre più diffusa. *Slow food*, associazione per la valorizzazione della cucina italiana, crede che la cucina casalinga 4) .... comunque un punto di riferimento fondamentale per la maggior parte degli italiani. E infatti ecco diffondersi il turismo enogastronomico, alla ricerca di sapori e profumi di una volta, di artigiani che preparano vino, salumi e formaggi secondo l'antica tradizione, e speriamo che 5) .... così ancora per lungo tempo!

25 IL CONGIUNTIVO PRESENTE: VERBI IRREGOLARI

1 I verbi irregolari al presente indicativo sono irregolari anche al presente congiuntivo.

Ecco la tabella dei verbi irregolari **ESSERE** e **AVERE**:

	ESSERE	AVERE
io / tu / lui/lei	**sia**	**abbia**
noi	**siamo**	**abbiamo**
voi	**siate**	**abbiate**
loro	**siano**	**abbiano**

ESEMPI

Pare che Shanghai **sia** una città caotica ma molto interessante.
Avvocato, è tardi e mi sembra che Lei **sia** stanco: rimandiamo a domani?
Spero che tu **abbia** un po' di tempo per rivedere queste fatture.
Non credo che Silvia e Nicola **abbiano** grandi possibilità economiche.

2 Ecco la coniugazione di due verbi irregolari molto comuni:

	ANDARE	FARE
io / tu / lui/lei	vad**a**	facci**a**
noi	and**iamo**	facc**iamo**
voi	and**iate**	facc**iate**
loro	vad**ano**	facc**iano**

- Per memorizzare la coniugazione dei verbi irregolari è utile ricordare che ***il congiuntivo presente irregolare si forma a partire dal presente indicativo***.

	INDICATIVO PRESENTE	CONGIUNTIVO PRESENTE
Andare	io **vado**	io **vada**
Bere	io be**vo**	io be**va**
Dire	io di**co**	io di**ca**
Fare	io fa**ccio**	io fa**ccia**
Potere	io po**sso**	io po**ssa**
Produrre	io prod**uco**	io prod**uca**
Proporre	io propo**ngo**	io propo**nga**
Rimanere	io rima**ngo**	io rima**nga**
Scegliere	io sce**lgo**	io sce**lga**
Tenere	io te**ngo**	io te**nga**
Tradurre	io trad**uco**	io trad**uca**
Uscire	io **esco**	io **esca**
Venire	io ve**ngo**	io ve**nga**
Volere	io vo**glio**	io vo**glia**

ESEMPI

(*tu - rimanere*)	rimanga	(*tu - bere*)	beva
(*noi - rimanere*)	rimaniamo	(*io - dire*)	dica
(*lui - scegliere*)	scelga	(*voi - potere*)	possiate
(*voi - scegliere*)	scegliate	(*voi - uscire*)	usciate
(*tu - uscire*)	esca	(*voi - venire*)	veniate
(*loro - venire*)	vengano	(*Lei - volere*)	voglia

FRASI

Pensi che loro alla fine **spengano** il computer?
Aspetto che tu **proponga** qualcosa.
Voglio che Lei **tolga** immediatamente i piedi dal tavolo!
È meglio che voi **usciate** subito da qui.
È necessario che Lei **beva** almeno due litri d'acqua al giorno.
Spero che tu **faccia** buon viaggio!
Signora, spero che Lei **possa** fermarsi ancora un po'.
Spero che oggi voi **stiate** meglio.
Non credo che **vogliano** venire con noi al cinema.

Questo videogame è veramente bello!

3 Alcuni verbi irregolari però **non** seguono questa regola:

Dare	io **dia**
Dovere	io **debba** (possibile anche **deva**)
Sapere	io **sappia**
Stare	io **stia**

ESEMPI

(*voi - dare*)	diate
(*loro - dare*)	diano
(*lui - dovere*)	debba/deva
(*noi - dovere*)	dobbiamo
(*io - sapere*)	sappia
(*loro - sapere*)	sappiano
(*voi - stare*)	stiate
(*loro - stare*)	stiano

FRASI

Mi sembra che i ragazzi **debbano** ancora fare i compiti.
Mi pare che voi **diate** troppa importanza al giudizio di Bruno.
Temo che **dobbiate** passare qui la notte.
Non ti sembra che Angela **dia** troppa importanza ai soldi?
Non so se Valeria **sappia** già la novità.
È meglio che **sappiate** subito come stanno le cose.
Signora, come va? Spero che **stia** meglio oggi!
Credo che **stia** per piovere.

...questi esercizi di matematica sono troppo difficili.

! NOTA BENE

- La *prima persona plurale* del congiuntivo presente irregolare ha la stessa forma del presente indicativo:

  Non credete **che noi possiamo farcela**? Noi ***possiamo farcela***.

- Nel congiuntivo presente il verbo ***andare*** segue il modello del presente indicativo: cambia la radice, eccetto nelle prime due persone plurali:

  andare → **vad**a, **vad**ano → andiamo, andiate

Così si comportano anche i seguenti verbi: *proporre, rimanere, scegliere, spegnere, tenere, togliere, uscire, venire.*

- Il verbo ***fare*** cambia la radice e la mantiene per tutta la coniugazione del congiuntivo:

  fare → **facc**ia, **facc**iamo, **facc**iate, **facc**iano

Così si comportano anche i seguenti verbi: *bere, dire, potere, produrre, sapere, tradurre, volere.*

ESERCIZI

1. Completa il dialogo con i verbi dati al congiuntivo presente

proporre *volere* *fare* *uscire* *potere* *venire*

A: Pronto, Stefano?
B: Ah ciao Marisa, come va?
A: Bene, grazie, e tu?
B: Stiamo tutti bene, grazie.
A: Senti, volevo parlarti della festa di Paolo: spero che tu e Giulia ci 1) ....
B: Guarda, anch'io volevo parlarti di questo: ho paura che Giulia 2) .... andare a trovare i suoi.
A: Beh, vieni da solo!
B: Ah no, sai com'è Giulia, temo che poi mi 3) .... una scenata delle sue.
A: Allora niente, pazienza! Spero che 4) .... vederci in un'altra occasione.
B: Ma certo! Anzi è probabile che Giulia ti 5) .... una gita a Ferrara per il prossimo week end.
A: Perfetto!
B: Allora ti faccio richiamare?
A: Certo! Non stasera però: è probabile che io 6) .... con Marcello.

2. Completa la tabella

	ESSERE	AVERE	DARE	STARE	DOVERE
io	....	....	....	stia	....
tu	sia	....	dia	....	....
lui/lei	....	....	....	....	....
noi	....	abbiamo	....	....	dobbiamo
voi	siate	....	....	stiate	....
loro	....	abbiano	diano	....	debbano

3. Completa le frasi con i verbi tra parentesi al congiuntivo

1. Speriamo che tu non .... ripetere l'esame! (dovere)
2. Ho paura che Maria non .... molto bene. (stare)
3. Mi pare che sua sorella .... 30 anni. (avere)
4. Non mi piace che i bambini .... da mangiare ai piccioni. (dare)
5. Voglio che .... quanto è stato bello avervi qui! (sapere)
6. Credo che quei turisti .... polacchi. (essere)

4. Completa il testo con un verbo appropriato al congiuntivo presente

essere *dare* *esserci* *potere* *farsi* *dovere*

«Nella moda l'unica certezza è l'assenza di certezze assolute» diceva Gianni Versace. Se infatti guardiamo un vecchio film, pare impossibile che oggi una signora borghese 1) .... tranquillamente uscire senza guanti e cappello! Le cose sono cambiate notevolmente, offrendoci mille possibilità: dal minimalismo di Giorgio Armani, alle atmosfere mediterranee di Dolce e Gabbana, passando da Roberto Cavalli il quale – sostenendo che le donne 2) .... fuggire dalla noia del minimalismo bianco, nero e grigio – propone colori vivacissimi, accostamenti azzardati, stampe "animalier". Quindi Valentino, l'eleganza e lo stile per eccellenza e poi Prada, l'innovazione tecnica dei tessuti e delle forme. Insomma, sembra proprio che oggi 3) .... tutto e il contrario di tutto. E comunque, non credete 4) .... meglio che le donne non 5) .... condizionare dai dettami della moda ma 6) .... spazio anche e soprattutto al gusto e alla creatività personali?

26 IL CONTRASTO TRA CONGIUNTIVO E INDICATIVO

1 Il modo congiuntivo esprime un concetto opposto a quello del modo indicativo: generalmente rappresenta un **allontanamento dalla realtà** e quindi **incertezza**, **soggettività** in contrasto con il modo indicativo che nella maggior parte dei casi rappresenta il reale, la certezza, l'oggettività.
In molti casi questa soggettività o incertezza è determinata dal ***verbo*** che precede il congiuntivo:

CONGIUNTIVO		INDICATIVO
Mi sembra che Maria **parli** russo. non realtà / soggettività	←→	Maria **parla** russo. realtà / oggettività
Ho sentito parlare di questo albergo ma ***non so*** dove **sia**. non realtà / incertezza	←→	Io so dov'**è**! realtà / certezza

In questi casi si parla di uso dipendente: il congiuntivo infatti dipende dai verbi che lo precedono. Questi verbi non appartengono alla sfera della realtà perché esprimono un'opinione personale o un'ipotesi, una paura, un desiderio, un'incertezza, un dubbio o una volontà.

ESEMPI

Suppongo che l'avvocato sia ancora in ufficio.	*(è solo una mia ipotesi, forse non è così)*
Temo che l'aereo sia in ritardo.	*(è solo un mio timore)*
Mi auguro che l'esame vada bene.	*(è un mio desiderio)*
Speriamo che questa pioggia finisca presto.	*(è un mio desiderio)*
Non so se l'appartamento abbia un balcone.	*(non sono certo)*
Dubito che lui possa partecipare al ricevimento.	*(non sono certo)*
*Non **voglio che*** faccia tardi la sera.	*(è una mia volontà)*

2

Abbiamo detto che la differenza sostanziale tra **congiuntivo** e ***indicativo*** sta nel contrasto tra **non-reale** e ***reale***, tra **soggettivo** e ***oggettivo***.
Osserva questi dialoghi in una libreria:

A: Buongiorno, sto cercando un libro che **parli** di pittura giapponese. (*sto chiedendo se esiste un libro così, io non lo so*)
B: Sì, adesso vediamo se c'è qualcosa. (*ho capito che il cliente non sa se un libro così esiste*)

A: Buongiorno, sto cercando un libro che ***parla*** di pittura giapponese. (*so che il libro esiste, non mi ricordo il titolo*)
B: Va bene, si ricorda il titolo, per cortesia? (*ho capito che il cliente sa che il libro esiste, probabilmente non si ricorda il titolo*)

Preferisco un aereo che **arrivi** direttamente, senza scali, per favore. (*se possibile, non so se questo aereo è disponibile*)
Preferisco l'aereo che ***arriva*** direttamente, senza scali, per favore. (*so che esiste*)

In questi esempi (frasi con il "che" relativo) non c'è un verbo che determina (e rende "visibile") la non-realtà, che viene quindi espressa direttamente dal congiuntivo. Questi casi, per uno studente, sono certamente più difficili da identificare, ma costituiscono la ricchezza della lingua italiana.

! NOTA BENE

- Da tempo si parla di "**crisi del congiuntivo**", cioè dell'uso sempre più diffuso dell'indicativo al posto del congiuntivo.

Per esempio: credo che il treno *parte* alle dieci; è meglio che tu *fai* così; ho paura che *è* troppo tardi; e così via.

Anche se i processi di trasformazione di una lingua sono inarrestabili, noi raccomandiamo ancora l'uso del congiuntivo sia per le sfumature di significato che porta con sé, sia perché è tuttora una caratteristica dell'italiano colto e risulta quindi indispensabile nel campo lavorativo o degli studi.

ESERCIZI

1. Leggi le frasi e indica se esprimono: A) certezza B) incertezza C) oggettivà D) soggettivà

	A	B	C	D
1. Ritengo che i vini australiani siano i migliori.	☐	☐	☐	☐
2. So che il cinese è una lingua molto complessa.	☐	☐	☐	☐
3. Mi sembra che lo stadio sia fuori città.	☐	☐	☐	☐
4. Penso che Michele sia simpatico, no?	☐	☐	☐	☐
5. Tokyo è una città davvero molto grande.	☐	☐	☐	☐
6. Non so se il direttore partecipi alla riunione.	☐	☐	☐	☐
7. Siamo a 5 gradi sottozero!	☐	☐	☐	☐
8. Credo che il cinese sia più difficile del giapponese.	☐	☐	☐	☐

2. Completa le frasi

so che *penso che* *mi sembra* *mi auguro che*
sono sicuro che *speriamo che* *temo che* *pare che*

A: Pedrotti, ha sentito l'ultima? 1) .... il vice direttore lasci a fine mese.
B: Non è possibile! 2) .... ha qualche problema con il consiglio di amministrazione ma 3) .... strano che se ne vada.
A: Mah, a me l'ha detto il dottor Savelli e 4) .... lui è una persona affidabile.
B: Non molto discreta, però! Comunque 5) .... sia meglio aspettare una conferma ufficiale. 6) .... ci ripensi, è un ottimo dirigente e sarebbe un peccato perderlo.
A: Sono d'accordo con Lei ma 7) .... sia una notizia fondata.
B: 8) .... non sia così!

3. Trasforma le frasi in affermazioni *non certe* usando un verbo appropriato + congiuntivo

1. Sono sicuro che questo cane è di razza Beagle.
   ....
2. Praga è una città molto bella.
   ....
3. So che i Martini stanno divorziando.
   ....
4. Stanno bussando!
   ....
5. Sono sicuro che dice la verità.
   ....
6. Nicola parte domani mattina.
   ....
7. So dov'è il Ponte Vecchio: a Firenze.
   ....
8. Cerco una baby sitter che parla italiano e francese, non mi ricordo il nome però.
   ....

4. Completa il testo con un verbo al presente indicativo o al presente congiuntivo

Il nome maschile più diffuso in Italia 1) .... Giuseppe Russo.
E com'è l'italiano-tipo? Dunque, l'altezza media 2) .... di 174 centimetri, 3) .... occhi marroni e capelli castani. In famiglia 4) .... esattamente 2,7 persone. L'italiano-tipo 5) .... una casa di proprietà e 6) .... al Nord.
E le sue abitudini quotidiane? Beh, in questo caso è più difficile essere precisi. Pare che 7) .... tra le 7 e le 7.30 e la colazione la 8) .... a casa. Sembra che nel tempo libero 9) .... andare al cinema o guardare lo sport in TV. Una cosa 10) .... certa: 11) .... il maggior risparmiatore in Europa. Chi l'avrebbe mai detto!

27 Il CONGIUNTIVO PASSATO

1 Il congiuntivo passato è un **tempo composto**, formato cioè da due parti ...:

abbia		***mangiato***
ESSERE o AVERE (al congiuntivo presente)	+	*participio passato*

ESEMPI

Credo che tu **abbia *comprato*** un ottimo impianto stereo.
Spero che tu **abbia *prenotato*** i biglietti.
Credo che Paolo **sia** già ***tornato*** a casa.
Mi sembra che tu **sia *stato*** davvero gentile con lei.
Daniele pensa che tu **abbia *speso*** un po' troppo.

... e, naturalmente, si riferisce al **passato**:

Mi sembra che tu **abbia fatto** tutto il possibile.
adesso prima

Non so davvero cosa **sia successo** a Mario!
adesso prima

FRASI

Non ti sembra che Simona **sia** molto **cambiata**?
È un peccato che tu non **sia venuto** alla festa di Carlo.
Pare che Marisa **abbia perso** 10 chili!
Credo che i bambini **siano** già **andati** a scuola.
Sono molto contento che tu **abbia scritto** ai nonni.

2 Esiste una perfetta **corrispondenza** tra passato prossimo indicativo e congiuntivo passato.

Ho sentito che Laura **è *stata*** in Grecia. → Penso che Laura **sia stata** in Grecia.

- La differenza di uso sta, come sempre, nel contrasto oggettività/soggettività che contraddistingue i due modi.

So che ***ci sono stati*** molti problemi. → Penso che **ci siano stati** molti problemi.
è un fatto è una mia ipotesi

ESERCIZI

1. Scrivi il congiuntivo passato dei seguenti verbi

1. uscire = sia uscito/a
2. dire = ...
3. essere = ...
4. leggere = ...
5. prendere = ...
6. stare = ...
7. avere = ...
8. aspettare = ...

9. fare = ...
10. vedere = ...

2. Trasforma i verbi evidenziati al congiuntivo passato

1. Sono contenta che Laura finalmente torni dagli Stati Uniti.
....
2. Credo che Michail abbia un problema con il permesso di soggiorno.
....
3. Ho paura che la zia si stanchi troppo.
....
4. Mi sembra che Franco dica la verità.
....
5. Non so se Marco capisca la gravità della situazione.
....
6. Mi sembra che il cane faccia un disastro in giardino!
....

3. Scrivi le domande o le risposte con un verbo al congiuntivo passato

1. A: Chi ha combinato questo disastro in cucina?
B: ....
2. A: Ma che ha Simone? Ha una faccia!
B: ....
3. A: ....
B: Ma certo! Gli è piaciuto moltissimo, era proprio quello che voleva!
4. A: Allora, com'è andata la festa?
B: ....
5. A: ....
B: No, mi sembra invece che si sia annoiato a morte!
6. A: ....
B: Ma sì, non ti preoccupare, hai portato tutto.

4. Completa il dialogo con un verbo appropriato: usa l'indicativo presente, il congiuntivo presente o il congiuntivo passato

esserci(2) *essere(5)* *cambiare* *valere* *parlare* *andare*

Anna: Paolo allora, che ne dici di un week end a Torino?
Paolo: A Torino?! Cosa 1) .... da vedere? Non mi sembra che 2) .... molto, no?
Anna: Ma scherzi? Torino 3) .... una città particolare. Ho l'impressione che tu non ci 4) .... mai ....
Paolo: Beh, penso che 5) .... una città grigia, industriale.
Anna: E invece no! 6) .... una città bellissima, con un'architettura notevole. Poi c'è il fiume Po, il Parco del Valentino, e poi c'è il famoso Museo Egizio.
Paolo: Ah, sì. Mi sembra che qualcuno mi 7) .... di questo museo: pare che 8) .... il Museo Egizio più importante dopo quello del Cairo.
Anna: Non "pare", 9) ....! E poi senti, a ottobre c'è il Salone del Gusto: tutte le specilità della cucina piemontese. Immagino che tu non 10) .... le tue buone abitudini, no?
Paolo: Quando c'è da mangiare sai che non mi tiro mai indietro.
Anna: Insomma, Torino e i suoi dintorni offrono davvero tanto: mi stupisco sempre che non 11) .... più turisti da quelle parti! Tutta la regione è veramente fantastica e secondo me ancora poco conosciuta.
Paolo: Va bene Anna, mi sembra proprio che 12) .... la pena di andarci!

28 IL CONGIUNTIVO PRESENTE/PASSATO PER ESPRIMERE OPINIONI E DESIDERI

1

Spesso il congiuntivo viene preceduto da un verbo che esprime un'opinione (credo, penso, ritengo e così via). L'uso dei verbi di opinione con il congiuntivo rende la frase meno diretta (quindi più cortese), meno forte e segnala anche una disponibilità ad eventuali opinioni differenti (*):

Penso che sia meglio andare.
opinione più flessibile

È meglio andare.
opinione più ferma

Signora, **credo che** Lei **sia arrivata** dopo di me.
più gentile

Signora, Lei ***è arrivata*** dopo di me.
più forte

ESEMPI

A: Direttore, **credo che ci sia** un errore in queste cifre.
B: Ah, sì? Vediamo insieme ...

A: **Penso che** Mozart **sia** il compositore più importante della storia.
B: Non sono d'accordo, e Beethoven allora?

A: **Mi sembra che sia** rischioso partire senza una revisione della macchina, no?
B: Hai assolutamente ragione!

2

Il congiuntivo viene usato con i verbi che esprimono un desiderio, una speranza (spero, mi auguro) in quanto desideri e speranze non sono realtà e quindi l'uso di un verbo all'indicativo, che rappresenta invece la realtà, non sarebbe appropriato (*).

Speriamo che arrivi in tempo!
speranza, non realtà

Ha telefonato: ***non arriva*** in tempo.
fatto certo, realtà

Mi auguro che Isabella porti il dolce!
speranza, non realtà

Allora, Isabella ***porta*** il dolce.
fatto certo, realtà

ESEMPI

Carla **spera** tanto **che** tu possa venire alla festa di sabato.
Spero che tutto si risolva nel migliore dei modi.

A: Alberto, **spero che** tu abbia portato dei soldi perché io sono al verde!
B: Non ti preoccupare, ho la carta di credito.

Ci auguriamo che possiate intervenire numerosi alla riunione.
Auguriamoci che ci sia bel tempo, altrimenti addio gita!

A: **Mi auguro che** il pranzo sia stato di vostro gradimento.
B: È stato tutto perfetto, come al solito, signor Pirani!

(*) vedere anche la scheda 26, **Contrasto tra congiuntivo e indicativo** (p. 87).

! NOTA BENE

- Quando il **soggetto del verbo** che precede il congiuntivo è **uguale** a quello del congiuntivo è necessario usare **di + infinito**:

Spero che Alberto torni presto.
io lui

Spero **di tornare** presto.
io io

ESEMPI

Penso che tu spenda troppo.	Penso **di spendere** troppo.
Mariella spera che io resti a casa tutto il giorno.	Mariella spera **di restare** a casa tutto il giorno.
Noi speriamo che tu legga questo libro.	Noi speriamo **di leggere** questo libro.
Matteo pensa che tu parta domani.	Pensi **di partire** domani?

ESERCIZI

1. Completa le frasi con i seguenti verbi al congiuntivo presente o passato

essere(2) *fare* *laurearsi* *avere* *potere*

1. Non pensate che .... meglio fermarci qui per la notte?
2. Mi sembra che Luisa .... in chimica l'anno scorso.
3. Riteniamo che la situazione economica .... migliorare ulteriormente.
4. Molti pensano che vivere in città .... stressante.
5. Credo che tu .... proprio ragione.
6. Penso che l'architetto .... un buon lavoro.

2. Come sopra

divertirsi *nevicare* *fare* *potere* *andare* *essere*

1. Spero che tu .... trovare presto un lavoro.
2. Ogni anno speriamo che .... per Natale.
3. Il direttore si augura che il vostro soggiorno .... soddisfacente.
4. Spero che voi .... alla festa.
5. Spero che Paolo .... d'accordo con i nuovi colleghi.
6. Mi auguro che Lei .... buon viaggio.

3. Esprimi la tua opinione usando un verbo appropriato + il congiuntivo

1. Che cosa ne pensi della medicina naturale?

....

2. Che ne pensi delle vacanze nei villaggi turistici?

....

3. Qual è la tua opinione sul lavoro part-time?

....

4. Come giudichi le attività di volontariato?

....

4. Esprimi un desiderio o un augurio usando un verbo appropriato + il congiuntivo

1. L'inquinamento atmosferico è un problema a livello globale.

....

2. Oggi nel mondo ci sono ancora molte guerre.

....

3. Il turismo nello spazio è già una realtà, anche se per pochi.

....

4. L'eruzione del vulcano Krakatoa è stata una delle più disastrose della storia.

....

29 ESPRESSIONI CON IL CONGIUNTIVO PRESENTE/PASSATO

Il congiuntivo si usa anche dopo alcune parole ed espressioni particolari.

1 Con parole, di uso generalmente formale o scritto (*), che significano ***anche se***:

nonostante, **malgrado**, **benché**, **sebbene** + **congiuntivo**

ESEMPI

Il primo ministro si è dichiarato ottimista, **nonostante ci sia** un forte deficit nel bilancio.	(*anche se c'è un forte deficit*)
Malgrado abbia ormai **compiuto** 70 anni, continua a giocare a calcio ogni domenica.	(*anche se ha ormai compiuto*)
Signori, **benché capisca** la difficile situazione, vi invito a misurare le parole!	(*anche se capisco*)
Sebbene l'Italia **abbia** una grande tradizione operistica, pochi la conoscono.	(*anche se l'Italia ha una grande tradizione operistica*)

(*) la lingua parlata informale preferisce l'uso di ***anche se*** + ***indicativo***.

FRASI

Signori, **benché sia già** tardi, vi prego di rimanere ancora qualche minuto.
Malgrado nell'incidente **abbia** riportato una brutta frattura, il pilota ora sta meglio.
Sebbene non **abbiano raggiunto** l'accordo previsto, i rappresentanti sindacali si sono dichiarati ugualmente soddisfatti.
Nonostante ci siano state molte difficoltà organizzative, tutto è andato per il meglio.

2 Con parole che significano ***se*** e indicano quindi una condizione:

a patto che, **a condizione che**, **a meno che non**, **purché** (*) + **congiuntivo**

ESEMPI

Potremo superare la crisi dell'azienda **a condizione che** tutti **facciano** qualche sacrificio.	(*se tutti fanno*)
Dr. Rossi, il personale accetta le nuove condizioni **a patto che introduciate** l'orario flessibile.	(*se introducete*)
Gli studenti potranno sostenere l'orale **purché abbiano superato** lo scritto.	(*se hanno superato*)

(*) la lingua parlata informale preferisce l'uso di ***se*** + ***indicativo***.

FRASI

Vi presto la macchina **a patto che** me la **riportiate** domani.
Partiamo domenica, **a meno che non ci sia** sciopero dei treni.
Gli spettatori possono entrare **purché abbiano comprato** un biglietto valido.

3 Con parole che indicano l'obiettivo di un'azione, il ***perché faccio qualcosa***:

perché, **affinché** (*) + **congiuntivo**

Vado da Rita **perché sta** meglio.
Rita è migliorata, è un fatto, una realtà = **indicativo**

↔

Vado da Rita **perché stia** meglio.
Vado da lei per aiutarla, forse dopo starà meglio, è il mio obiettivo ma non è sicuro = **congiuntivo**

ESEMPI

Ho parlato così duramente a Nicola **perché** lui non **faccia** più lo stesso sbaglio. (*l'obiettivo del mio discorso è evitare ulteriori errori, ma non è sicuro*)

La riunione si farà in collegamento video, **affinché** tutti i delegati **possano** seguirla. (*l'obiettivo è la partecipazione di tutti i delegati*)

Il ministro dell'Interno ha predisposto misure di sicurezza eccezionali, **affinché** la manifestazione si **svolga** senza incidenti. (*l'obiettivo è evitare incidenti durante la manifestazione*)

Gli hanno dato una borsa di studio **perché possa** finire gli studi. (*l'obiettivo della borsa di studio è il completamento degli studi*)

(*) *affinché* (= al fine che) è di uso formale o scritto.

FRASI

A: Ti piace questa poesia? "**Affinché** tu **comprenda** i miei pensieri, coltiverò per te rose e viole ..."
B: Mah, insomma ...

L'orario di accesso alla biblioteca verrà anticipato, **affinché** gli studenti **possano** recarvisi prima delle lezioni.
Paolo sta lavorando moltissimo, **perché** tutto **sia** pronto in tempo per il ricevimento.
Perché si possa vincere le prossime elezioni, il governo deve spendere più soldi ed energie.

4 Con parole (aggettivi e pronomi indefiniti) che esprimono ***un concetto non determinato***, che quindi non appartiene alla realtà:

qualunque/qualsiasi, **ovunque/dovunque**, **chiunque**, **comunque** + **congiuntivo**

ESEMPI

Qualunque cosa tu **dica**, io non cambio idea. (*non so ancora cosa dirai*)
Qualsiasi decisione tu **abbia preso**, per me va bene. (*non so ancora che cosa hai deciso*)
Ovunque tu **decida** di andare, telefonami subito. (*non so ancora dove andrai*)
Chiunque abbia domande da fare, prego ... (*forse qualcuno ha domande da fare*)
Comunque vadano le cose, ne è valsa la pena. (*non so come andranno le cose*)

FRASI

Amnesty International interviene **dovunque ci siano** oppressioni e ingiustizie.
Non puoi dire **qualunque cosa ti venga** in mente! Prima, pensaci!
Chiunque abbia visto quello spettacolo ne parla bene.
Qualunque cosa combini il nostro cagnolino Tobia, non lo sgridiamo mai.

5 Con le espressioni **prima che, senza che**.

FRASI

Prima che tu vada, vorrei farti assaggiare questo vino siciliano.
Guarda che deve essere tutto pronto **prima che arrivino** gli ospiti.
L'avvocato vorrebbe parlarti **prima che tu prenda** qualsiasi decisione.
I ragazzi vogliono uscire **senza che** il papà **se ne accorga**.
Guarda, ho già capito la situazione **senza che** tu **aggiunga** altro.
Pretende di decidere tutto lui, **senza che** io **dica** una parola!

ESERCIZI

1. Abbina le frasi delle due colonne

1. Nonostante
2. A meno che tu non
3. Qualsiasi
4. Le presto la macchina
5. Affinché
6. Chiunque
7. Telefona tu al direttore
8. Ha tenuto il mio Felix per un mese

a) cifra tu offra, lui non accetterà mai.
b) purché Lei me la restituisca in settimana.
c) malgrado non ami i gatti.
d) prima che lo faccia lui, è meglio!
e) abbia altri programmi, vieni al cinema con noi.
f) ci sia brutto tempo, esco ugualmente.
g) abbia notizie, avverta la Polizia.
h) Lei sappia tutto, eccoLe il documento in questione.

2. Completa le frasi con un verbo appropriato all'indicativo o al congiuntivo

promettere *preferire* *avere* *esserci* *essere(2)*

1. Signora, sebbene Lei .... straniera, parla italiano perfettamente, complimenti!
2. Nonostante .... una forte crisi economica, la vendita di barche di lusso è in aumento.
3. Anche se .... tardi, andiamo lo stesso al concerto?
4. Direi di andare in un ristorante italiano, a meno che Lei non .... qualcos'altro.
5. Andiamo pure a teatro ma solo se Giorgio .... di non addormentarsi: è veramente imbarazzante!
6. Potete aprire un conto in banca a patto che .... il certificato di residenza.

3. Come sopra

arrivare *dire* *essere* *potere(2)* *andare*

1. Abbiamo parlato con quel giornalista perché tutti .... conoscere la situazione.
2. Qualunque cosa ti ...., non lasciarti influenzare e decidi da solo.
3. In Italia, dovunque tu ...., si mangia benissimo.
4. I Rossi vanno in vacanza ai Caraibi perché .... permetterselo.
5. A: Avvocato, il signor Poletti ha confermato l'appuntamento per le 11.
   B: Va bene ma prima che .... vorrei rivedere i documenti.
6. Vado spesso in quel locale perché i gestori .... miei amici.

4. Inserisci nel dialogo le seguenti parole:

malgrado *qualsiasi* *a meno che non* *comunque* *prima che* *a patto che*

A: Ciao Fabrizio.
B: Paola! Quanto tempo che non ci vediamo! Ma che ci fai qui? Non stavi a Roma?
A: Eh, è una lunga storia ... Dai, prendiamoci un caffè.
B: Ok ma (1) .... tu mi dica tutto!
A: C'è poco da dire. Ho dei problemi sul lavoro, sai, il mio capo ha sempre da criticare, (2) .... cosa faccia.
B: Mhm, capita spesso. Bisogna sopportare. (3) .... tu .... abbia qualche alternativa in vista.
A: Beh, effettivamente ce l'ho. Sono qui a Bologna proprio per questo. Certo, lo stipendio è molto inferiore.
B: Senti, meglio un lavoro che dia soddisfazione anche se meno pagato, no? E sbrigati, (4) .... qualcuno te lo porti via!
A: Sì, forse hai ragione, non so. (5) .... io non sia una persona particolarmente venale, l'idea di guadagnare meno non mi piace per niente.
B: Certo non fa piacere.
A: Vabbè, (6) .... vadano le cose, ti farò sapere.
B: Dai, ci conto!

30 IL CONGIUNTIVO PRESENTE/PASSATO USATO IN MODO INDIPENDENTE

Nella maggior parte dei casi l'uso del congiuntivo dipende da un verbo o da un'espressione particolare. Tuttavia è possibile usare il congiuntivo (presente e passato) anche in modo indipendente.

1 Quando si fa una **domanda**, sempre introdotta da "che", per esprimere una supposizione o un dubbio.

ESEMPI

A: Mario non è venuto alla riunione. Sai, ieri abbiamo avuto una discussione ...
B: **Che sia offeso**? *(forse è offeso?)*

È da un po' di tempo che non vedo Martini: **che sia malato**? *(forse è malato?)*
Hai visto? I Rossi si sono comprati un macchinone! **Che abbiano vinto** al Casinò? *(forse hanno vinto?)*
Guarda, la stampante non funziona bene: **che sia** già **finito** il toner? *(forse è gia finito?)*

2 Quando il congiuntivo presente viene usato come **imperativo** (*), cioè quando ci rivolgiamo a qualcuno in modo formale (Lei/Loro) e per la 1ª persona plurale (noi).
Ecco la tabella dei verbi regolari (per quelli irregolari vedi il capitolo relativo):

	GUARDARE	PRENDERE	SENTIRE	FINIRE
Lei	guard**i**	prend**a**	sent**a**	fin**isca**
noi	guard**iamo**	prend**iamo**	sent**iamo**	fin**iamo**
Loro	guard**ino**	prend**ano**	sent**ano**	fin**iscano**

Gli usi restano ovviamente quelli del *modo imperativo*: richiedere qualcosa, convincere, dare consigli, invitare, sollecitare, dare il permesso, pregare, chiedere in modo forte.

ESEMPI

A: Insomma, è più di un'ora che aspettiamo!
B: Eh signora, **abbia** pazienza! (*La prego di avere pazienza*)

Esca subito da qui! (*è un ordine, una richiesta forte*)
Com'è tardi! Dai, **finiamo** questo lavoro! (*è una sollecitazione a finire*)

A: Buongiorno dottor Costa, posso?
B: Ma certo signora, **entri** pure, **si accomodi**! (*La invito a entrare*)

Mi scusi, potrebbe spostare la macchina, **sia** gentile! (*Le chiedo di essere gentile*)
Siete pronti? **Andiamo**! (*è una sollecitazione ad andare*)

A: Che caldo! Signora, Le dispiace se apro la finestra?
B: **Apra** pure! (*Le do il permesso di aprire*)

Lei **stia zitto**! (*richiesta forte*)

La terza persona plurale (Loro) viene oggi usata esclusivamente in contesti piuttosto formali, al posto del plurale "voi".

ESEMPI

I signori hanno prenotato? Prego, **si accomodino**! (*il cameriere, in un ristorante elegante e formale*)
Avete prenotato? Prego, accomodatevi! (*il cameriere, in un ristorante non particolarmente formale*)

(*) sostituisce cioè le persone mancanti nel modo imperativo (3ª persona singolare; 1ª, 3ª plurale).

3 In una **esclamazione** (di tono positivo o negativo), con o senza "che".

ESEMPI

A: Sai, ha telefonato la banca: tutto a posto adesso!
B: **Sia** ringraziato il cielo! (*grazie al cielo! che sollievo!*)

Nicola, **che mi prenda (*)** un colpo!
Quanto tempo che non ci vediamo, sei proprio tu? (*che sorpresa!*)

Cosa?! Il capo vuole che io lavori anche il sabato
e la domenica? Ma **vada (*)** a quel paese! (*assolutamente no, per me può andare all'inferno!*)

A: Carlo vuole sapere se preferisci una camera
con vista sul mare, vista sul porto o sul giardino ...
B: Ma **faccia** un po' quel che vuole!
Con tutti i problemi che abbiamo! (*può fare quello che vuole, non mi importa!*)

(*) forme idiomatiche, da usare solamente in contesti piuttosto informali.

FRASI

Sia benedetto chi ha inventato il computer!

A: Senti, ha telefonato l'idraulico: vuole essere pagato subito.
B: **Che aspetti**! Ha finito i lavori con un mese di ritardo!

Che ci vada lui, a piedi, con questo freddo! Io chiamo un taxi.

! **NOTA BENE**

- È molto frequente l'uso dell'avverbio **pure** per rendere meno forte l'imperativo in queste situazioni: dare il permesso di fare qualcosa, invitare a fare qualcosa. La posizione di *pure* è sempre dopo l'imperativo.

ESEMPI

A: Signor Passoni, ha un momento?
B: Sì, dica **pure**! (*invito la persona a parlare*)

Signora, venga **pure**! Il dottore l'aspetta. (*invito la persona a raggiungere il medico*)

A: Posso spegnere la TV?
B: Spenga **pure**! (*do il permesso di spegnere la TV*)

A: Le dispiace se prendo un momento il Suo giornale?
B: Prenda **pure**, signora! (*do il permesso di prendere il giornale*)

A: Mario, questo arrosto è veramente squisito!
B: Signora non faccia complimenti, si serva **pure**! (*invito la signora a prendere ancora dell'arrosto*)

- Un'altra strategia, nelle stesse situazioni precedenti, per rendere meno forte l'imperativo consiste nella **ripetizione del verbo.**

ESEMPI

A: Posso?
B: **Entri, entri**!

Avvocato! **Venga, venga**! Ha portato i documenti?

A: Le dispiace se chiudo la finestra?
B: **Chiuda, chiuda**, oggi fa veramente freddo.

A: Sono stanco, vorrei proprio dormire una mezz'oretta ...
B: **Dorma, dorma**! La sveglio io quando siamo arrivati in stazione.

ESERCIZI

1. Completa le frasi formulando una domanda con *che* + *congiuntivo presente o passato*

1. È da un po' di tempo che non vedo la signora Romano: ....?
2. Hai visto? Maria e Giorgio non si parlano più! ....?
3. Il cellulare di Elena è spento: ....?
4. Silvana, il bambino sta piangendo: ....?
5. Aspetto l'autobus da quasi un'ora: .... ?
6. Carlo, il cane non ha mangiato niente! ....?

2. Scrivi la forma formale corrispondente

imperativo informale	*imperativo formale (congiuntivo presente)*
1. dimmi	....
2. aspetta	....
3. accomodati	....
4. senti	....
5. ascolta	....
6. firma	....
7. entra	....
8. sali	....
9. prendi	....
10. dammi	....
11. finisci	....
12. spegni	....

3. Trasforma le seguenti frasi da informali a formali usando il congiuntivo presente

1. Quale film? Decidi tu!
   ....
2. Aspetta, dimmi bene come sono andate le cose.
   ....
3. Dammi una mano, per favore!
   ....
4. Se hai finito, esci pure!
   ....
5. Fai pure con calma, c'è tempo.
   ....
6. Ricordati l'appuntamento!
   ....

4. Completa il dialogo usando *che* + *congiuntivo presente/passato* e l'imperativo formale (congiuntivo presente)

sedersi *essere* *andarci* *venire* *succedere*

A: Buongiorno signora Colombo.
B: Oh, buongiorno!
A: 1) ...., prendiamo un caffè prima della riunione.
B: Volentieri.
A: Senta, ha notizie di Vitale? È da qualche giorno che non lo vedo in ufficio.
B: Sì, è vero. Anch'io lo sto cercando: 2) .... in ferie?
A: Ma ce l'avrebbe detto, non crede?
B: Ha ragione. 3) .... qualcosa?
A: Ma no! Ah, ecco Lorenzini! Chiediamo a lui.
B: Lorenzini, 4) .... un momento con noi. Sa niente di Vitale?
C: Mah, a Barcellona in questi giorni c'è il corso di aggiornamento. 5) .... anche lui?
B: Ma sì, è vero! Beato lui!

5. Completa con un'esclamazione appropriata

a) *E sia!* b) *Crepi!* c) *Che ci vada da solo!* d) *Sia ringraziato il cielo!*

1. Gianni vuole portarmi a tutti i costi a un incontro di boxe. ....!
2. A: Non voglio prendere il treno, dai, prendiamo l'aereo!
   B: ....! Facciamo come vuoi tu.
3. A: L'operazione è andata bene, Piero è fuori pericolo!
   B: ....!
4. A: Allora "in bocca al lupo" per l'esame di domani!
   B: ....!

31 IL CONGIUNTIVO PRESENTE/PASSATO: ALTRI USI

Usiamo il congiuntivo anche nei seguenti casi.

1 Con espressioni impersonali così strutturate:

È + ***sostantivo*** / ***aggettivo*** / ***avverbio*** (*) + **congiuntivo presente/passato**

ESEMPI

È ***ora*** che Marco **la smetta** di uscire tutte le sere.	(*sostantivo*)
È ***un peccato*** che tu **sia dovuto** andare via così presto.	(*sostantivo*)
È ***difficile*** che Stefano **possa** venire con noi al mare.	(*aggettivo*)
È ***terribile*** che ancora oggi **ci siano** così tante guerre.	(*aggettivo*)
È ***meglio*** che non vi **facciate** troppe illusioni.	(*avverbio*)
È ***peggio*** che tu **stia** chiusa in casa, esci!	(*avverbio*)

FRASI

È una fortuna che Piero abbia trovato questo lavoro.
È probabile che il Milan vinca lo scudetto anche quest'anno.
È impossibile che siano già finiti i soldi!
È bene che Lei faccia regolarmente attività fisica e che smetta anche di fumare.

(*) si utilizzano solamente gli avverbi di modo **meglio**, **peggio**, **bene**.

! NOTA BENE

- Queste espressioni impersonali indicano dispiacere, rammarico, probabilità, improbabilità, opportunità, casualità ecc. e richiamano quindi l'uso del congiuntivo.

2 Con alcuni verbi impersonali:

bisogna / ***conviene*** / ***occorre*** / ***basta*** / ***pare*** / ***sembra*** / ***capita*** / ***accade*** / ***succede*** / ***dispiace*** + ***che*** + **congiuntivo presente/passato**

ESEMPI

Bisogna che qualcuno **vada** a svegliare Pietro: è già mezzogiorno!
Conviene che **facciate** l'abbonamento dei mezzi pubblici: costa trenta euro per un mese intero.
Antonio, non stare a cucinare, ***basta che*** tu mi **faccia** un'omelette.
A volte ***sembra che*** tutto **vada** storto, ma non bisogna scoraggiarsi.
Succede sempre più spesso che molte giovani coppie **si trasferiscano** in campagna.
Dispiace che **ci sia** tanta violenza nel mondo.

3 Dopo il superlativo relativo:

La .... *storia* .... **più** .... *assurda* .... **che** .... *abbia sentito* ....
sostantivo aggettivo congiuntivo pres./pass.

Il .... *dentista* .... **meno** .... *caro* .... **che** .... *io conosca* ....

ESEMPI

Incredibile, Enrico ha avuto l'aumento. Dico, **il più** lavativo **che** abbia mai conosciuto!
La vacanza in Marocco è stata **la più** bella **che** abbia mai fatto.
Dispiace dirlo ma il signor Corradi è **il** condomino **meno** rispettoso **che** ci sia in tutto il palazzo!
Il paracadutismo è **lo** sport **più** bello **che** io abbia mai provato.

ESERCIZI

1. Completa le frasi con un verbo appropriato

1. È meglio che tu non ...., fa davvero troppo freddo.
2. È una vergogna che .... così tanto per un servizio così scadente.
3. È il caso che tu .... una mail a Giulia, dobbiamo ringraziarla per la cena.
4. È opportuno che Lei .... ulteriori analisi e poi stabiliremo la terapia.
5. È indispensabile che voi .... prima con il direttore.
6. È un caso che anche lui .... qui? Chi l'ha invitato?

2. Completa le frasi con i verbi dati

bisogna *capita* *occorre* *basta* *dispiace* *pare*

1. .... che Lei lasci un deposito ed è tutto a posto.
2. .... che tante persone non amino gli animali.
3. Per fare l'esame .... che vi presentiate con un documento valido.
4. A volte .... che non ci ricordiamo delle nostre responsabilità.
5. .... che Lei compili questo modulo, signora.
6. .... che l'azienda quest'anno dia un bonus ai dipendenti.

3. Rispondi alle domande con un *superlativo relativo* + *congiuntivo presente/passato*

1. Hai appena visto un film molto, molto noioso. Cosa dici?

   ....

2. "Come as you are" dei Nirvana ti piace moltissimo, da sempre. Cosa dici?

   ....

3. Pino è davvero simpaticissimo, unico. Che cosa dici?

   ....

4. Hai comprato una macchina davvero economica. Che dici?

   ....

4. Completa il testo con le seguenti parole o espressioni

più spiacevole che *dispiace che* *è bene che*
bisogna che *pare che* *è probabile che*

Gentile avvocato,

Le scrivo in merito al nostro ultimo colloquio.
Seguendo il Suo consiglio ho scritto una lettera molto cortese alla signora Ricciardi chiedendole di evitare di battere i tappeti alle 8 del mattino, di passare l'aspirapolvere dopo pranzo, di tenere il volume della Tv troppo alto la sera e così via. Ho ricevuto quindi una lettera molto aggressiva in cui la signora mi dice che 1) .... io mi faccia visitare da uno specialista del sistema nervoso perché 2) .... io abbia qualche problema in questo senso. Può immaginare il mio stupore: è la lettera 3) .... io abbia mai ricevuto ma ho cercato di mantenere la calma e la mia buona educazione. Ho gentilmente chiesto alla signora Ricciardi di cambiare atteggiamento e non ho ottenuto nulla, anzi 4) .... la signora abbia iniziato una specie di "guerra" personale con il sottoscritto. 5) .... ci siano persone così poco rispettose del diritto degli altri al riposo e 6) .... si faccia qualcosa: Le chiedo quindi di procedere con la denuncia della signora in questione alle autorità competenti.

Nell'attesa di una sua sollecita risposta, Le porgo i più cordiali saluti.

Angelo Bernardini

32 IL CONGIUNTIVO IMPERFETTO: VERBI REGOLARI

Usiamo il congiuntivo imperfetto per parlare di qualcosa riferito al **passato**.

Penso che lui	dorma.	Penso che lui	**dormisse.**
adesso	adesso	adesso	allora, in quel momento

- Per formare il **congiuntivo imperfetto** bisogna togliere -ARE, -ERE, -IRE dal verbo all'infinito e aggiungere le desinenze del congiuntivo:

	PARL**ARE**	PREND**ERE**	SENT**IRE**
io	parl **assi**	prend **essi**	sent **issi**
tu	parl **assi**	prend **essi**	sent **issi**
lui/lei	parl **asse**	prend **esse**	sent **isse**
noi	parl **assimo**	prend **essimo**	sent **issimo**
voi	parl **aste**	prend **este**	sent **iste**
loro	parl **assero**	prend **essero**	sent **issero**

ESEMPI

(io - mangiare)	mangiassi	*(lui - amare)*	amasse
(voi - perdere)	perdeste	*(tu - decidere)*	decidessi
(loro - partire)	partissero	*(lei - dormire)*	dormisse
(tu - capire)	capissi	*(loro - spedire)*	spedissero

FRASI

A: Non hai l'impressione che noi una volta **leggessimo** di più?
B: Hai ragione. Oggi non abbiamo più tempo!

Penso che Lorena **capisse** perfettamente la situazione.

A: Oggi sembra incredibile che un tempo la gente **vivesse** senza elettricità.
B: Niente luce, niente computer!

Non ti sembra che Marcello **mangiasse** un po' troppi dolci da bambino?
Oggi penso che **sbagliassimo** a essere così severi con i nostri figli.

A: Ma cosa aveva Michela ieri alla festa?
B: Beh, penso che **si sentisse** un po' a disagio: c'era il suo ex marito!

2 Il verbo **AVERE**, di solito irregolare, segue invece una coniugazione regolare:

	AVERE
io	av **essi**
tu	av **essi**
lui/lei	av **esse**
noi	av **essimo**
voi	av **este**
loro	av **essero**

ESEMPI

Penso che un tempo i Rossi **avessero** molte proprietà immobiliari.
Non credo che Marco **avesse** intenzione di offenderti.
È davvero un peccato che l'altra sera tu **avessi** da fare: è stata una festa bellissima!

A: Mi sembra che Lei **avesse** un'auto sportiva, anni fa, no?
B: Sì, ma poi l'ho venduta.

- Anche i seguenti verbi sono perfettamente regolari:

Dovere	dov**essi**
Volere	vol**essi**
Potere	pot**essi**
Sapere	sap**essi**
Andare	and**assi**

ESEMPI

A: Nicoletta è uscita?
B: Sì, credo che **volesse** fare quattro passi prima di cena.

Non è incredibile che a quel tempo noi **potessimo** fare tante cose con così pochi mezzi?

A: Secondo me, Paolo ha venduto il suo appartamento per una cifra troppo bassa.
B: Sì, dubito che lui ne **conoscesse** il valore reale.

A: Scusi, c'è l'ingegnere?
B: No mi dispiace, è uscito. Mi sembra **dovesse** andare in cantiere.

3

Esiste una **corrispondenza di significato** tra ***indicativo imperfetto*** e **congiuntivo imperfetto**.

Paul ***conosceva*** bene Milano.	Penso che Paul **conoscesse** bene Milano.

- La differenza di uso sta nel contrasto oggettività/soggettività che contraddistingue i due modi:

So che all'università Anna ***studiava*** chimica. è un fatto	Credo che all'università Anna **studiasse** chimica. è una mia ipotesi

ESEMPI

A: Mi sembra di ricordare che Caravaggio **avesse** una personalità controversa.	(*... ma non sono sicuro*)
B: Infatti, ***aveva*** un carattere violento che gli procurò parecchi guai.	(*sono sicuro*)
A: Stamattina ha telefonato Marcella: credo **volesse** un indirizzo ...	(*... ma non sono sicuro*)
B: Ah sì, le ho già parlato: ***voleva*** l'indirizzo di Giuliana.	(*è un fatto*)

4

Quando il soggetto del verbo che precede il congiuntivo è uguale a quello del congiuntivo è necessario usare **di + infinito presente o passato**.

Speravo che Alberto arrivasse in tempo. io lui	Speravo **di arrivare** in tempo. io io
Sono contento che Maria avesse ragione. io lei	Maria è contenta **di aver avuto** ragione. lei lei

ESEMPI

A: Roberto, credevo che tu restassi a pranzo!
B: Anch'io pensavo **di restare** ma c'è un problema in ufficio, devo andare.

Mia moglie l'altra sera credeva **di sentire** strani rumori in casa e mi ha tenuto sveglio tutta la notte.

A: Allora, com'era il film in lingua originale?
B: Bello! Avevo paura **di capire** poco e invece ho capito quasi tutto.

A: È un peccato che Paolo fosse così nervoso l'altra sera.
B: Beh, anche lui ritiene **di essere stato** un po' brusco con gli ospiti e gli dispiace molto.

! NOTA BENE

- Le prime due persone del congiuntivo imperfetto hanno la stessa desinenza: se il contesto non è sufficiente, per evitare equivoci può essere necessario indicare il pronome personale.

Martina credeva che **arrivassi** alle dieci. = *chi doveva arrivare alle dieci?*

Martina credeva che **io arrivassi** alle dieci.
Martina credeva che **tu arrivassi** alle dieci.

- Per memorizzare la forma del congiuntivo imperfetto può essere utile notare la caratteristica presenza di **-ss** nella coniugazione (eccetto nella 2ª plurale):

io aspetta**ssi** tu scrive**ssi** lui dormi**sse** noi legge**ss**imo loro fini**ss**ero

- Il congiuntivo imperfetto, quando ha il significato di un "futuro nel passato", può essere usato in alternativa al condizionale passato.

PASSATO	FUTURO NEL PASSATO
Pensavo che **fosse** antipatico. allora allora	Pensavo che **andasse** via più tardi. allora dopo
	Pensavo che **sarebbe andato** via più tardi. allora dopo
Mi sembra che Sandro **esagerasse**. adesso allora	Speravo che Sandro **telefonasse** per scusarsi. allora dopo
	Speravo che **avrebbe telefonato** per scusarsi. allora dopo

ESERCIZI

1. Completa la tabella

	COMPRARE	LEGGERE	PARTIRE	CAPIRE
io	comprassi	....	partissi	....
tu	....	leggessi	....	....
lui/lei	....	....	....	capisse
noi	....	....	partissimo	....
voi	compraste	....	....	capiste
loro	....	leggessero	....	....

2. Completa le frasi con i seguenti verbi al congiuntivo imperfetto

volere potere sapere andare dovere volere

1. Mi scusi, pensavo che i cani .... entrare in questo locale.
2. A: Dove sono i ragazzi?
   B: Sono usciti. Credo che .... al cinema.
3. Sai, a noi sembrava che tu non .... venire a teatro.
4. Non pensavo che .... già tutto! Chi te l'ha detto?
5. Scusate, ho capito male: credevo .... del vino rosso.
6. Signora Gilardi mi scusi, non pensavo che .... aspettare così tanto!

3. Trasforma le affermazioni in frasi non sicure

1. So che Nicola andava spesso in vacanza in Puglia.
   ....
2. A: È già uscito il ragionier Marotta?
   B: Sì, aveva un impegno.
   ....
3. I Rossi non volevano partire.
   ....
4. Sai, mio nonno parlava esclusivamente in dialetto e conosceva solo qualche parola di italiano.
   ....

4. Completa il dialogo con i verbi dati al congiuntivo imperfetto o, quando necessario, con *di+infinito*

fare *abituarsi* *avere* *costare* *chiudere* *mangiare*

Giulia: Allora Akiko, che ne pensi delle tue vacanze in Italia?
Akiko: Ah, mi sono trovata molto bene e mi dispiace tornare in Giappone.
Giulia: Senti, che cosa ti ha colpito di più dell'Italia?
Akiko: Beh, conoscevo già le città d'arte più famose ma non pensavo che anche città come Bologna, Lecce o Palermo 1) .... monumenti così belli!
Giulia: E la cucina italiana ti è piaciuta?
Akiko: Anche troppo! Voi italiani mangiate veramente bene però non mi aspettavo che 2) .... così tanto.
Giulia: Dici? Ma se siamo sempre a dieta! Noi donne, almeno.
Akiko: A proposito, le donne italiane sono molto eleganti. Ho fatto shopping e speravo 3) .... qualche buon affare e infatti ho comprato borse, scarpe e occhiali: non credevo che 4) .... così poco qui!
Giulia: Beh certo, con il cambio di valuta. Però, scusa, non hai trovato proprio niente di negativo in Italia?
Akiko: Oh sì, il traffico per esempio: pensavo 5) .... e invece ancora adesso non lo sopporto. E poi non mi aspettavo che le banche e gli uffici pubblici 6) .... per la pausa pranzo!

33 IL CONGIUNTIVO IMPERFETTO: VERBI IRREGOLARI

1 I verbi irregolari sono pochi. Ecco la coniugazione del verbo **ESSERE**.

	ESSERE
io	**fossi**
tu	**fossi**
lui/lei	**fosse**
noi	**fossimo**
voi	**foste**
loro	**fossero**

ESEMPI

Non ti sembra che al concerto i ragazzi **fossero** annoiati?
Penso che lui **fosse** di Londra ma non ne sono sicuro.
Ehi, pensavo che voi **foste** a scuola!
Sandro, ti avverto che Maria è molto nervosa: crede che tu **fossi** con Silvana l'altra sera.

2 Per memorizzare la coniugazione dei verbi irregolari è utile ricordare che il congiuntivo imperfetto irregolare si forma a partire dall'indicativo imperfetto.

	INDICATIVO IMPERFETTO	CONGIUNTIVO IMPERFETTO
Bere	io bevevo	io bev**essi**
Dire	io dicevo	io dic**essi**
Fare	io facevo	io fac**essi**
Produrre	io producevo	io produc**essi**
Porre	io ponevo	io pon**essi**
Tradurre	io traducevo	io traduc**essi**
Trarre	io traevo	io tra**essi**

- In maniera analoga si comportano i seguenti verbi: comporre, condurre, contrarre, detrarre, proporre, supporre ...

ESEMPI

(*voi - bere*) bev**este**
(*lui - dire*) dic**esse**
(*voi - fare*) fac**este**
(*noi - produrre*) produc**essimo**
(*tu - proporre*) propon**essi**
(*loro - tradurre*) traduc**essero**
(*lei - detrarre*) detra**esse**
(*voi - supporre*) suppon**este**

FRASI

Speravo che voi **diceste** qualcosa a mio favore.
Mi sembra che già gli antichi egizi **producessero** birra.
Signor ministro, speravamo che Lei **ponesse** la questione ambientale al centro del dibattito.
Pensavo che **detraessimo** queste spese dalle tasse, no?

- Non seguono però questa regola i verbi **STARE** e **DARE**:

	INDICATIVO IMPERFETTO	CONGIUNTIVO IMPERFETTO
Stare	io st**a**vo	io st**e**ssi
Dare	io d**a**vo	io d**e**ssi

ESEMPI

Mi dispiace che l'altra sera Laura non **stesse** bene.
Se non ti hanno risposto è possibile che **stessero** lavorando.
Non credevo che voi **deste** tanta importanza ai soldi.

ESERCIZI

1. Completa la tabella

	ESSERE	AVERE	DARE	STARE	DOVERE
io	....	dicessi	....	....	dessi
tu	fossi	....	....	stessi	....
lui/lei	....	....	facesse	....	....
noi	fossimo	....	....	stessimo	....
voi	....	diceste	....	....	deste
loro	....	....	facessero	....	....

2. Completa con il verbo tra parentesi al congiuntivo imperfetto

1. Non credevo che voi .... sul serio! (fare)
2. Mi raccomando, papà pensa che io ieri mattina .... a scuola. (essere)
3. Però, non pensavo che si .... così bene qui! (stare)
4. Mi sembra che Beethoven .... anche se ormai sordo. (comporre)
5. Temevo proprio che loro .... di no, e invece! (dire)
6. Speravo che tu .... questo per me. (tradurre)

3. Completa le frasi con un verbo irregolare al congiuntivo imperfetto

1. A: Silvio, so che ieri alla riunione nessuno è intervenuto in tuo favore. Mi dispiace!
   B: A chi lo dici! Speravo che almeno ....
2. A: Senti, sai che lavoro faceva il marito della signora Costa prima della pensione?
   B: Mah, credo che ....
3. A: Ma cos'aveva ieri Marcello? Non mi ha nemmeno salutata!
   B: Non lo so. Penso che ....
4. A: Hai visto? Tre ore di riunione e alla fine sono venute fuori le solite idee, nessuna novità.
   B: Sì. Speravo che almeno i nuovi arrivati ....

4. Completa il dialogo con un verbo appropriato al congiuntivo imperfetto regolare o irregolare

volere essere avere colpire essere venire

Anna: Roberto, non sapevo che tu 1) .... dall'Argentina, pensavo che tu 2) .... italiano, parli perfettamente e non hai neanche l'accento straniero!

Roberto: Sì, i miei bisnonni e mia nonna però erano italiani, in famiglia abbiamo sempre parlato italiano. Uno dei motivi per cui sono in Italia è che volevo vedere il paese del Veneto da dove erano partiti.

Anna: La grande emigrazione, l'ho studiata a scuola: tra il 1800 e il 1970, sono partiti 27 milioni di italiani.

Roberto: Ehi, non pensavo che 3) .... così tanti! Beh, in effetti solo a Buenos Aires ci sono 6 milioni di abitanti di origine italiana.

Anna: Certo deve essere stata dura per i tuoi bisnonni partire.

Roberto: E pensa che non sono mai più tornati in Italia anche se credo che 4) .... tanto tornarci, almeno una volta. Comunque, sono andato a Castelfranco Veneto e sinceramente non mi aspettavo che questa visita mi 5) .... così tanto. Per esempio, ho incontrato un signore che si chiama Beppe Pierobon, come il mio bisnonno! E poi ho capito perché in famiglia abbiamo i capelli biondi e gli occhi azzurri. In Veneto ho visto un sacco di persone che sembrano svedesi!

Anna: Pensavi che noi italiani 6) .... tutti gli occhi e i capelli neri?

Roberto: Stereotipi, lo so. Comunque, io sono profondamente argentino ma sono molto contento di avere un paese d'origine così bello!

34 IL CONGIUNTIVO TRAPASSATO

1 Il congiuntivo trapassato è un **tempo composto**, formato cioè da due parti ... :

avesse		**parlato**
ESSERE o AVERE al congiuntivo imperfetto	+	participio passato

ESEMPI

(*io - comprare*)	avessi comprato	(*noi - partire*)	fossimo partiti/e
(*tu - essere*)	fossi stato/a	(*voi - divertirsi*)	vi foste divertiti/e
(*lui/lei - parlare*)	avesse parlato	(*loro - dire*)	avessero detto

... e si usa per un'azione avvenuta prima di un'altra azione, entrambe riferite al passato:

Ho pensato che **avesse cambiato** idea e così me ne sono andato.
allora — prima

Credevi che Luisa **fosse** già **partita**?
allora — prima

FRASI

Quando non ho trovato la macchina al solito posto ho avuto paura che me l'**avessero rubata**.
Ho presentato il direttore al nuovo collega ma ho avuto l'impressione che si **fossero** già **incontrati**.
Non sapevo che Paolo **avesse pagato** anche per noi: non l'ho neanche ringraziato!
E voi speravate che la situazione si **fosse risolta** così, da sola?

2 Esiste una **perfetta corrispondenza** fra l'***indicativo trapassato*** e il **congiuntivo trapassato**.

Paolo era stanco, ***aveva lavorato*** molto. — Paolo era stanco, credo che **avesse lavorato** molto.

- La differenza sta, come sempre, nel contrasto oggettività/soggettività che contraddistingue i due modi e che viene evidenziato dall'uso di verbi quali *credo*, *penso*, *mi sembra* e così via:

Anna conosceva bene l'azienda, so che ci ***aveva*** già ***lavorato***.
è un fatto

Anna conosceva bene l'azienda, mi sembra che ci **avesse** già **lavorato**.
è una mia ipotesi

3 È possibile usare il congiuntivo trapassato anche da solo: in questo caso l'altro verbo al passato è sottinteso nel contesto.

ESEMPI

A: Come mai non c'è la firma del dottor Marini su questo documento?
B: Mi dispiace, credo che **fosse** già **uscito** (quando la segretaria *è passata* a raccogliere le firme).

A: Sbaglio o il direttore non ha ascoltato neanche una delle mie proposte?
B: Sì, ma (quando tu *hai iniziato* il tuo intervento) penso che lui **avesse** già **preso** la sua decisione.

A: Ieri al cinema Claudio è andato via dopo cinque minuti.
B. Mah, credo che il film **fosse** già **iniziato** (quando lui *è arrivato*) e lui questo non lo sopporta!
A: Esagerato!

ESERCIZI

1. Abbina le frasi

1. Non sapevo che lui
2. Speravo che gli operai
3. Credevo che Lena, prima di arrivare in Italia,
4. Marcella non era sicura che noi
5. Avevamo paura che tu
6. Io pensavo che voi
7. Mi sembrava che ti
8. Ragazze, pensavo che voi

a) fossero riusciti a finire il lavoro.
b) aveste già parlato con Silvia.
c) avessimo detto la verità.
d) foste rimaste a casa tutto il giorno.
e) avesse già comprato i biglietti.
f) fossi divertito alla festa!
g) avessi perso l'aereo!
h) fosse stata a lungo in Francia.

2. Trasforma in frasi non certe usando il congiuntivo trapassato

1. Ti ho cercata ma tu eri già uscita.
   Ti ho cercata ma credo che tu ....
2. Gli abbiamo fatto un'offerta interessante ma loro avevano già accettato un'offerta migliore.
   Gli abbiamo fatto un'offerta interessante ma ....
3. Ho invitato anche Luca alla festa ma lui aveva già comprato un biglietto per la partita.
   Ho invitato anche Luca alla festa ma ....
4. Non hanno firmato il contratto, l'avvocato gli aveva consigliato di non farlo.
   Non hanno firmato il contratto, l'avvocato ....

3. Completa usando il congiuntivo trapassato

1. A: Sai, Carlo è ancora disoccupato.
   B: Mi dispiace, speravo che ....
2. A: Insomma, alla fine si scopre che Paolo aveva detto la verità.
   B: E io che ho sempre creduto che ....!
3. A: Ieri ho conosciuto la moglie di Vincenzo.
   B: La moglie? Non sapevo che ....
4. A: Sai, ai ragazzi è piaciuto molto il libro che gli hai regalato!
   B: Meno male! Avevo paura che ....
5. A: La festa di ieri era veramente terribile, noi siamo andati via subito.
   B: Ma dai! Pensavo invece che voi ....
6. A: Laura! Ho ritrovato le chiavi della macchina!
   B: Ah si? Non sapevo che ....

4. Completa il testo con i seguenti verbi al congiuntivo trapassato

conservare *comprare* *essere* *avvenire* *cessare* *produrre*

Le "city car" – le piccole macchine da città – si sono ormai stabilmente affermate nel mercato europeo dell'automobile, e non solo europeo. Piccole, colorate, e dai consumi ridotti, le vediamo sfrecciare nelle nostre città e parcheggiare in spazi incredibilmente ridotti. Quando, anni fa, sono apparse sul mercato sembrava che 1) .... una piccola rivoluzione. Molti però pensavano che gli italiani non 2) .... particolarmente colpiti da quel miracolo urbano. Ovviamente: l'Italia aveva già prodotto la prima "city car" nel 1957: la piccola e gloriosa "500"! Nella mente di molte generazioni di italiani c'era ben stampata l'immagine di quelle automobiline, meno di tre metri di lunghezza, 400 chili di peso. «Quando mio marito l'ha acquistata nel 1960, mi ricordo ho avuto l'impressione che 3) .... un giocattolo per i nostri bambini, non una macchina!», così ha detto la signora Mariella, una delle organizzatrici del raduno di amatori delle "500" che si è svolto domenica scorsa e a cui è stato invitato anche un gruppo di studenti italiani e stranieri. «Non sapevo che l'Italia 4) .... una macchina così moderna addirittura nel secolo scorso!» ha esclamato Peter, diciottenne australiano. Il padre di Cédric invece, aveva cercato di comprarne una nuova: «Sì, ma credo che la produzione 5) .... già .... da anni. Non mi aspettavo però che tante persone 6) .... la loro "500" per tutto questo tempo e guarda, sono perfettamente tenute, sembrano quasi nuove!». E attenzione perché fra due domeniche ci sarà un altro raduno storico per festeggiare un'altra piccola gloria italiana: il mitico scooter "Vespa".

35 IL PERIODO IPOTETICO

Il periodo ipotetico è una frase formata da una CONDIZIONE e da un RISULTATO (o conseguenza).

Carla è qui e io sono molto felice.	Se Carla fosse qui, sarei molto felice.
realtà / risultato	condizione / risultato

I verbi all'indicativo rappresentano la **realtà**.

"**Se**" indica invece che stiamo facendo un'**ipotesi** e i verbi al congiuntivo e al condizionale rappresentano la **non realtà** della frase.

La posizione della CONDIZIONE e del RISULTATO non è fissa:

Se potessi, ti aiuterei. — Ti aiuterei, se potessi.

- Ci sono tre tipi di periodo ipotetico.

1 Periodo ipotetico della **realtà**:

l'ipotesi è sentita da chi parla come vicina alla realtà, certa; i verbi sono all'**indicativo**.

Se cerchi, un lavoro lo trovi.
condizione — risultato

(*penso che tu lo voglia cercare e le probabilità di trovarlo sono ottime*)

ESEMPI

Se mi **aiuti**, ti **presto** il motorino.
Se lo **chiami**, Gianni ti **spiega** tutto.
Se **scriverai** a Giulia, la **farai** felice.
Se **farai** sport, **starai** senz'altro meglio.

2 Periodo ipotetico della **possibilità**:

l'ipotesi è sentita come possibile, realizzabile; i verbi sono al **congiuntivo imperfetto + condizionale presente**.

Se cercassi, un lavoro lo troveresti.
condizione — risultato

(*non so se vuoi cercarlo, comunque è possibile trovarlo*)

- È possibile usare anche il **condizionale passato** quando il RISULTATO non si verifica dopo la CONDIZIONE ma si esaurisce insieme ad essa:

  Se non superassi l'esame, avrei studiato tutti questi mesi per niente!
  condizione risultato

ESEMPI

La tua macchina **sarebbe** più bella, se la **lavassi**.
Se **venissi** con noi, **ti divertiresti**.
Se il regalo non le **piacesse**, **avrei speso** i miei ultimi risparmi inutilmente.
Se alla fine non **riuscissi** neanche ad incontrarla, **avrei aspettato** inutilmente.

3 Periodo ipotetico dell'**impossibilità**:

l'ipotesi non è stata realizzata e non è più realizzabile oppure l'ipotesi è totalmente irreale.
La scelta dei verbi dipende dal momento in cui CONDIZIONE e RISULTATO si collocano.

- CONDIZIONE al **momento presente**: verbi al **congiuntivo imperfetto** + **condizionale presente/passato**

Se tu fossi Bill Gates (*questo è irreale*),
- non avresti bisogno di cercare un lavoro. (*oggi*)
- avresti viaggiato in tutto il mondo. (*in passato*)

- CONDIZIONE in un **momento passato**: verbi al **congiuntivo trapassato** + **condizionale presente/passato**

Se avessi cercato (*ma non l'hai fatto*),
- avresti un lavoro. (*oggi*)
- avresti trovato un lavoro. (*in passato*)

ESEMPI

Se Marco **fosse** più alto, **sarebbe** più attraente.
Se **fosse** una persona onesta, ti **avrebbe** già **restituito** tutta la somma.
Se **fossi stato** più sincero con Marta, oggi lei **sarebbe** ancora qui con me.
Se **avessi avuto** più tempo, le **avrei spiegato** meglio la situazione.

- nel RISULTATO si può anche usare l'**imperativo**:

  Se tu avessi un problema, parlane con Claudio! (*potresti parlarne con Claudio*)

ESEMPI

Se trovi qualcosa che ti piace, **compralo**!
Se incontrassi Stefano, **salutamelo**!
Se mi addormentassi, per favore **svegliami**!
Se non trovasse la signora Tasca, mi **chiami**!

! NOTA BENE

- L'**indicativo imperfetto** è spesso usato *nella lingua parlata* per semplificare verbi difficili da memorizzare o strutture complesse.

Nel periodo ipotetico questo uso colloquiale è molto frequente:

Se me lo **dicevi** prima, **chiamavo** anche Ada. → Se me l'**avessi detto** prima, **avrei chiamato** anche Ada.
Se lo **sapevo**, la **chiamavo** subito → Se l'**avessi saputo**, l'**avrei chiamata** subito.

Questa sostituzione certo semplifica ma anche impoverisce la lingua e quindi può essere accettata solamente quando si parla in un contesto informale. *Da evitare* invece *nello scritto* e in quelle situazioni in cui sia necessario parlare un italiano corretto e formale, per esempio nel lavoro.

ESERCIZI

1. Abbina le frasi come nell'esempio

1. Se tu m'avessi dato retta — c)
2. Se potessi
3. Non ce l'avrei fatta
4. Se tu non avessi studiato in Italia
5. Sarei molto felice
6. Avreste cambiato idea

a) non ci saremmo mai conosciuti.
b) se loro non mi avessero aiutato.
c) oggi non saresti nei guai.
d) verrei volentieri con voi.
e) se vi avessi spiegato bene la situazione.
f) se Chiara ci venisse a trovare.

2. Completa il periodo ipotetico con un verbo al congiuntivo o al condizionale

1. Se .... la gente vivrebbe meglio.
2. Se non ci fossero le vacanze, ...
3. Se ...., farei il giro del mondo.
4. Se non sapessimo né leggere né scrivere, ...
5. Se ...., avrei fatto qualcos'altro.
6. Se si potesse vivere fino a mille anni, ...

3. Completa la lettera con un verbo appropriato al congiuntivo o al condizionale

volere *dare* *fare* *essere*

Gentile dottoressa,

è la prima volta che scrivo a una rivista e per di più a una rubrica di psicologia e sinceramente non l' 1) .... se non avessi un problema in casa che sto faticando a risolvere. Dunque, mia figlia Claudia, diciassette anni, ha improvvisamente deciso di lasciare la scuola, a metà anno scolastico. Può immaginare la reazione mia e di mio marito: se ci 2) .... un colpo in testa, ci avrebbero fatto meno male! La ragazza è irremovibile e se non 3) .... maggiorenne, le impedirei di farlo. Claudia è una ragazza intelligente, vivace e piena di interessi, forse un po' pigra. Le sarei molto grata se 4) .... darci un consiglio.

Cordiali saluti,
Monica

4. Come sopra

parlare *accettare* *essere* *riflettere*

Gentile signora,

mi sembra che Lei stia un po' esagerando. È piuttosto frequente avere delle 'crisi scolastiche' a quella età: il contrasto tra la scuola (spesso ancora legata a modelli troppo tradizionali) e la realtà, può causare disagio tra gli adolescenti. Se, invece di farvi prendere dal panico, 1) .... a Claudia con calma, avreste probabilmente capito le sue ragioni. Se fosse stimolata abbastanza, 2) .... circa l'orientamento degli studi (ha scelto lei che scuola fare?). Se 3) .... in voi, accetterei la decisione della ragazza: insistere, forzarla ad andare a scuola non serve a niente e comunque fra poco sarà maggiorenne e quindi indipendente. Perché non proporle invece di andare all'estero, per imparare una lingua e fare un'esperienza di lavoro? Se 4) .... questa proposta, sarebbe un'occasione per crescere e rendersi conto di quanto lo studio è importante nella società di oggi.

Cordialmente
Dott.ssa Anna Peragallo Chisenti

36 ESPRESSIONI CON IL CONGIUNTIVO IMPERFETTO/TRAPASSATO

1

Oltre alle espressioni e parole che abbiamo già visto nel capitolo sul congiuntivo presente e passato, con il congiuntivo imperfetto (e trapassato) usiamo anche:

magari, **almeno** (*), **se solo**, **se**, per esprimere **un desiderio**:

+ congiuntivo imperfetto, *se il desiderio si può ancora realizzare*
+ congiuntivo trapassato, *se non si può più realizzare*

ESEMPI

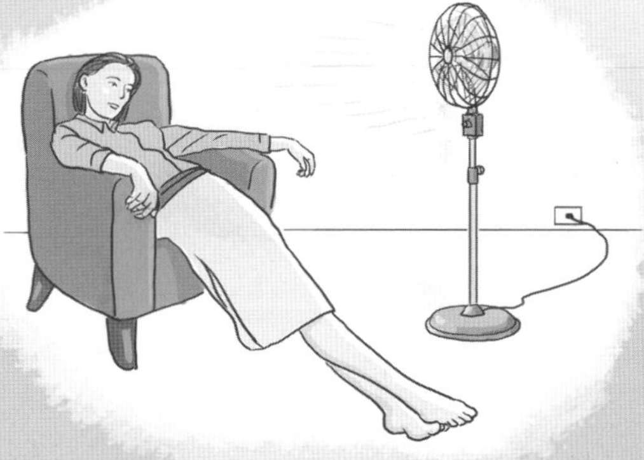

A: Che caldo!
B: **Almeno** avessimo un ventilatore.

A: Allora, vieni al cinema con noi?
B: Eh, **magari** potessi!

A: Ho sentito che hai quasi distrutto la macchina.
B: Non me lo ricordare! **Se solo** avessi fatto più attenzione!

A: Allora, com'è andata la cena?
B: Guarda, una noia. Ah, **se** ci fossi stato tu!

(*) la posizione è mobile: almeno chiamasse/chiamasse, almeno; almeno avesse chiamato/avesse almeno chiamato.

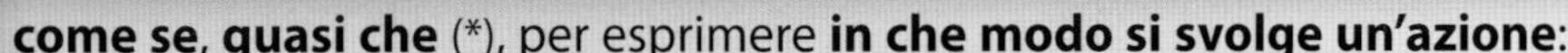

2

come se, **quasi che** (*), per esprimere **in che modo si svolge un'azione**:

+ congiuntivo imperfetto, *se c'è contemporaneità*
+ congiuntivo trapassato, *se c'è anteriorità*

ESEMPI

Renato si comporta **come se** fosse il padrone qui dentro!
Parlava piano, **quasi** avesse paura.
È uscito correndo e gridando, **come** avesse visto un fantasma!
Pietro è sempre così formale con i miei genitori, **quasi che** non li avesse mai incontrati prima.

(*) è possibile omettere **se** e **che**.

3 **qualora** (*), **se**, per esprimere **una condizione**:

ESEMPI

Avvocato, allora La pregherei di farmi avere tutta la documentazione, **qualora** Le fosse possibile.
Qualora ci fossero problemi, chiami la reception.
Marina, **se** qualcuno mi cercasse, io sono andato un attimo in archivio.

A: Allora, vuoi davvero andare all'estero a lavorare?
B: Beh **se** fosse possibile, perché no?

(*) usiamo **qualora** soprattutto nella lingua formale.

! NOTA BENE

- Attenzione alla sfumatura di significato tra **se** + **congiuntivo imperfetto** e **se** + **indicativo presente**: nel primo caso chi parla sente la condizione come poco probabile, nel secondo caso la probabilità aumenta. Infatti l'uso del congiuntivo allontana la possibilità di realizzazione, l'uso dell'indicativo invece la avvicina.

Confronta ...

Silvana, **se chiamasse** il dottor Serra gli dica che torno fra un paio d'ore. (*forse chiamerà, forse no*)
Silvana, **se chiama** il dottor Serra gli dica che torno fra un paio d'ore. (*è probabile che chiami*)

... e confronta con:

Silvana quando chiama il dottor Serra gli dica che torno fra un paio d'ore. (*sono sicuro che chiamerà*)

- Attenzione alla differenza di significato tra:

a) magari/almeno + congiuntivo

b) magari/almeno + indicativo

caso ***a)*****: magari** significa ***se*** ed esprime un desiderio; **almeno** esprime un desiderio anche se percepito come modesto;
caso ***b)*****: magari** significa ***forse*** ed esprime una possibilità; **almeno** esprime una realtà anche se percepita come minima, non del tutto soddisfacente.

Che brutta giornata,	**magari** uscisse il sole!	(*è un desiderio*)
	magari più tardi esce il sole.	(*forse più tardi esce un po' di sole*)
Che fame,	**almeno** avessimo dei biscotti!	(*è un desiderio piccolo, ma meglio di niente*)
	almeno abbiamo questi biscotti.	(*è una realtà, non è molto ma meglio di niente*)

ESERCIZI

1. Abbina le frasi

1. Che faccia tosta, si comporta
2. Allora, finito il trasloco?
3. Tesoro,
4. Fa veramente caldo oggi,
5. Qualora avesse bisogno,
6. Se Teresa ti chiedesse di me,

a) avessimo almeno portato da bere!
b) tu non sai dove sono, mi raccomando.
c) eh, magari fossimo così veloci!
d) il nostro staff è a Sua disposizione.
e) se solo tu fossi qui!
f) come se non fosse successo niente.

2. Cosa dici? Usa un verbo al congiuntivo imperfetto o trapassato

1. Sei in aereo e ti stai annoiando:
   Almeno ....
2. L'esame non è andato come volevi:
   Se solo ....
3. Sei arrivata in ritardo all'appuntamento e Luisa non c'è:
   Se ....
4. Lavorerai anche nel weekend e un collega ti chiede se parti per il mare:
   Magari ....

3. Completa le frasi con un verbo appropriato al congiuntivo imperfetto o trapassato

prendere essere sapere aspettarsi perdere verificarsi

1. Mario, accomodati! Qui c'è il soggiorno e la cucina. Fai come se .... a casa tua!
2. Sono a dieta da mesi, che tristezza: almeno .... qualche chilo!
3. Qualora .... azioni violente da parte dei tifosi, la partita verrà immediatamente sospesa.
4. Quando ha sentito la notizia non ha detto niente, quasi ....
5. Sei ore fermi in autostrada. Ah, se .... il treno!
6. Silvio è veramente arrogante, come se .... tutto lui! Figurati!

4. Indicativo o congiuntivo? Completa le frasi

1. A: Mi hanno dato le ferie: solo dieci giorni.
   B: Non ti lamentare, almeno .... dieci giorni compatti. Io ho solo due week end!
2. A: Ho sentito che hai comprato una casa al mare.
   B: Io?! Magari .... vero!
3. A: Allora Carla viene con noi stasera?
   B: No ma, sai, magari .... idea all'ultimo momento. È fatta così.
4. Non capisco perché Rossana è così in ritardo. Almeno .... il cellulare acceso!
5. A: Hai sbagliato a non seguire il mio consiglio.
   B: Magari ....!
6. A: Che freddo. E il riscaldamento è rotto!
   B: Dai, almeno .... questa coperta!
   A: Vabbè, meglio di niente.

37 IL CONGIUNTIVO IMPERFETTO/TRAPASSATO USATO IN MODO INDIPENDENTE

È possibile usare il congiuntivo imperfetto e trapassato anche **in modo indipendente**, senza cioè un legame con una frase precedente.

1 Quando si fa una **domanda**, introdotta da ***che***, per esprimere una supposizione o un dubbio.

ESEMPI

A: Ieri, mentre mi raccontava i fatti, Renato sembrava molto nervoso.
B: ***Che* stesse** mentendo? (*forse stava mentendo?*)

A: Come mai Ferri conosce i dettagli della riunione dell'altro giorno? ***Che* ci fosse** anche lui?
B: Non so, io non l'ho visto e comunque non era invitato. (*forse c'era anche lui?*)

A: Sai, ieri sera ho visto i Renzi mentre entravano in casa dalla finestra, non è strano?
B: ***Che* avessero perso** le chiavi? (*forse avevano perso le chiavi?*)

2 • Con il congiuntivo **imperfetto**, per esprimere un **desiderio**, cioè qualcosa di non reale, che può o meno realizzarsi.

ESEMPI

A: Qualcuno dice che avremo tutti un posto macchina, qui in azienda.
B: **Fosse** vero!

Va bene che i bambini devono giocare ... ma insomma, **finisse** un po' questo baccano!
Ah, **facesse** meno caldo! Ma quanti gradi abbiamo?
Potessi andarmene in vacanza!

• Con il congiuntivo **trapassato**, per esprimere un **rimpianto**, cioè un desiderio che non si è realizzato e non potrà più realizzarsi.

ESEMPI

A: Allora, com'è andata la cena?
B: Mah, insomma, un po' troppo formale per i miei gusti. Eh, **ci fossi stato** tu!

Ah, **avessi accettato** quel lavoro all'estero! Oggi guadagnerei il doppio.

A: Carmen è molto offesa con te, sai?
B: Sì? ... Non **avessi** mai **detto** quella frase! Però, quanto è permalosa!

Che noia questo film, **fossi rimasto** a casa!

3 In un'**esclamazione** (a volte con espressioni sottintese) ...

ESEMPI

A: Allora, vieni a fare la traversata del Sahara a piedi?
B: **Fossi** matto! (neanche se ...)

Domani parlo con il capo, **fosse** l'ultima cosa che faccio!
Ma guarda quello, ci ha quasi investiti, gli **venisse** un accidente! (*)
Simone promosso agli esami? **Volesse** il cielo!

(*) espressione di uso informale.

... e in particolare con i verbi **sapere**, **vedere**, **sentire** (tu, Lei, voi).

ESEMPI

Sono stata in vaca nza in Cina: **sapessi** che bello!

A: Signor Gerla, è andato alla riunione di condominio?
B: Sì, diciamo che è stata molto vivace: **avesse sentito** che cosa si sono detti!

Piero dice che io sono sempre bellissima: mi **vedesse** adesso, dopo una notte insonne!
Ieri abbiamo fatto la prima lezione di aerobica: **sapeste** che fatica!

ESERCIZI

1. Completa con i verbi dati al congiuntivo imperfetto o trapassato

mettersi *sapere* *lasciare* *spendere*

1. A: Come mai non siete venuti al matrimonio di Giulia e Nicola?
   B: ....! Nessuno ci ha detto niente.
2. A: Sono sempre lì davanti al computer. .... a studiare, invece!
   B: Caro, non fare il noioso!
3. .... di meno! Ma non riesco proprio a limitarmi.
4. Chi chiama a quest'ora? Ci .... dormire in pace!

2. Completa le frasi con le seguenti espressioni

a) fosse vero! *b) fossi matto!* *c) mi venisse un colpo!* *d) gli venisse un accidente!*

1. Guarda, qualcuno mi ha rotto lo specchietto della macchina: ....
2. A: Senti, è vero che ti trasferisci al reparto contabilità?
   B: Io? .... Qui sto così bene!
3. A: Sai, ho sentito che daranno un amento di stipendio a tutti.
   B: ....
4. Francesco, ... Ma non stavi in Argentina?

3. Completa formulando una domanda con *che* + *congiuntivo imperfetto o trapassato*

1. A: Ieri Giacomo è stato al telefono quasi due ore.
   B: Che ....?
2. A: Sai, ieri ho visto il signor Tanzi uscire sbattendo la porta e oggi invece tutto sorrisi.
   B: Che ....?
3. A: Stamattina presto ho chiamato Rossella al cellulare ma non ha risposto.
   B: Che ....?
4. A: Ieri Margherita è arrivata in ritardo alla riunione.
   B: Che ....?

4. Completa la e-mail con i verbi al congiuntivo imperfetto o trapassato

essere *scherzare* *vedere* *essere* *rimanere* *venire*

Ciao Marcella, grazie della mail e degli allegati che ti avevo chiesto. Stasera finirò tardi perché – 1) .... a casa! – devo tradurre il documento che è arrivato oggi da Francoforte: 20 pagine in carattere 10. E 2) .... quanto è difficile! Comunque, il capo ha detto che, in cambio, domani posso arrivare in ufficio alle 11 quindi se vuoi passo da te e ci facciamo un caffè insieme. Ti volevo anche chiedere una cosa: Boschi, del terzo piano, ha detto che ci sarà un bonus per Natale, tu ne sai niente? 3) .... vero! L'ha detto ieri, aveva anche un'aria un po' misteriosa, che 4) ....? Non sarebbe la prima volta, ti ricordi quando aveva stampato l'avviso che per ordine diretto da Francoforte tutte le ferie erano state sospese? Io me lo ricordo bene, mi sono quasi sentita male. Gli 5) .... un accidente a Boschi, se anche questa volta non è vero lo strozzo, 6) .... l'ultima cosa che faccio! Comunque, bonus o non bonus, io per Natale vado a Maiorca, sai, dove Gabriella ha la casa. Vabbè, meglio non pensare troppo alle vacanze. Fammi sapere per domani mattina.

Un bacio
Cristina

38 IL CONGIUNTIVO IMPERFETTO/TRAPASSATO: ALTRI USI

Il congiuntivo imperfetto e trapassato si usa negli stessi casi già visti nel capitolo ***Il congiuntivo presente/passato: altri usi***, con la differenza però che la frase principale ha un verbo al passato.

Altri casi sono:

1 Quando nella frase principale c'è un verbo che esprime desiderio, preferenza, volontà al ***condizionale presente***:

vorrei
preferirei
mi piacerebbe ***che*** **+** **congiuntivo imperfetto/trapassato**
avrei voglia
desidererei (*)

ESEMPI

Vorrei che Anna non **avesse accettato** questo lavoro.
Preferirei che tu non **uscissi** ma **restassi** a casa con i ragazzi.
Non ti ***piacerebbe che*** le lingue **si imparassero** mentre dormiamo?
Avrei voglia che **fosse** già estate.
Signora, ***desidererebbe che*** **ci fosse** anche un coro per la cerimonia in chiesa?

(*) di uso soprattutto formale.

• Oppure al ***condizionale passato***:

avrei voluto
avrei preferito
mi sarebbe piaciuto ***che*** **+** **congiuntivo imperfetto/trapassato**
avrei avuto voglia
avrei desiderato

ESEMPI

Cara Marta, ***avremmo voluto che*** tu **fossi** qui e **vedessi** quanto è bella Napoli.
Avremmo tanto ***desiderato che*** anche Lei **fosse** presente, signor Maggini.
Avrei preferito che i bambini non **avessero** così tanti giocattoli.
Mi ***sarebbe piaciuto che*** Anna **fosse venuta** a trovarci!

! NOTA BENE

- I verbi ***volere***, ***preferire*** e ***desiderare*** usati all'indicativo, richiedono l'uso del congiuntivo presente e hanno un tono più forte.
  Questi stessi verbi ma al condizionale, richiedono l'uso del congiuntivo imperfetto/trapassato e hanno un tono più gentile.

Voglio che tu **venga** subito a casa.	***Vorrei*** che tu **venissi** subito a casa.
più forte	*più gentile*

2 Quando si formula una **domanda indiretta** e con i verbi **domandarsi**, **chiedersi**.

DOMANDA DIRETTA	DOMANDA INDIRETTA
Mi ha chiesto: «Conosci Giuliana?»	Mi ha chiesto se **conoscessi** Giuliana.
Mi ha chiesto: «Perché non mi hai telefonato?»	Mi ha chiesto perché non gli **avessi telefonato**.
Mi domando: «Aldo sapeva già tutto?»	Mi domando se Aldo **sapesse** già tutto.
Mi chiedevo: «Perché mi ha scritto?»	Mi chiedevo perché mi **avesse scritto**.

ESEMPI

Quando l'ho incontrato gli ho chiesto perché non **avesse risposto** alle mie lettere.
Laura mi ha chiesto se ti **avessi visto** recentemente.
Martino si chiese perché l'uomo lo **guardasse** in quel modo.
Quando l'aereo è decollato ci siamo chiesti se **avessimo dimenticato** qualcosa a casa.

- L'uso del congiuntivo tuttavia non è strettamente obbligatorio: l'indicativo tende oggi a sostituire il congiuntivo **nella lingua parlata**.

ESEMPI

Marco mi ha chiesto come **stavo** (= stessi).
Ho chiesto a Marina se **poteva** (= potesse) prestarmi la macchina.
Mi domando se **sapeva** (= sapesse) quello che stava facendo.
I bambini spesso mi chiedevano chi **accendeva** (= accendesse) le stelle la sera.

! NOTA BENE

- **Nello scritto** usiamo preferibilmente **la forma indiretta** della domanda e così pure ***il discorso indiretto*** (vedi capitolo relativo).

Nella lingua parlata usiamo **la forma diretta** quando vogliamo trasmettere al nostro interlocutore non soltanto il significato della domanda o della frase ma anche tutto quello che ci è stato comunicato attraverso l'intonazione, il tono della voce, la mimica facciale, l'accento della frase e così via, elementi che si perdono nella trasmissione indiretta. La forma diretta ci offre cioè la realtà della comunicazione.

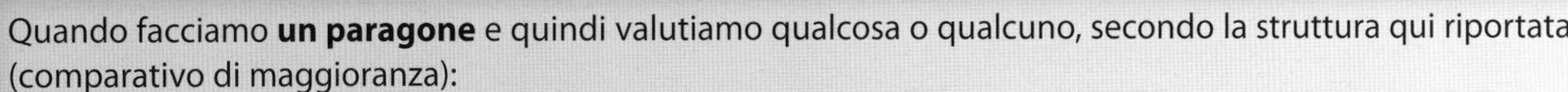

3 Quando facciamo **un paragone** e quindi valutiamo qualcosa o qualcuno, secondo la struttura qui riportata (comparativo di maggioranza):

con un aggettivo:	Giulia è **più** *simpatica* **di quanto** pensassi.
con un verbo:	L'esame *è andato* **meglio di quanto** sperassi.

Anche in questo caso l'***uso del congiuntivo*** non è obbligatorio ma rende la lingua stilisticamente più curata. In alternativa a **di quanto** è anche possibile usare **di quel che**.

ESEMPI

A: Hai parlato con la banca?
B: Sì, è andata **meglio di quel che** ***avessi sperato***.

L'albergo era molto **più** caro **di quel che** ***avessimo previsto***.

A: Allora com'è andato il viaggio?
B: **Meglio di quanto** ***mi aspettassi***!

A: Ti è piaciuto il film?
B: Guarda, è stato **più** interessante **di quanto** ***pensassi***.

Non c'è nessun problema...

- Il comparativo di minoranza si comporta in maniera analoga:

con un aggettivo: Studiare chimica è **meno** *difficile* **di quanto** mi aspettassi.

con un verbo: Il viaggio *è andato* **peggio di quanto** pensassi.

In alternativa a **di quanto** è anche possibile usare **di quel che/di come**.

ESEMPI

Alla fine il professor Parri si è dimostrato **meno** severo **di quanto** ***volesse*** farci credere.

A: Allora, tu e Laura vi siete chiariti?
B: Non me ne parlare! È andata molto **peggio di quel che** ***pensassi***.

ESERCIZI

1. Completa le frasi con un verbo appropriato al congiuntivo imperfetto o trapassato

raccontare essere smettere scrivere parlare esserci preparare

1. A: Che freddo. Vorrei proprio che qualcuno mi .... una cioccolata calda.
   B: Ho capito, e vorresti che .... con o senza panna?
2. Insomma, preferiresti che lui non .... niente di quello che è successo?
3. Avrei voluto che voi non .... mai .... quella email a Marco.
4. Vorrei proprio che Gianni .... di parcheggiare la macchina in quel modo!
5. Desidererei tanto che .... un tavolo libero in giardino.
6. Avremmo preferito che tu ci .... con più sincerità.

2. Riscrivi le frasi usando il condizionale per essere più gentili

1. Voglio che tu scriva subito la email. ....
2. Preferisco che tu non dica niente. ....
3. Voglio che lui esca. ....
4. Desidero che ogni cosa venga chiarita. ....
5. Preferisco che loro non siano presenti. ....
6. Voglio che voi ascoltiate attentamente. ....

3. Trasforma in domande indirette usando il congiuntivo imperfetto e trapassato

1. L'ho incontrato e mi ha chiesto: «Ehi, hai saputo che ho superato l'esame?»

   ....

2. Spesso mi domando: «Ma come facevano senza l'"elettricità?»

   ....

3. Mi sono chiesto: «Perché, perché Marina non mi ha più chiamato?»

   ....

4. Il professore mi ha chiesto: «Allora, hai finito la tua tesi?»

   ....

4. Completa il testo con i verbi al congiuntivo imperfetto o trapassato

pensare *immaginare* *essere* *raccontare* *avere* *volere*

La signora Berti si chiedeva spesso chi (1) .... l'inquilino del primo piano. Nessuno sapeva il suo nome o il paese d'origine, nessuno gli aveva mai parlato. «Vorrei tanto che qualcuno (2) .... il coraggio di parlargli. Non io però!». Effettivamente il nuovo inquilino non aveva un aspetto rassicurante, anzi. Finalmente il signor Corsini del terzo piano ebbe un'idea brillante: «È stato molto più semplice di quanto (3) ....: stamattina ho bussato, lui ha aperto e io gli ho chiesto se (4) .... partecipare alla prossima riunione di condominio. Facile, no? Naturalmente non mi ha quasi risposto ma io ho dato una bella occhiata a lui e all'appartamento». La signora Berti avrebbe voluto che (5) .... tutti i particolari ma il signor Corsini disse: «Domani, domani». Sparì la sera stessa, lasciando l'appartamento illuminato, la Tv accesa e la cena sul tavolo: sparito. Dopo qualche giorno sparì anche la signora del piano terra e quella dell'ultimo piano. La faccenda era diventata più complicata di quel che la signora (6) .... mai .... C'era una sola cosa da fare: chiamare la polizia, che infatti arrivò subito. I poliziotti però non trovando a casa la signora, spensero le luci e la radio, chiusero bene la porta – signora strana in effetti – e se ne andarono.

39 L'INFINITO, IL PARTICIPIO E IL GERUNDIO

I modi **infinito**, **participio** e **gerundio** hanno le seguenti caratteristiche:

- non si coniugano come gli altri verbi in base alle persone
- hanno solo due tempi
- hanno diversi usi

Infinito

Esiste l'infinito **presente** e **passato.**

- L'**infinito presente regolare** finisce in -ARE, -ERE, -IRE.

ESEMPI

Vorrei **mangiare** qualcosa prima di **partire.**

A: Andiamo a **correre** al parco?
B: Buona idea!

• L'**infinito presente irregolare** finisce in -ARRE, -ORRE, -URRE.
Questi infiniti, comunque, sono pochi.

ESEMPI

I nostri uffici possono **disporre** di 4 sale riunioni.
Signori, vi prego di non **protrarre** la discussione oltre le 18:30.

A: La vostra fabbrica, quanti pezzi è in grado di **produrre**?
B: Circa 10.000 al mese.

• L'**infinito passato** è composto dall'infinito presente di *essere* o *avere* + il participio passato del verbo.

(*mangiare*)	avere mangiato
(*leggere*)	avere letto
(*partire*)	essere partito
(*produrre*)	avere prodotto
(*disporre*)	avere disposto
(*protrarre*)	avere protratto

A volte non si scrive la **e** di *avere*, per motivi di pronuncia:

ESEMPI

Dopo **aver** mangiato.	(*invece di*: dopo avere mangiato)
Prima di **aver** finito.	(*invece di*: prima di avere finito)

• L'**infinito passato con *essere*** deve concordare il participio passato al maschile, femminile, singolare o plurale.

ESEMPI

A: Come mai ***i ragazzi*** non hanno ancora telefonato?
B: Già, è strano, a quest'ora dovrebbero *essere arriv**ati***.

Dopo *essersi vest**ita*** in fretta, ***Paola*** è andata subito da Marco.

A: Hai notizie ***delle ragazze***?
B: Hanno detto di *essere rimast**e*** bloccate nel traffico, arriveranno per cena.

2 Participio

Il participio ha due tempi: il **presente** e il **passato**:

• Il **participio presente** finisce in -ANTE, -ENTE, -ENTE.

ESEMPI

port(are) + ante	=	PORTANTE (= che porta)
perd(ere) + ente	=	PERDENTE (= che perde)
copr(ire) + ente	=	COPRENTE (= che copre)

Alcuni verbi irregolari:

(fare)	FACENTE
(dire)	DICENTE
(essere)	ENTE
(avere)	ABBIENTE
(dormire)	DORMIENTE
(produrre)	PRODUCENTE

Il participio presente non è usato generalmente come verbo, ma diventa un *nome* o un *aggettivo*.

ESEMPI

(studiare)	STUDENTE	(*nome*)
(sorridere)	SORRIDENTE	(*aggettivo*)
(amare)	AMANTE	(*nome* e *aggettivo*)
(patire)	PAZIENTE	(*nome* e *aggettivo*)

- Il **participio passato** dei verbi regolari finisce in -ATO, -UTO, -ITO.

ESEMPI

port(are)	+ ato	=	PORTATO
av(ere)	+ uto	=	AVUTO
dorm(ire)	+ ito	=	DORMITO

Esistono molti participi passati irregolari, che devono essere memorizzati.

- In base alle regole generali della concordanza:
  - il participio presente con valore di nome concorda con l'articolo;
  - il participio presente con valore di aggettivo concorda con il nome;
  - il participio passato con *essere* concorda in genere e numero con il soggetto del verbo.

ESEMPI

Gli studenti sono stati bravissimi.	(*concordanza con l'articolo*)
L'uomo paziente vince sempre.	(*concordanza con il nome*)
Le banche sono **chiuse** per sciopero.	(*concordanza del participio passato con* essere)

FRASI

I pazienti del dottor Ferrari sono ricevuti in ambulatorio nei giorni dispari dalle 15 alle 19.

Luigi è un amante dell'opera lirica.

Ogni avente diritto può chiedere il rimborso del biglietto allo sportello 8.

A: Allora, quanto ci vuole ancora?
B: Fatto! Possiamo andare.

3 Gerundio

Il gerundio ha un tempo semplice, il **presente**, e uno composto, il **passato**.

- Il **gerundio presente** si forma aggiungendo: -ANDO, -ENDO, -ENDO alla radice.

ESEMPI

parl(are)	+ ando	=	PARLANDO
ess(ere)	+ endo	=	ESSENDO
part(ire)	+ endo	=	PARTENDO

Ci sono pochi irregolari. Eccone alcuni:

fare	+ endo	=	FACENDO
dire	+ endo	=	DICENDO
bere	+ endo	=	BEVENDO
produrre	+ endo	=	PRODUCENDO

• Il **gerundio passato** è composto dal gerundio presente di *essere* o *avere* + il participio passato del verbo.

(*parlare*)	avendo parlato
(*partire*)	essendo partito
(*essere*)	essendo stato
(*produrre*)	avendo prodotto
(*bere*)	avendo bevuto

Per il gerundio passato con *essere* si seguono le regole generali della concordanza.

FRASI

A: Allora, che si fa stasera?
B: Beh, volendo, possiamo provare il nuovo ristorante giapponese in centro.

Essendo molto timido, Paolo non trovava il coraggio di telefonare a Simona.

A: Vorrei fare una vacanza rilassante. Che posto mi consigli?
B: Beh, avendo già fatto qualche esperienza, ti consiglio un villaggio turistico.

Essendosi ricordati troppo tardi, Paolo e Marina non hanno fatto in tempo a prendere i biglietti.

ESERCIZI

1. Completa la tabella con le forme corrette dei verbi dati

	Infinito passato	*Participio presente*	*Participio passato*	*Gerundio presente*	*Gerundio passato*
perdere					
avere					
produrre					
condurre					
parlare					
fare					
correre					
potere					
morire					
passare					

2. Scegli la forma giusta fra quelle date per completare le frasi

1. A: Allora, tutto ....? (fare/fatto)
   B: Sì, dopo .... dalla banca, sono andato subito in agenzia e ho preso i biglietti. (uscire/essere uscito)
2. A: Allora, vieni con noi a ....? (ballare/ballando)
   B: Vi ringrazio, ma .... una giornata pesante, preferisco restare a casa. (avendo/avendo avuto)
3. È uscito di casa dopo .... (mangiare/mangiato)
4. A: ....? (finendo/finito)
   B: Quasi. Faccio un'ultima telefonata e poi possiamo andare.
5. A: Hai ritirato la giacca dalla lavanderia?
   B: No, me ne sono dimenticato. Va be', lo faccio .... dal lavoro. (tornando/tornato)
6. A: Avete molto lavoro?
   B: Sì, c'è una richiesta .... per questo tipo di prodotto. (cresciuta/crescente)

3. Completa con i verbi dati all'infinito, al participio o al gerundio presente o passato

aspettare *amare* *studiare* *uscire* *prendere (2 volte)* *cercare*

1. A: Che fai?
   B: C'è una zanzara che mi dà fastidio ... Ah, ..., finalmente!
2. A: Allora, che alternative abbiamo?
   B: .... fino al prossimo lunedì oppure .... di metterci in contatto con la sede di Hong Kong.
3. Ricordati che gli esami si passano solo .... con impegno: non illuderti che basti la fortuna.
4. Dopo .... mi sono ricordato che avevo dimenticato a casa il cellulare.
5. A: Che posto isolato! Ma davvero volete passarci tutta l'estate?
   B: Sai, noi siamo .... della tranquillità, la campagna è l'ideale per rilassarsi.
6. A: Il treno che volevamo prendere è partito. Torniamo a casa e prendiamo la macchina?
   B: Beh, ... già i biglietti, ci conviene aspettare il prossimo.

4. Trova e correggi gli errori (4) nell'uso dell'infinito, del participio e del gerundio

1. Avendo viaggiato in tutto il mondo, posso consigliarti un bel posto per le vacanze.
   ....
2. Vivere in una grande città ha vantaggi e svantaggi.
   ....
3. Prima di aver mangiato dovete lavarvi le mani.
   ....
4. Viaggiare, si imparano tante cose.
   ....
5. Ho incontrato tua sorella essendo uscita dal negozio.
   ....
6. Terminando la riunione, passa nel mio ufficio: devo parlarti.
   ....
7. Il pagamento verrà effettuato il giorno 15 del corrente mese.
   ....
8. Con l'apertura dei nuovi mercati, conoscere le lingue straniere sarà sempre più importante.
   ....

40 L'INFINITO SOSTANTIVATO

L'infinito preceduto dall'articolo maschile (determinativo o indeterminativo) ha il valore di un nome: **infinito sostantivato**.

- Generalmente si usa l'infinito presente.

ESEMPI

Il finire (*equivalente a*: la parte finale)
Il mangiare (*equivalente a*: il cibo)
L'interessarsi (*equivalente a*: l'interesse)

- L'infinito può avere il valore di nome anche se non è preceduto dall'articolo.

ESEMPI

Viaggiare è istruttivo. (*equivalente a*: i viaggi sono istruttivi)
Lavorare stanca. (*equivalente a*: il lavoro stanca)
Vietato fumare. (*equivalente a*: il fumo è vietato)

- Quando l'infinito è sostantivato, oltre all'articolo può essere preceduto dalle preposizioni.

ESEMPI

Sul finire dell'inverno abbiamo fatto un viaggio insieme. (*verso la fine*)
Mi sono sbagliata **nel contare** i pezzi. (*nel conteggio*)
Con il passare dei giorni, la bambina migliorava. (*giorno dopo giorno*)

FRASI

A: Non ti senti bene?
B: No, è che tutto questo studiare mi stanca.

A: Sai che cosa proprio non sopporto? Il lamentarsi continuo che c'è in quest'ufficio!
B: Hai ragione, se uno non è contento del suo lavoro, cambiare è l'unica soluzione.

A: Perfetto, stavolta non hai fatto nemmeno un errore!
B: Sai, praticare tutti i giorni mi ha aiutato molto.

A: Ma cosa è successo? Perché Serena si è spaventata così?
B: Eravamo al parco e, all'avvicinarsi di un grosso cane, ha cominciato ad urlare e si è messa a piangere.

A: Ho notato un certo avvicendarsi di segretarie nel tuo ufficio.
B: Sì, poverine! Nessuna riesce a resistere con il mio capo per più di sei mesi!

! NOTA BENE

- Alcuni infiniti sono diventati addirittura dei **nomi** e hanno quindi un singolare e un plurale.

ESEMPI

il piacere / i piaceri
il dovere / i doveri
il parere / i pareri
l'avere / gli averi

ESERCIZI

1. Trova i nomi corrispondenti ai seguenti infiniti sostantivati

1. Il sopravvivere ....
2. Il soffrire ....
3. Il risvegliarsi ....
4. Il praticare ....
5. L'insorgere ....
6. Il superare ....
7. L'affollarsi ....
8. L'assicurare ....
9. Lo stupirsi ....
10. Il partire ....

2. Trasforma le frasi opportunamente sostituendo ai nomi gli infiniti sostantivati

1. La crescita continua della nostra azienda dipende soprattutto dalle persone.
2. Gli sbagli in questo caso sono giustificabili.
3. Verso la fine dell'estate abbiamo fatto un viaggio insieme.
4. Non capisco la sua meraviglia per il successo che abbiamo ottenuto.
5. Le sue critiche sono sempre state costruttive perché vuole che diamo il massimo.
6. L'aumento costante dei prezzi preoccupa i consumatori.
7. L'esame della situazione è essenziale per capire cosa dobbiamo cambiare.
8. La vita in famiglia qualche volta è troppo difficile.

3. Completa le frasi con i seguenti infiniti e l'articolo se necessario

affaticarsi *protrarsi* *piacere* *studiare*
ingrassare *combinare* *parere* *stare*

1. A: Piacere, Dott. Rossi.
   B: .... è tutto mio, signora.
2. A: Le condizioni di Suo marito sono dovute ad .... del cuore.
   B: È molto grave?
   A: La situazione va tenuta sotto controllo e gli esami fatti regolarmente.
3. A: Devo mettermi a dieta, sono ingrassata di almeno cinque chili.
   B: Sai, ho letto che .... non dipende tanto da quanto mangi ma da quello che mangi.
   A: E che significa?
   B: Significa .... gli alimenti giusti fra di loro, per esempio niente grassi insieme con gli zuccheri e così via.
   A: Ah, è troppo complicato per me! Preferisco una dieta stretta per una settimana, così dopo posso mettermi di nuovo in bikini!
4. A: Hai avuto una bella idea a venire al parco. Avevo proprio bisogno di cambiare aria!
   B: Eh, sì, ... è importante, ma .... sempre in casa non è sano.
5. (nastro registrato) Grazie per aver chiamato. A causa di un intenso traffico telefonico, tutti i nostri operatori sono impegnati. Ci scusiamo per .... dell'attesa e la preghiamo di rimanere in linea per non perdere la priorità acquisita.
6. A: Conosci un buon avvocato?
   B: Hai bisogno di .... legale?
   A: Sì, vorrei sapere se mi conviene o no fare causa all'assicurazione.

4. Completa con una frase contenente un infinito sostantivato

1. .... è molto interessante.
2. .... non dipende da me.
3. .... fa bene alla salute.
4. .... può essere pericoloso.
5. .... dà molta soddisfazione.
6. .... non è così importante.
7. .... piace a tutti.
8. .... non ha molto senso.

41 USO DELL'INFINITO E DEL GERUNDIO DOPO VERBI DI PERCEZIONE

I verbi di percezione (come *vedere* o *sentire*) si possono usare con l'**infinito** o il **gerundio**.

Ecco alcuni esempi di verbi di percezione:

vedere
guardare
osservare
notare
sentire
udire
ascoltare
percepire
fiutare

1

Con l'**infinito**:

Il **soggetto** del verbo di percezione è **diverso** dal soggetto dell'infinito.

ESEMPI

Ho visto la ragazza venire a casa di corsa.	(io ho visto; la ragazza viene = *soggetti diversi*)
Abbiamo ascoltato Mario suonare Beethoven.	(noi abbiamo ascoltato; Mario suona = *soggetti diversi*)
Il cane ha percepito il rumore provenire dalla casa.	(il cane ha percepito; il rumore proviene = *soggetti diversi*)

2

Con il **gerundio**:

Il **soggetto** del verbo di percezione è **uguale** al soggetto del gerundio.

ESEMPI

Ho visto la ragazza venendo a casa di corsa.	(io ho visto; io vengo = *soggetti uguali*)
Abbiamo ascoltato Mario suonando Beethoven.	(noi abbiamo ascoltato; noi suoniamo = *soggetti uguali*)
Il cane ha percepito il rumore provenendo dalla casa.	(il cane ha percepito; il cane proviene = *soggetti uguali*)

FRASI

A: Hai già ascoltato il CD che ti ho prestato?
B: Sì, l'ho ascoltato in macchina tornando a casa.

A: Ho notato un tipo strano uscire dal tuo portone.
B: Ah, deve essere il figlio del portinaio: è un po' eccentrico, ma è un bravo ragazzo.

A: Hai sentito anche tu quel botto?
B: L'ho sentito venire dal piano di sopra. Speriamo che non sia successo niente di grave.

! NOTA BENE

- L'**infinito** dopo i verbi di percezione si usa quando i soggetti sono diversi.

ESEMPI

Ascolto la ragazza **suonare**. (io ascolto, lei suona)
Guardo i bambini **giocare**. (io guardo, loro giocano)

ESERCIZI

1. Sostituisci le parti evidenziate con un infinito o un gerundio

1. Ho visto la ragazza che entrava nel bar ma non l'ho riconosciuta. ....
2. Ho sentito che dicevano che dal prossimo mese aumenteranno la benzina. ....
3. Non hai notato niente di strano mentre stavi con lui? ....
4. Abbiamo percepito l'odore di gas proprio mentre aprivamo la porta di casa. ....
5. L'ho ascoltata che suonava al saggio della scuola, e non era male. ....
6. Penso che mi abbia osservato mentre mettevo i soldi nella borsa. ....

2. Abbina opportunamente le frasi delle due colonne

1. L'hai già ascoltato	a) sorridendo.
2. Non mi ha visto	b) entrando?
3. Non l'hai notato	c) prendere i soldi dalla sua borsa.
4. L'ha sentito	d) uscire di casa.
5. Ti guarda sempre	e) cantare tutto il giorno.
6. Ti sentiamo	f) abbaiare?
7. Ha fiutato qualcosa di strano	g) andando verso la casa.
8. Ti ha notato	h) suonare la chitarra?

3. Completa correttamente le frasi con un infinito o un gerundio

1. A: A che ora sei rientrata a casa ieri sera?
   B: A mezzanotte, come ti avevo promesso.
   A: Non dire bugie! Ti ho sentito .... la porta, e ho guardato l'orologio: erano le due!
2. A: Devo fare vedere la macchina dal meccanico.
   B: Perché?
   A: Ho sentito uno strano rumore ....
3. A: Scusi, è già passato l'autobus per l'ospedale?
   B: Penso di no, da quando sono qui non ho visto .... niente.

4. A: Come va la nuova ragazza?
   B: Mah, l'ho osservata un po' .... e mi sembra in gamba.
5. A: Ma che fa il cane?
   B: Deve aver fiutato qualcosa ...., e adesso va a caccia.
6. A: Non hai notato niente di nuovo ....?
   B: No, perché?
   A: Ma come?! Hanno imbiancato tutto l'ufficio!

4. Rispondi con una frase contenente un verbo di percezione e l'infinito o il gerundio

1. A: Dov'è il bambino?
   B: ....
   ....
2. A: Sapevi che Paolo si è licenziato?
   B: ....
   ....
3. A: È tornata Maria?
   B: ....
   ....
4. A: È vero che domani c'è sciopero dei mezzi?
   B: ....
   ....
5. A: Che odore, lo senti anche tu?
   B: ....
   ....
6. A: Sei sicuro di sapere come si fa?
   B: ....
   ....

Un'astronave?!

42 USO DI *STARE* CON IL GERUNDIO E L'INFINITO

Usiamo il verbo *stare* con il gerundio e l'infinito in due costruzioni:

STARE	+	GERUNDIO
STARE PER	+	INFINITO

In queste costruzioni si coniuga solo il verbo *stare*, il **gerundio** e l'**infinito** sono **invariabili**.

1 Stare + gerundio

Indica un'azione in svolgimento.

ESEMPI

A: Ciao, ti disturbo?
B: No, no, **sto finendo** di scrivere un'email. (*finisco proprio in questo momento*)

A: Perché ci hai messo tanto ad aprire?
B: Scusa, **stavo facendo** la doccia. (*facevo la doccia proprio in quel momento*)

A: Dove **state andando**?
B: Andiamo a prendere Marco alla stazione. (*dove andate in questo momento*)

A. Dov'è Mario?
B. Non so, **starà facendo** i compiti in camera sua. (*probabilmente in questo momento fa i compiti*)

2 Stare per + infinito

Indica un **futuro immediato** o un'azione **quasi** compiuta.

ESEMPI

A: Attenzione, il pavimento è bagnato!
B: Mamma mia! **Stavo per scivolare**! (*quasi quasi scivolavo*)

A: Ciao, ti disturbo?
B: Veramente **sto per uscire**. (*esco fra pochissimo tempo*)

A: Pronto, Marta, sono Katia.
B: Ciao, **stavo per chiamarti** io! (*volevo chiamarti fra pochissimo tempo*)

A: Perché non chiami tua sorella?
B: È inutile, ormai **starà per arrivare**. (*probabilmente adesso arriva*)

! NOTA BENE

- Il verbo *stare* usato in queste costruzioni oltre che all'indicativo può essere coniugato anche al **condizionale** e al **congiuntivo**:

ESEMPI

A: Dov'è Maria?
B: Credo che **stia per arrivare**. (*congiuntivo presente*)

In televisione hanno detto che i prezzi **starebbero scendendo**. (*condizionale presente*)
Non avrei mai pensato che Lucio **stesse per lasciare** la moglie. (*congiuntivo imperfetto*)

ESERCIZI

1. Riscrivi le frasi usando la costruzione *stare* + il gerundio o l'infinito. Attenzione al tempo del verbo

1. Ieri ho quasi perso il treno. ....
2. Anna ha detto che fra poco arriva. ....
3. Non sapevo che Clara e Silvio avevano deciso di sposarsi presto. ....
4. A: Che fai?
   B: Leggo un libro. ....
5. A: È ancora aperto?
   B: No, signora, chiudiamo proprio adesso. ....
6. A: Che ne dici di andare a prendere un caffè?
   B: Guarda, volevo proprio chiedertelo. ....
7. Maria, esco adesso dall'ufficio, sono a casa fra mezz'ora. ....
8. A: Ma perché siamo ancora fermi?
   B: Non preoccuparti, probabilmente il treno parte fra poco. ....

2. Completa i dialoghi con il verbo *stare* + il gerundio o l'infinito del verbo tra parentesi. Attenzione al tempo del verbo

1. A: Scusa, posso parlarti un momento?
   B: Veramente ...., comunque vieni. (uscire)
2. A: Ma cosa ....?
   B: Abbiamo deciso di rinnovare la stanza, imbiancheremo e cambieremo le tende. (fare)
3. A: Dov'è il bambino?
   B: Mah, non lo so, ... da qualche parte. (giocare)
4. A: A che punto siete? Sapete che dobbiamo sbrigarci con questo lavoro!
   B: Calmati, ... (finire)
5. A: Lo spettacolo ...., dove sono gli altri? (cominciare)
   B: Hanno mandato un messaggio che sono in ritardo, entriamo pure senza aspettarli.
6. A: Scusa, ero distratto, che cosa ....? (dire)
   B: Ti avevo chiesto se conoscevi qualcuno che parlasse il giapponese.
7. A: Finalmente! ....! (andarsene)
   B: Scusami, avevo il cellulare scarico e non ho potuto chiamarti.
8. A: Come sta tua nonna?
   B: Adesso meglio, ma ci ha fatto prendere uno spavento! Credevamo che ...., invece era solo indigestione! (morire)

3. Completa a piacere con *stare* + il gerundio o l'infinito di un verbo

1. Adesso non ho tempo, mi dispiace, ...
2. Ti saluto, il treno ....
3. Che cosa ....?
4. Non l'ho voluto disturbare perché ....
5. Ma non avevate detto che ....?
6. Mi sembra che ....
7. ...., ma poi hanno deciso di rinunciare.
8. Diceva che ...., ma non era vero.

4. Completa la pubblicità con *stare* + il gerundio o l'infinito di un verbo opportuno

REGALI, REGALI, REGALI!

I vostri desideri (1) .... ! L'estate (2) .... e mancano solo poche settimane per completare la raccolta *Grandi Regali*. Potrete ricevere accessori per la casa e premi prestigiosi raccogliendo 1 bollino per ogni 10 euro di spesa e senza pagare alcun contributo! Venite a vedere le sorprese che vi (3) .... per rinnovare la vostra casa senza spese aggiuntive! Ma attenzione, le offerte (4) .... : avete tempo solo fino al 31 luglio. Che cosa (5) .... ? Affrettatevi! Con i *Grandi Regali* (6) .... i vostri sogni più belli.

43 FRASI TEMPORALI CON L'INFINITO

L'infinito nelle frasi temporali è preceduto dalle preposizioni:

prima (di)
dopo

1 Prima (di) + infinito

Indica un'azione che può essere precedente o successiva ad un'altra.

ESEMPI

Prima di tornare a casa passerò da Mario. (*prima passo da Mario e poi torno a casa*)
Prima di uscire, ho fatto una telefonata urgente. (*prima ho fatto la telefonata e poi sono uscito*)
Non uscire **prima di aver finito** i compiti! (*prima finisci i compiti e poi puoi uscire*)

Come si vede, *prima di + infinito* si può usare con tutti i tempi.

FRASI

A: Cos'hai fatto **prima di venire** a lavorare qui?
B: Sono stato tre anni nell'ufficio marketing di una multinazionale.

A: Allora, ti va bene se fissiamo la riunione per il 15?
B: Sì, però non confermare niente **prima di aver parlato** con Giorgio.

Non dimenticate mai di spegnere la luce **prima di uscire**.

2 Dopo + infinito passato

Indica un'azione che viene prima di un'altra.

ESEMPI

Dopo essere tornato a casa, telefonerò a Mario. (*prima torno e poi telefono*)
Dopo aver detto la sua, mi ha finalmente ascoltato. (*prima ha detto e poi ha ascoltato*)
Dopo essere uscito, è andato subito alla stazione. (*prima è uscito e poi è andato alla stazione*)

Anche questa costruzione si usa con tutti i tempi.

FRASI

A: Dove sono le ragazze?
B: Sono uscite subito dopo aver mangiato.

A: Che fine ha fatto quel tuo vecchio compagno di scuola?
B: Dopo essersi trasferito negli Stati Uniti, ha fatto una bella carriera.

A: Che cosa hai fatto dopo aver lasciato la festa?
B: Sono andato subito a casa, morivo di sonno.

! NOTA BENE

- È possibile usare ***prima di*** /***dopo + infinito*** solo se i **soggetti** delle due frasi sono **uguali**.

ESEMPI

Sara ha parlato con Giorgio dopo avermi telefonato. (Sara ha parlato; Sara mi ha telefonato = *soggetti uguali*)
Ho visto Anna prima di entrare nel negozio. (io ho visto; io sono entrata = *soggetti uguali*)

- Se i **soggetti** sono **diversi**, si usano ***prima che*** o ***dopo che + indicativo*** o ***congiuntivo***.

ESEMPI

Sara ha parlato con Giorgio dopo che le avevo telefonato. (Sara ha parlato; io ho telefonato = *soggetti diversi*)
Ho visto Anna prima che entrasse nel negozio. (io ho visto; Anna è entrata = *soggetti diversi*)

ESERCIZI

1. Riscrivi le frasi usando *prima di/dopo + infinito*

1. Ho finito di mangiare e sono uscito. ....
2. Mi ha salutato ed è andata a prendere l'autobus. ....
3. Ha fatto una telefonata ed è andata a pranzo. ....
4. Ci siamo cambiati e siamo andati in palestra. ....
5. Ha letto la lettera e ha deciso di telefonarti. ....
6. Ti sei messa d'accordo con lui e poi sei venuta a parlarmi. ....
7. Hanno aspettato più di un'ora e se ne sono andati. ....
8. Ha controllato, quindi ti ha mandato il fax. ....

2. Racconta la storia in ordine cronologico usando *prima di/dopo + infinito*

14 settembre mercoledì

h 9.00	Mi fermo all'edicola a comprare il giornale
h 9.10	Entro in ufficio
h 10.45	Mi chiama i capo
h 11.00	Partecipo alla riunione
h 13.00	Vado a pranzo
h 14.30	Incontro con il capo
h 17.30	Prenotazione volo per Londra
h 19.00	Esco dall'ufficio
h 23.00	TV, letto

Ieri ....

3. Trova gli errori (3) nell'uso di *prima* e *dopo* con il verbo

1. A: Sei riuscito a parlare con Anna? ....
   B: Sì, l'ho vista prima di uscire con le sue amiche. ....
2. A: Ricordati che devi passare in agenzia a ritirare i biglietti prima di tornare a casa. ....
   B: Va bene, non preoccuparti. ....
3. A: Quando vi siete conosciuti tu e Silvia? ....
   B: Nel 2000, dopo che ha sposato un mio amico. ....
4. A: Però, parli bene il tedesco! ....
   B: Ma va! Prima che andassi in Germania a lavorare non sapevo una parola. Adesso, dopo che ho abitato lì due anni, riesco a farmi capire, ma faccio ancora un sacco di errori. ....

4. Leggi il dialogo e riscrivi le istruzioni usando *prima* e *dopo* con il verbo giusto

A: Che bella maglietta! È nuova?
B: Questa qui? Ma va, è vecchissima, le ho solo cambiato colore.
A: Come sarebbe?
B: L'ho tinta. È facilissimo, puoi farlo in lavatrice.
A: Come si fa?
B: Devi comprare un prodotto apposta, ma lo trovi dappertutto, anche al supermercato. Scegli il colore che vuoi, e poi lo metti in lavatrice con il capo che vuoi tingere e un chilo di sale.
A: Tutto qui?
B: Sì, però devi stare attenta: ti conviene pesare prima il capo, perché il colore finale dipende dal peso: più è pesante, più chiaro è il colore.
A: Sembra facile.
B: Sì. Ah, mi dimenticavo una cosa importante: devi sempre controllare prima se quello che vuoi tingere contiene fibre sintetiche, perché il colorante tinge solo il 20% di fibra sintetica.
A: Ma quando ho messo tutto in lavatrice, che devo fare?
B: Fai un lavaggio senza detersivo a 60 gradi. Poi, quando è finito, ne fai un altro, sempre a 60 gradi, con un po' di detersivo. Alla fine fai asciugare all'ombra.
A: Va bene, penso che lo proverò.
B: Vedrai, è divertente!

....
....
....

44 FRASI SUBORDINATE CON IL GERUNDIO

Il gerundio presente o passato può sostituire le seguenti frasi subordinate:

- condizionali
- causali
- temporali
- concessive

1 Condizionali

Il gerundio presente **sostituisce** la costruzione: *se + indicativo* o *congiuntivo*

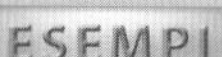

ESEMPI

Avendo tempo, potremmo visitare anche il museo. (*se abbiamo/se avessimo*)
Volendo, saresti potuto venire con noi. (*se volevi/se avessi voluto*)
Onestamente **parlando**, non mi sembra una buona idea. (*se devo parlare*)

2 Causali

Il gerundio presente o passato **sostituisce** la costruzione: *perché (poiché) + indicativo*

ESEMPI

Visitando la Galleria degli Uffizi, ho imparato molto. (*poiché ho visitato*)
Essendo tornati tardi a casa, siamo andati subito a dormire. (*poiché eravamo tornati*)
Il professore **correggendo** i compiti, ha trovato molti errori (*). (*poiché correggeva*)

3 Temporali

Il gerundio presente **sostituisce** la costruzione: *mentre + indicativo*

ESEMPI

Giocando, il bambino è caduto. (*mentre giocava*)
Guidando, parlava al telefonino. (*mentre guidava*)
Il professore **correggendo** i compiti, ha trovato molti errori (*). (*mentre correggeva*)

(*) esempio di frase che può avere sia un significato causale sia un significato temporale.

4 Concessive

Pur (pure) + gerundio presente o passato
Anche + gerundio presente
sostituiscono le costruzioni: *anche se + indicativo; benché (nonostante) + congiuntivo*

ESEMPI

Anche volendo, non ti posso proprio aiutare. (*anche se voglio*)
Pur avendo visto tutto, non aveva voluto parlare. (*benché avesse visto*)
Pur conoscendola da molti anni, non sapevamo molto di lei. (*nonostante la conoscessimo*)

FRASI

A: Allora domani non vieni alla riunione?
B: Pur volendo, non avrei potuto: devo andare a Roma.

A: Il lavoro dovrebbe essere pronto per la prossima settimana.
B: Guardi, pur mettendocela tutta, non potremmo fare prima di due settimane.

A: Non insistere, non vengo, non ho voglia di vedere nessuno.
B: Ascolta, anche ammettendo che stai male, non risolvi niente chiudendoti in casa.

ESERCIZI

1. Identifica il valore delle frasi con il gerundio: metti una crocetta nella colonna giusta

	Condizionale	*Causale*	*Temporale*	*Concessiva*
1. Pur volendo, non ha potuto fare niente per me.	☐	☐	☐	☐
2. Avendo mangiato troppo, si è sentito male ed è stato ricoverato.	☐	☐	☐	☐
3. Avendo aspettato due ore inutilmente, siamo tornati a casa.	☐	☐	☐	☐
4. Tornando a casa, mi sono fermato a prendere il pane.	☐	☐	☐	☐
5. Smettendo di fumare ti passerebbe questa brutta tosse.	☐	☐	☐	☐
6. Anche partendo subito, non potremmo mai arrivare in tempo.	☐	☐	☐	☐
7. Essendosi rotta la bicicletta, ho dovuto prendere l'autobus.	☐	☐	☐	☐
8. Parlando con te, mi sono ricordato che dovevo telefonare a Gino.	☐	☐	☐	☐

2. Riscrivi le frasi usando il gerundio al posto del verbo usato e viceversa

1. Anche se glielo chiedessi in ginocchio, mi direbbe di no.
....
2. Facendo un po' di sport ti sentiresti meglio.
....
3. A: Come si spegne?
B: Girando quella manopola a sinistra.
....
4. Dopo aver messo tutto in ordine, ho spento la luce e sono uscita.
....
5. Non ti ho telefonato perché sapevo che non eri libera questo sabato.
....
6. Benché fosse molto in gamba, non riusciva a trovare lavoro.
....
7. Essendosi accorto che aveva sbagliato il giorno dell'appuntamento, se n'è andato.
....
8. Mentre arrivavamo a casa, abbiamo visto una macchina sconosciuta parcheggiata sul vialetto.
....

Ti prego ...

3. Rispondi a piacere con una frase contenente un gerundio

1. A: Perché te ne sei andato via così?
   B: ....
2. A: Cosa avete fatto poi sabato sera?
   B: ....
3. A: Quando l'avete saputo?
   B: ....
4. A: Come l'avete trovato?
   B: ....
5. A: Perché non l'hai aiutato?
   B: ....
6. A: Perché non l'hanno assunto?
   B: ....
7. A: Quando l'hai visto?
   B: ....
8. A: Come mai non vi parlate?
   B: ....

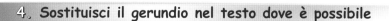

4. Sostituisci il gerundio nel testo dove è possibile

UN WEEK-END FRA I GHIACCI

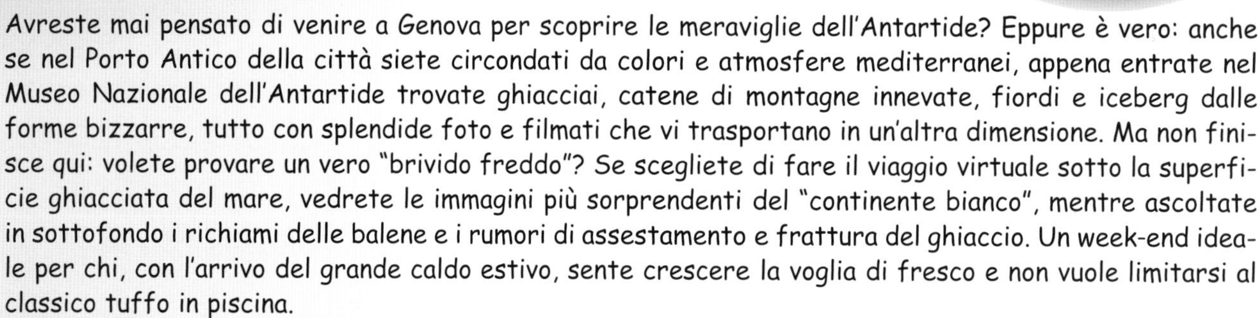
Avreste mai pensato di venire a Genova per scoprire le meraviglie dell'Antartide? Eppure è vero: anche se nel Porto Antico della città siete circondati da colori e atmosfere mediterranei, appena entrate nel Museo Nazionale dell'Antartide trovate ghiacciai, catene di montagne innevate, fiordi e iceberg dalle forme bizzarre, tutto con splendide foto e filmati che vi trasportano in un'altra dimensione. Ma non finisce qui: volete provare un vero "brivido freddo"? Se sceglieste di fare il viaggio virtuale sotto la superficie ghiacciata del mare, vedrete le immagini più sorprendenti del "continente bianco", mentre ascoltate in sottofondo i richiami delle balene e i rumori di assestamento e frattura del ghiaccio. Un week-end ideale per chi, con l'arrivo del grande caldo estivo, sente crescere la voglia di fresco e non vuole limitarsi al classico tuffo in piscina.

45 FRASI SUBORDINATE CON IL PARTICIPIO

Il participio passato può sostituire le seguenti frasi subordinate:

- causali
- temporali

1 Causali

Il participio passato + il nome **sostituisce** le costruzioni:
poiché/perché + indicativo
siccome/dato che + indicativo

ESEMPI

Data la situazione, non ti posso proprio aiutare.	(*siccome questa è la situazione*)
Capiti i fatti, ha deciso di parlare.	(*poiché aveva capito i fatti*)
Rimasto solo, aveva deciso di vendere la casa.	(*dato che era rimasto solo*)

Temporali

Il participio passato + il nome **sostituisce** le costruzioni:
quando + indicativo
dopo che + indicativo

ESEMPI

Dette queste parole, se n'è andato di corsa. (*dopo che ha detto queste parole*)
Arrivati i clienti, li hanno fatti accomodare in sala riunioni. (*dopo che sono arrivati i clienti*)
Vista la situazione, è rimasta a casa. (*quando ha visto la situazione*)

- Come si vede, nelle frasi temporali e causali il participio concorda con il nome in genere e numero.

FRASI

A: Come sta Laura?
B: Beh, considerata la sua situazione, sta abbastanza bene.

A: Mi dispiace che tu non possa venire in vacanza con noi.
B: Beh, visto il costo del viaggio, non avrei mai potuto permettermelo.

A: Ah, questi ragazzini! Non stanno mai fermi!
B: Beh, data la loro età, mi sembrano abbastanza ben educati.

! NOTA BENE

- Il participio nelle frasi temporali e causali può sostituire il gerundio (e viceversa).

ESEMPI

Fatti i conti, penso di non poter venire. → **Avendo fatto i conti**, penso di non poter venire.
Finita la festa, siamo tornati a casa in taxi. → **Essendo finita la festa**, siamo tornati a casa in taxi.

ESERCIZI

1. Identifica il valore delle frasi con il participio: metti una crocetta nella colonna giusta

	Causale	Temporale
1. Fatti i conti, l'aereo per 4 persone ci costa come il treno.	☐	☐
2. Vista la mancanza di soldi, non ha potuto dare l'anticipo per la casa.	☐	☐
3. Finito il lavoro, è uscito dall'ufficio.	☐	☐
4. Data l'età di mio nonno, i medici hanno preferito non operarlo.	☐	☐
5. Cominciato a giocare, si è appassionato.	☐	☐
6. Tornata dall'Inghilterra, Anna ha subito cominciato a cercare lavoro.	☐	☐
7. Perso l'indirizzo, non ho potuto spedirti subito la lettera.	☐	☐
8. Il prezzo non è eccessivo, considerato quanto è grande la casa.	☐	☐

2. Riscrivi le frasi usando il participio al posto del verbo usato e viceversa

1. Dopo che la riunione era terminata, ci siamo ritrovati tutti al bar.
....
2. Fatto una volta, andare in aereo non ti fa più tanta paura.
....

3. Tutti seduti, abbiamo dato inizio alla discussione.
   ....
4. Una volta che abbiamo considerato tutti i costi, abbiamo deciso di non investire in quel progetto.
   ....
5. Distrutta la macchina in un incidente, ho dovuto farmi dare un passaggio al lavoro per tre mesi.
   ....
6. Dal momento che avevamo perso la coincidenza, abbiamo aspettato più di tre ore a Bologna.
   ....
7. Tritato l'aglio e il prezzemolo, aggiungete gli altri ingredienti.
   ....
8. Quando avete tolto la vernice vecchia, potete dare la prima mano.
   ....

3. Rispondi a piacere con una frase contenente un participio

1. A: Com'è finita la serata?
   B: ....
2. A: Perché alla fine non hai cambiato la macchina?
   B: ....
3. A: Non vedo Sonia da tanto tempo, come se la passa?
   B: ....
4. A: Che notizie hai di Sergio, che fa adesso?
   B: ....
5. A: Quando sarete pronti?
   B: ....
6. A: Che cosa avete deciso di fare?
   B: ....
7. A: Perché non ti lasciano andare in vacanza da solo?
   B: ....
8. A: È così vecchio, quel tavolo, perché non lo butti?
   B: ....

4. Sostituisci il participio nel testo dove è possibile

A: Hai trovato il film per stasera?

B: Sto dando un'occhiata alle recensioni. Che ne pensi di questo: un ritratto generazionale di musica, sbandamenti ed equilibrio. La storia di una musicista canadese di origine asiatica che, dopo aver vissuto esperienze estreme e trasgressive con il suo compagno compositore rock, si ritrova da sola: il suo compagno muore tragicamente e lei, dopo essere stata arrestata, perde le tracce del suo bambino. Una volta che è stata rimessa in libertà, decide di andare in Francia e lì, dopo aver accettato l'aiuto di una vecchia amica, impresario musicale di Parigi, cerca di mutare la sua vita e di ritrovare il figlio. Quando si arriva alla fine del film, risulta chiaro il messaggio del regista: «Le persone cambiano e non si sa mai quanto è la vita a mutarle o quanto sono loro ad avere diverse esigenze».

A: Mi sembra un po' pesante, non c'è qualcosa di più divertente?

B: Sì, le solite commedie, ma dopo che ne hai vista una, le hai viste tutte.

A: Hai ragione, e va bene, vada per questo. Alla peggio, quando è finito il film, mi porti a bere qualcosa, d'accordo?

46 ESPRESSIONI IDIOMATICHE CON INFINITO, PARTICIPIO E GERUNDIO

Le forme implicite (infinito, gerundio, participio) si usano in molte espressioni idiomatiche di uso frequente. Alcuni esempi:

Espressioni con l'infinito	Espressioni con il gerundio	Espressioni con il participio
a dire la verità	onestamente parlando	tutto sommato
a sentire lui (*te, loro ecc.*)	tenendo conto di	visto e considerato che
a pensarci bene	ridendo e scherzando	detto fra noi
a prescindere da + *nome*	*nome* + permettendo	detto, fatto
a partire da		
per dirla tutta		
a furia di + *verbo*		

ESEMPI

Per dirla tutta (**a dire la verità**/**onestamente parlando**), quella ragazza non mi piace. *(se devo parlare sinceramente ...)*

A prescindere da tutto, non voglio spendere tanto per una vacanza. *(senza considerare le altre cose ...)*

Visto e considerato che arrivi sempre in ritardo *(dopo aver visto e notato che ...)*
e **tenendo conto** del fatto che non fai mai straordinari, *(se prendiamo in considerazione ...)*
non posso darti un aumento quest'anno.

Ridendo e scherzando, si è fatta mezzanotte: devo andare. *(senza accorgersi che il tempo passa ...)*

A furia di *provarci*, finalmente ha passato l'esame. *(dopo aver provato tante volte ...)*

Tempo **permettendo**, faremo il ricevimento in giardino. *(se il tempo lo permetterà, se sarà possibile ...)*

FRASI

A: Allora, ci vediamo domani verso le 17?
B: **A pensarci bene**, domani non credo di farcela: ti dispiace se rimandiamo a mercoledì?
A: Figurati! **Tutto sommato**, è meglio anche per me.

A partire dal 15 del mese, sarà possibile pagare anche via Internet.

A: **A sentire lui**, è tutto facile.
B: Certo, lui parla così perché ha un sacco di soldi, ma per noi è molto diverso.

A: **Detto fra noi**, non ti sembra che ci sia qualcosa tra Marina e il suo collega?
B: Ma va! Sono solo amici!

A: Hai già finito tutto?
B: Certo! **Detto**, **fatto**.

A: Sai, finalmente mio marito si è convinto: compriamo la casa.
B: Congratulazioni! Come hai fatto?
A: **A furia di insistere**, l'ho persuaso a venire con me e quando l'ha vista se n'è innamorato anche lui.

ESERCIZI

1. Abbina le frasi

1. Tutto sommato,
2. Ridendo e scherzando,
3. A pensarci bene,
4. Onestamente parlando,
5. Per dirla tutta,
6. Detto fra noi,
7. A prescindere da questo,
8. Tenendo conto di questo,

a) abbiamo fatto le tre di notte.
b) non sono convinta che sia la persona giusta.
c) non è andata così male.
d) ha fatto una brutta figura.
e) rimane un prezzo troppo alto.
f) possiamo farle uno sconto ulteriore.
g) potremmo anche partire lunedì.
h) hai esagerato.

2. Sostituisci dov'è possibile un'espressione idiomatica con l'infinito, il participio o il gerundio

1. Se il lavoro lo permetterà, arriverò puntuale per la cena.
2. Siccome sappiamo che non mi aiuti mai, oggi paghi tu il ristorante.
3. Se devo dire la verità, non sto male qui.
4. Se dobbiamo ascoltare i medici, dovremmo rinunciare a molti piaceri della vita.
5. Se devo parlare in confidenza, tua cugina non mi è mai piaciuta.
6. Continuando sempre a litigare fra di voi, perderete questa opportunità.
7. Dal 20 settembre in poi sarà possibile prenotare con queste tariffe speciali.
8. Senza considerare altre cose, non c'è abbastanza tempo per finire tutto entro la settimana.

3. Completa le frasi con un'espressione idiomatica con l'infinito, il participio o il gerundio

1. ...., siamo tutti incapaci.
2. ...., quest'albergo non mi sembra un granché.
3. ...., tua sorella non si è comportata bene con lui.
4. ...., sarebbe più facile se non ci fossero tante persone.
5. ...., non ci hanno ancora pagato la fattura.
6. ...., non hai speso molto.
7. ...., gli orari delle lezioni cambieranno.
8. Vuoi che me ne vada subito? ....

4. Completa i brevi dialoghi con la battuta mancante

1. A: ....
   B: Eh, a furia di provarci ci è riuscito!
2. A: ....
   B: A prescindere dai soldi, mi sembra che non valga la pena.
3. A: ....
   B: A sentire loro, è tutto facile.
4. A: ....
   B: Onestamente parlando, mi sembra uno sbaglio.
5. A: ....
   B: Sì, figli permettendo.
6. A: ....
   B: Tutto sommato, è meglio così.
7. A: ....
   B: A pensarci bene, no.
8. A: ....
   B: Tenendo conto della sua età, va bene.

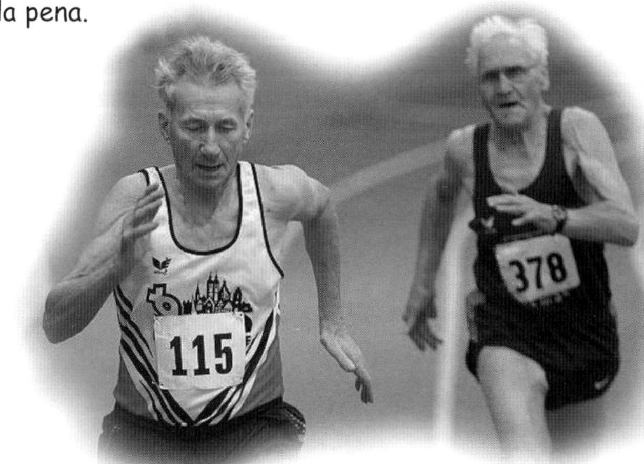

47 *ESSERE* USATO NELLA FORMA PASSIVA

1

I **verbi transitivi** (verbi che si possono usare con **un oggetto**) possono avere la **forma passiva**.

Nella **forma passiva**, al contrario della forma attiva, il soggetto del verbo **NON** è la persona (o la cosa) **che compie l'azione**.

l'agenzia	**vendere**	la casa
chi compie l'azione	*verbo transitivo*	*oggetto*

FORMA ATTIVA

L'agenzia	**ha venduto**	la casa.
soggetto che compie l'azione	*verbo*	*oggetto*

FORMA PASSIVA

La casa	**è stata venduta**	dall'agenzia.
soggetto	*verbo*	*chi compie l'azione*

2

La struttura della forma passiva è la seguente:

SOGGETTO + VERBO ESSERE + PARTICIPIO PASSATO + DA (e nome di persona o cosa)

ESEMPI

	Trasformazione alla FORMA PASSIVA
Luisa *compra* **le mele**.	**Le mele** *sono comprate* ***da Luisa***.
Chi *ha portato* fuori **i cani**?	***Da chi*** *sono stati portati* fuori **i cani**?
Il facchino *porterà* **i bagagli** in camera.	**I bagagli** *saranno portati* in camera ***dal facchino***.
(***Loro***) Dove *hanno visto* **la ragazza**?	Dove *è stata vista* **la ragazza** (***da loro***)?

- Il verbo *essere* è l'ausiliare della forma passiva, quindi il participio passato del verbo deve concordare con il soggetto in genere e numero. Il verbo *essere* **si coniuga in tutti i tempi e modi**, ma sono più frequenti le frasi passive al passato che al presente.

FRASI

A: Che bel maglione!
B: Ti piace? Mi è stato regalato dalla madre del mio fidanzato.

A: Allora, è vero che dovete cambiare casa?
B: Purtroppo sì. L'appartamento sarà venduto ed entro giugno dovremo trovare un'altra sistemazione.

A: Hai visto Sara? Ho bisogno di una traduzione.
B: Deve essere stata chiamata dal direttore, è fuori ufficio da un po'.

A: Allora, da che cosa è stato provocato l'incendio?
B: Non si sa ancora di sicuro, ma sembra che sia stata lasciata una sigaretta accesa.

(annuncio al supermercato)
Un responsabile del reparto casalinghi è desiderato al banco informazioni.

ESERCIZI

1. Indica con una crocetta i verbi che possono avere la forma passiva

	Forma passiva SÌ	Forma passiva NO
1. entrare	☐	☐
2. trovare	☐	☐
3. sapere	☐	☐
4. partire	☐	☐
5. sperare	☐	☐
6. vedere	☐	☐
7. rimanere	☐	☐
8. stare	☐	☐
9. avere	☐	☐
10. essere	☐	☐
11. telefonare	☐	☐
12. dare	☐	☐
13. dire	☐	☐
14. andare	☐	☐
15. venire	☐	☐

2. Trasforma le frasi dalla forma attiva alla forma passiva

1. Chi ha rotto il vaso? ....
2. Tutti conoscono quello stilista. ....
3. Chi ti ha dato quella notizia? ....
4. Quante persone hanno già pagato il conto? ....
5. Credo che l'abbiano già preso. ....
6. Dove hanno trovato queste lettere? ....
7. A chi avranno venduto quella casa? ....
8. Paolo, qualcuno ti desidera alla cassa. ....

3. Completa i dialoghi con il verbo fra parentesi alla forma passiva

1. A: Qui c'era uno scatolone vuoto. Dov'è finito?
   B: Probabilmente .... ieri da quelli delle pulizie. (buttare)
2. A: Questa è una ricetta tipica vostra?
   B: Sì, ... con un pesce di lago che ....
   dalle nostre parti. (fare/pescare)
3. A: Il nostro museo .... ogni mese da circa 500 turisti.
   B: Complimenti! Mi sembra un buon risultato.
   A: Sì, però vorremmo .... di più all'estero. (visitare/conoscere)
4. A: Dove avete trovato i soldi per il progetto?
   B: .... dalla *Banca Popolare*. (finanziare)
5. A: Hai visto quanta gente? Hanno fatto le cose in grande!
   B: Eh, già. Francamente, non pensavo che .... tutti i parenti. (invitare)
6. A: Ma il tuo vero nome è Angela?!
   B: Sì, ... Angela per via di mia nonna,
   ma .... Anita da tutti fin da quando ero piccola. (battezzare/chiamare)

4. Sostituisci nel testo la forma passiva alla forma attiva, dove è possibile

Gentile cliente,
la nostra compagnia di assicurazioni è lieta di presentarLe un prodotto assolutamente innovativo: *Oggisalute*. In questa polizza rivoluzionaria abbiamo incluso un servizio di assistenza medica di base che Lei potrà integrare con un'ampia offerta di prestazioni aggiuntive. Inoltre, abbiamo pensato la polizza *Oggisalute* in modo tale che ogni cliente possa adattarla alle proprie esigenze. Oltre al pacchetto base di assistenza, infatti, chi si affida alla nostra polizza sceglie autonomamente il tipo di copertura assicurativa secondo le proprie necessità. Per questo motivo, la polizza è anche molto economica: Lei potrà trovare la combinazione più adatta di servizi e coperture e potrà acquistare ad un prezzo conveniente solo le garanzie di cui ha realmente bisogno.

48 *ANDARE* E *VENIRE* USATI NELLA FORMA PASSIVA

La forma passiva può avere altri ausiliari: **andare** e **venire**.

1 Andare

- Si usa nella forma passiva con il significato di: **deve essere**.

ESEMPI

Questa lettera **va** *spedita* per raccomandata. (*significa*: deve essere spedita)
Le domande per l'ammissione al concorso **andranno** *consegnate* entro e non oltre il 15 marzo. (*significa*: dovranno essere consegnate)
È troppo tardi, signora: *la richiesta* di rimborso **andava** *fatta* ieri. (*significa*: doveva essere fatta)

- Il verbo *andare* si usa **solo nei tempi semplici**.

Il pacco **è stato consegnato** alle 12:30. (***non** si dice*: il pacco è andato consegnato)

- Per il suo significato di obbligo, l'uso di *andare* nella forma passiva è tipico del linguaggio dei documenti ufficiali e legali, avvisi pubblici, istruzioni e così via.

2 Venire

- Nella forma passiva, **sostituisce *essere*** come ausiliare nei tempi semplici. Il significato non cambia.

ESEMPI

La macchina **viene lavata** una volta alla settimana. (*è lavata*)
I biglietti **verranno consegnati** direttamente a casa. (*saranno consegnati*)
La produzione **veniva fatta** nello stabilimento di Mantova. (*era fatta*)

- Nelle frasi al presente, la forma passiva con *venire* è più usata di quella con *essere* soprattutto per quanto riguarda la comunicazione scritta o "ufficiale".

FRASI

A: Ho la bambina con l'influenza, che cosa posso darle?
B: Quanti anni ha?
A: 12.
B: Allora provi *questo*, ma si ricordi che non **va** assolutamente *usato* per bambini sotto i 12 anni.

A: Vedo che state ristrutturando tutta la casa.
B: Sì, guarda: *queste pareti* **vengono** *buttate* giù, questo diventerà un locale unico, e poi anche *i bagni* **verranno** *rifatti* completamente.

A: Ti aiuto a cucinare?
B: Grazie, ma ricordati che *il fuoco* **va** *tenuto* sempre basso, altrimenti si brucia.

A: Cosa devo fare per rinnovare il passaporto?
B: Allora, **vanno** *fatti questi versamenti* in posta che poi **vanno** *allegati* alla domanda insieme con due fototessera e una fotocopia della carta d'identità.
A: Quanto tempo devo aspettare per avere il nuovo *passaporto*?
B: Mah. Generalmente **viene** *rilasciato* dopo 2, 3 settimane.

ESERCIZI

1. Riscrivi le frasi usando opportunamente *andare* o *venire* per la forma passiva

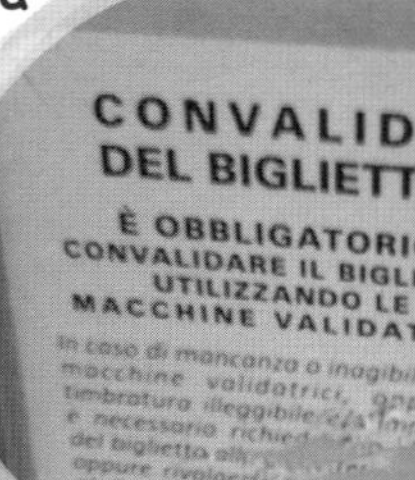

CONVALID
DEL BIGLIETT
È OBBLIGATORI
CONVALIDARE IL BIGL
UTILIZZANDO LE
MACCHINE VALIDAT

1. Signora, il biglietto doveva essere timbrato prima di salire sul treno!
2. Oggi l'ufficio sarà chiuso con un'ora d'anticipo per assemblea sindacale.
3. Quando mia nonna era giovane, il pane e la pasta erano ancora fatti in casa.
4. Tutti i nostri prodotti sono garantiti due anni.
5. Questa situazione deve essere risolta al più presto.
6. Tutte le domande devono essere inviate alla nostra sede centrale.
7. Fate attenzione: questi fili non devono essere mai toccati, altrimenti salta la corrente.
8. I prodotti sono controllati in tutte le fasi della lavorazione.

2. Completa i brevi dialoghi opportunamente con *andare* o *venire* per la forma passiva e il verbo fra parentesi

1. A: Allora, hai fatto tutto?
   B: Ho prenotato il volo, però mi hanno detto che il biglietto .... entro dopodomani, altrimenti perdiamo la prenotazione. (pagare)
2. A: Quanto tempo abbiamo per la prova?
   B: I compiti .... dopo massimo tre ore a partire da adesso. (consegnare)
3. A: Qual è la differenza fra olio d'oliva e olio extravergine d'oliva?
   B: L'olio extravergine .... dalla prima spremitura delle olive. (ricavare)
4. A: Questo esercizio è molto efficace per gli addominali.
   B: Quante volte dobbiamo farlo?
   A: .... almeno 6 volte e non dimenticate gli esercizi di respirazione. (ripetere)
5. A: Ma come, l'ascensore è di nuovo guasto?
   B: Già. .... quasi ogni mese, e non funziona mai. (riparare)
6. A: Allora, ecco le raccomandate. .... immediatamente.
   B: Benissimo, vado subito in posta. (spedire)
7. A: Che bel giardino! Chissà quanto lavoro per mantenerlo così!
   B: Eh, sì. .... ogni giorno da tre giardinieri. (curare)

3. Trova gli errori (4) nell'uso di *andare* e *venire* per la forma passiva

1. Questa è una ricetta tipica della nostra regione: la pasta va ancora fatta in casa con la farina di grano saraceno.
2. È un legno molto delicato, viene pulito solo con un panno umido e non vengono usati mai detersivi, altrimenti si rovina.
3. Per mantenere i denti sani, va fatta la pulizia quotidiana e almeno una visita all'anno dal dentista.
4. Lascia pure qui quei libri, tanto verranno portati in cantina domani insieme con le altre cose.
5. Domenico non mi è molto simpatico, però va detto che è un gran lavoratore.
6. Le pareti di questa casa sono così sottili che ogni parola che diciamo va ascoltata tranquillamente.

4. Sostituisci nel testo, dov'è possibile, la forma attiva con la forma passiva con *andare* o *venire*

Si avvicina l'estate: è tempo di vacanze e soprattutto di mare. Non fatevi cogliere impreparati! Se volete ottenere uno splendido corpo da spiaggia, dovete seguire i nostri consigli. Infatti, con pochi semplici esercizi, che potete fare anche a casa, ottenete degli addominali perfetti! Sdraiatevi con la schiena ben poggiata a terra: dovete piegare le ginocchia e cingerle con le mani. A questo punto espirate avvicinando le ginocchia allo sterno e molleggiando lievemente le gambe. Quindi allungate le gambe e distendete tutto il corpo. Inspirate gonfiando leggermente l'addome. Espirate e ruotate il bacino leggermente in avanti, dopodiché tornate alla posizione iniziale. Questi esercizi saranno efficaci se li ripeterete almeno 6 volte. Buone vacanze!

49 IL *SI* PASSIVANTE

È frequente l'uso della particella ***si*** per fare la forma passiva: **SI passivante.**

La struttura è la seguente:

SI + VERBO alla 3ª persona + OGGETTO

ESEMPI

In Italia **si beve** molto *il vino* a tavola.	(*il vino è bevuto*)
Alla fine del corso, **si farà** *il test di verifica.*	(*il test di verifica verrà fatto*)
In questo negozio **si vendevano** solo *capi firmati.*	(*capi firmati erano venduti*)

Come si vede dagli esempi, il verbo è alla 3ª persona S. o PL. in base all'oggetto:

Per la raccolta differenziata, *i rifiuti* non **si buttano** nello stesso contenitore.	(***non*** *si dice*: i rifiuti non si butta)

- Il verbo dopo il **SI** può essere coniugato in tutti i tempi e modi.
- Il SI passivante può sostituire tutte le varie forme passive (con *essere*, *andare* o *venire*): il significato non cambia.

ESEMPI

	Trasformazione al SI PASSIVANTE
Questo lavoro **va fatto** immediatamente.	**Si deve fare** *questo lavoro* immediatamente.
I passeggeri **verranno trasferiti** su un autobus di linea.	**Si trasferiranno** *i passeggeri* su un autobus di linea.
La cosa **è stata scoperta** per caso.	**Si è scoperta** *la cosa* per caso. (*)
Queste cose non **andrebbero** mai **dette**.	Non **si dovrebbero** mai **dire** *queste cose*.

(*) Nei tempi composti con il SI PASSIVANTE l'ausiliare è **essere**.

FRASI

A: E se andassimo a mangiare in quel ristorante?
B: **Si spenderebbero** *un sacco di soldi*: non ne vale la pena.
A: Ma dai, per una volta! Offro io.

A: Vorrei un biglietto del tram.
B: Signora, guardi che *i biglietti* non **si fanno** più qui, deve andare all'edicola.
A: Ah, ho capito, grazie.

A: Guarda, sembra una fabbrica abbandonata ...
B: Sì, qui 10 anni fa **si producevano** *dei pezzi di ricambio* per automobili.

! NOTA BENE

- Bisogna stare attenti a non confondere il SI usato per fare la forma passiva con il SI usato in modo impersonale. Solo il **SI passivante** può avere un **oggetto**.

ESEMPI

SI IMPERSONALE + *infinito/avverbio*	SI PASSIVANTE + *oggetto S. o PL.*
In Italia **si usa** *bere* vino a tavola.	In Italia **si bevono** *molti vini*.
Si lavora *bene* qui da voi.	Qui da noi **si lavora** *la lana*.
In questo ristorante **si usa** *offrire* l'amaro dopo il pranzo.	In molte pizzerie **si usa** *il forno* a legna.

ESERCIZI

1. Trasforma le frasi con il SI passivante

1. A Natale tutti comprano tanti regali per la famiglia e gli amici.
   ....
2. In questo negozio applichiamo uno sconto del 30% a tutti i capi in saldo.
   ....
3. In quest'ufficio andrebbero fatti molti cambiamenti.
   ....
4. Hanno offerto parecchie centinaia di euro, ma lei non ha voluto vendere la casa.
   ....
5. Avevano ristrutturato la vecchia cascina per affittarla.
   ....
6. Ha promesso che avrebbero fatto una grande festa per le loro nozze d'argento.
   ....

2. Completa a piacere con una frase contenente il SI passivante

1. In questo negozio ....
2. Quando eravamo piccoli ....
3. Se avete tempo ....
4. In futuro ....
5. In estate ....
6. Nei grandi alberghi ....

3. Completa i dialoghi con i verbi tra parentesi e il SI passivante al tempo giusto

1. A: È molto caro da voi il pesce?
   B: Mah, dipende da quello che compri, alcuni .... al mercato anche a 30 euro al chilo. (vendere)
2. A: Senti questa. Il giornale dice che .... i resti di un'antica tomba etrusca proprio nel paese di mia madre, almeno, così sembra. (trovare)
   B: Fai vedere ... Incredibile, se è vero vi ritroverete pieni di turisti!
   A: Eh, magari, sarebbe una bella cosa per il paese.
3. A: Vuoi provare la "miascia"?
   B: Che cosa è?
   A: È un dolce tipico del nord, per farlo .... del pane secco, della farina gialla e anche della frutta. (usare)
   B: Va bene, vediamo com'è.
4. A: Entra, vieni.
   B: Che strano posto!
   A: Sì, era una fabbrica, qui .... i bulloni. (lavorare)
   B: Ma pensa! Bello, però.
5. A: Si ricordi che queste raccomandate .... spedire entro e non oltre il 31 luglio. (dovere)
   B: Va bene, dottore, non si preoccupi.
6. A: Marco e Luca, ... in giro? (vedere)
   B: No, perché li cercavi?
   A: Niente d'importante.

4. Sostituisci dove è possibile il SI passivante nel testo

CONSIGLI PER I SALDI

Come ogni anno, all'inizio del lungo periodo dei saldi estivi, i consumatori cercano grandi affari, partendo alla caccia del capo di abbigliamento scontato. Ma è bene fidarsi di sconti che promettono riduzioni in alcuni casi fino al 70 o 80 percento? Ricordiamo alcune regole fondamentali, consigliate dalle unioni dei consumatori, per non avere brutte sorprese: i prezzi prima dell'inizio dei saldi vanno monitorati: in questo modo possiamo poi verificare l'attendibilità del prezzo a saldo; diffidiamo di sconti superiori al 50%, perché oltre questa soglia lo sconto sarebbe superiore al margine stesso; infine, prestiamo attenzione ai capi che potrebbero essere fondi di magazzino degli anni precedenti. Ricordiamo ancora che sono previste pene severe per i commercianti più "furbi".

50 IL DISCORSO INDIRETTO: TEORIA

Per riportare le parole dette da *un'altra persona*, ci sono due possibilità:

1. riportare le parole *esattamente* come sono state pronunciate: *discorso diretto*;
2. riportare le parole ***non*** *esattamente*: **discorso indiretto**.

ESEMPI

Maria mi ha detto: «Ho visto Paolo al cinema.» (*riporto le parole* esatte *di Maria* = discorso diretto)
Maria mi ha detto che aveva visto Paolo al cinema. (**non** sono le parole **esatte** *di Maria* = discorso indiretto)

- Nella trasformazione dal discorso diretto al discorso indiretto cambiano:
  - persone
  - pronomi
  - aggettivi/pronomi dimostrativi e possessivi
  - avverbi ed espressioni di tempo/luogo
  - tempi e modi del verbo

1 Persone

Nel discorso indiretto si usa solo la 3ª persona singolare o plurale, quindi:

Discorso Diretto	Discorso Indiretto
io, tu	**lui**, **lei**
noi, voi	**loro**

ESEMPI

Laura dice a Marta: «**Io** e Paolo (**noi**) andiamo a vedere una mostra.»

Laura dice che **lei** e Paolo (**loro**) vanno a vedere una mostra.

2 Pronomi

Nel discorso indiretto si usano solo i pronomi alla 3ª persona singolare o plurale, quindi:

Discorso Diretto	Discorso Indiretto
mi, ti	**lo, la, gli, le**
ci, vi	**li, le, gli**

ESEMPI

Laura chiede a Paolo: «**Mi** porti un bicchiere d'acqua?»

Laura chiede a Paolo se **le** porta un bicchiere d'acqua.

Franco e Mauro chiedono: «**Ci** accompagnano all'aeroporto?»

Franco e Mauro chiedono se **li** accompagnano all'aeroporto.

La Signora Rossi chiede agli altri: «**Vi** dispiace chiudere la finestra?»

La Signora Rossi chiede se **gli** dispiace chiudere la finestra.

3

Aggettivi/pronomi dimostrativi e possessivi

- Nel discorso indiretto i possessivi sono tutti alla 3ª persona singolare o plurale, quindi:

Discorso Diretto	Discorso Indiretto
mio, tuo	**suo**
nostro, vostro	**il loro**, ecc.

- Il dimostrativo cambia:

Discorso Diretto	Discorso Indiretto
questo	**quello**

ESEMPI

Franco dice a Mauro: «**Questa** è la **nostra** macchina.» — Franco dice a Mauro che **quella** è la **loro** macchina.

Laura dice a Sabrina: «Mi piace il **tuo** maglione.» — Laura dice a Sabrina che le piace il **suo** maglione.

4

Avverbi ed espressioni di tempo/luogo

Nel discorso indiretto cambiano tutti gli avverbi e le espressioni di tempo, per esempio:

Discorso Diretto	Discorso Indiretto
oggi	**quel giorno**
ieri	**il giorno prima**
domani	**il giorno dopo**
stasera, stamattina	**quella sera, quella mattina**
un anno fa	**l'anno prima**
adesso, ora	**allora, in quel momento**
qui	**lì, là, in quel luogo**

ESEMPI

Laura ha detto: «**Adesso** non posso uscire.» — Laura ha detto che **in quel momento** non poteva uscire.

La mamma ha detto: «**Oggi** faccio il pollo.» — La mamma ha detto che **quel giorno** avrebbe fatto il pollo.

Paolo ha risposto: «Sono venuto **qui stamattina**.» — Paolo ha risposto che era andato **lì quella mattina**.

Lo zio ha raccontato: «Vent'anni **fa** sono partito per il Brasile.» — Lo zio ha raccontato che vent'anni **prima** era partito per il Brasile.

Tempi e modi del verbo

I verbi che introducono il discorso indiretto sono verbi come:

dire
rispondere
chiedere
affermare
esclamare
urlare
(e altri ...)

Bisogna distinguere **due casi**:

1. La **frase principale** è **al presente**
2. La **frase principale** è **al passato**

- Caso **1**: frase principale **al presente o al futuro**.

Generalizzando, si può dire che in questo caso i tempi e i modi del verbo **rimangono uguali**.

Discorso Diretto	Discorso Indiretto
presente indic. e cong.	presente indic. e cong.
passato prossimo	passato prossimo
futuro semplice	futuro semplice

ESEMPI

Marina *dice*: «**Mi sembra** che **vada** bene.»
(*presente indic. e cong.*)
L'agenzia *risponderà* sicuramente: «Tutto **è** a posto!»
(*presente indicativo*)
I ragazzi *esclamano*: «**Abbiamo finito** i compiti!»
(*passato prossimo*)
La segretaria *conferma*: «**Vi manderò** subito il fax.»
(*futuro semplice*)

Marina *dice* che **le sembra** che **vada** bene.
(*presente indic. e cong.*)
L'agenzia *risponderà* sicuramente che tutto **è** a posto.
(*presente indicativo*)
I ragazzi *esclamano* che **hanno finito** i compiti.
(*passato prossimo*)
La segretaria *conferma* che **gli manderà** subito il fax.
(*futuro semplice*)

- **Cambia** solo **l'imperativo**:

Discorso Diretto	Discorso Indiretto
imperativo	**di + infinito**

ESEMPI

La mamma *dice* a Marco: «**Vai** subito in camera tua!»
(*imperativo*)
Carla *urla* al cane: «**Sta'** fermo!»
(*imperativo*)

La mamma *dice* a Marco **di andare** subito in camera sua.
(*di + infinito*)
Carla *urla* al cane **di stare** fermo.
(*di + infinito*)

• Caso **2**: frase principale **al passato**.

I tempi e i modi del verbo **cambiano**:

Discorso Diretto	Discorso Indiretto
(indic. o cong.) presente	**imperfetto**
passato	**trapassato**
futuro	**condizionale passato**
condizionale presente	**condizionale passato**
imperativo	**di + infinito**

ESEMPI

Pino *ha esclamato*: «Non **ho** mai **detto** questo!»
(*passato*)

Pino *ha esclamato* che non **aveva** mai **detto** quella cosa.
(*trapassato*)

Anna *ha giurato*: «Non lo **dirò** a nessuno.»
(*futuro*)

Anna *ha giurato* che non lo **avrebbe detto** a nessuno.
(*condizionale passato*)

Ha detto: «**Penso** che ormai **sia** troppo tardi.»
(*presente indic. e cong.*)

Ha detto che **pensava** che **fosse** troppo tardi.
(*imperfetto indic. e cong.*)

Gianni *ha risposto*: «**Credo** che **siano partiti**.»
(*presente*) (*passato cong.*)

Gianni *ha risposto* che **credeva** che **fossero partiti**.
(*imperfetto*) (*trapassato cong.*)

Sandra *ha urlato*: «**Uscite** tutti!»
(*imperativo*)

Sandra *ha urlato* **di uscire** tutti.
(*di + infinito*)

• L'imperfetto e i tempi composti (trapassato, condizionale passato ...) **restano uguali**.

ESEMPI

Angelo *ha aggiunto*: «Non lo **avrei** mai **capito**.»
(*condizionale passato*)

Angelo *ha aggiunto* che non lo **avrebbe** mai **capito**.
(*condizionale passato*)

! NOTA BENE

- Il discorso diretto è ricco di espressioni, intercalari o interiezioni che **non si usano** nel **discorso indiretto**, come ad esempio:

Davvero?; ***Ma come?!***; ***Dai!***; ***Ah, sì?***; ***Ma va!***; ***Boh?***; ***Niente ...***; ***Appunto!*** ecc.

Al contrario, nel discorso diretto a volte manca un verbo, che bisogna esprimere nel discorso indiretto a seconda del contesto:

Ha detto: «Fuori di qui!» — Ha detto **di andare** fuori di lì.

Ha risposto: «Neanche morto!» — Ha risposto che non lo **avrebbe fatto** neanche morto.

- Molti verbi al presente nel discorso diretto hanno valore di futuro: nella trasformazione al discorso indiretto saranno al **condizionale passato**.

Ha detto «Ci **vediamo** domani.»
(*idea di futuro*)

Ha detto che **si sarebbero visti** il giorno dopo.
(*condizionale passato*)

ESERCIZI

1. Scegli la versione corretta al discorso indiretto dei seguenti dialoghi

1. A: Hai visto le mie chiavi?
   B: Guarda, sono qui.

a) Ha chiesto se ha visto le sue chiavi. Ha risposto che sono lì.
b) Ha chiesto se aveva visto le sue chiavi. Ha risposto che erano qui.
c) Ha chiesto se aveva visto le sue chiavi. Ha risposto che erano lì.

2. A: Quando te l'ha detto?
   B: Solo ieri.

a) Ha chiesto quando l'aveva detto. Ha risposto che era stato solo ieri.
b) Ha chiesto quanto gliel'aveva detto. Ha risposto che era stato solo il giorno prima.
c) Ha chiesto quando l'aveva detto. Ha risposto che era stato solo il giorno prima.

3. A: E questo che cos'è?
   B: Ah, niente, una cosa che mi ha portato mio padre da un viaggio l'anno scorso.

a) Ha domandato che cosa fosse. Ha risposto che era una cosa che gli/le aveva portato suo padre da un viaggio l'anno prima.
b) Ha domandato che cosa fosse. Ha risposto che era una cosa che gli/le aveva portato suo padre da un viaggio un anno fa.
c) Ha domandato che cosa era. Ha risposto che era una cosa che gli/le aveva portato suo padre da un viaggio l'anno prima.

4. A: Ha qualcosa da dichiarare?
   B: No, niente.
   A: Bene, passi pure.

a) Ha chiesto se aveva qualcosa da dichiarare e l'altro/l'altra ha risposto che non avesse niente. Ha detto di passare.
b) Ha chiesto se avesse qualcosa da dichiarare e l'altro/l'altra ha risposto che non aveva niente. Ha detto che passava.
c) Ha chiesto se avesse qualcosa da dichiarare e l'altro/l'altra ha risposto che non aveva niente. Ha detto di passare.

5. A: Sbrigati, mi serve il bagno.
   B: Aspetta un attimo, ho quasi finito.

a) L' ha pregato/a di sbrigarsi perché gli/le serve il bagno. Ha risposto di aspettare un attimo perché aveva quasi finito.
b) L' ha pregato/a di sbrigarlo/a perché gli/le serviva il bagno. Ha risposto di aspettare un attimo perché aveva quasi finito.
c) L' ha pregato/a di sbrigarsi perché gli/le serviva il bagno. Ha risposto di aspettare un attimo perché aveva quasi finito.

6. A: Allora, venite anche voi domenica?
   B: Speriamo! Se la bambina sta bene veniamo senz'altro.

a) Hanno chiesto se sarebbero venuti anche loro quella domenica. Hanno risposto che lo speravano e che, se la bambina stava bene venivano senz'altro.
b) Hanno chiesto se verrebbero anche loro quella domenica. Hanno risposto che lo speravano e che, se la bambina stava bene venivano senz'altro.
c) Hanno chiesto se sarebbero venuti anche loro quella domenica. Hanno risposto che lo speravano e che, se la bambina stesse bene sarebbero venuti senz'altro.

2. Trasforma i dialoghi al discorso indiretto (usa il verbo principale al passato: *Ha detto, Ha risposto* ecc.)

1. A: Hai sentito? Sembra che non si possano più lasciare le biciclette nel cortile.
   B: Secondo me hanno fatto bene, ce n'erano troppe, non si riusciva quasi a passare!

   ....

   ....

IO NON POSSO ENTRARE PERCHÉ?
www.change.org/io-non-posso-entrare

2. A: Benvenuti, accomodatevi.
   B e C: Grazie.
   A: Posso offrirvi qualcosa da bere, un caffè?
   B e C: Grazie, molto gentile.

   ....

   ....

3. A: Potrebbe tornare più tardi per cortesia? Sto per entrare in riunione.
   B: Mi dispiace, ma è molto urgente, devo parlarLe subito.

   ....

   ....

4. A: Credi che si siano dimenticati dell'appuntamento? Sono in ritardo di un'ora!
   B: No, guarda, eccoli, stanno parcheggiando la macchina.

   ....

   ....

5. A: Ma insomma, smettila di fare rumore, sto parlando al telefono!
   B: Scusami.

   ....

   ....

6. A: Questo posto non mi piace, andiamocene.
   B: Ma che dici?! Siamo appena arrivati! Restiamo almeno mezz'ora, altrimenti Paolo si offende.

   ....

   ....

3. Leggi il racconto e scrivilo sottoforma di dialogo usando il discorso diretto

Avevo ascoltato, non visto, tutta la loro conversazione. Lei aveva detto che non poteva continuare così, che si sentiva in colpa e che avrebbe raccontato tutta la verità; lui l'aveva supplicata di non metterlo nei guai, le aveva assicurato che tutto si sarebbe risolto se soltanto fossero restati uniti e non avessero perso la calma. Lei aveva singhiozzato che non gli credeva più, che aveva continuato a mentire per troppo tempo, e ormai quello era il momento di parlare. Lui le aveva detto allora che si stava comportando come una vigliacca, che non le era mai importato di lui e che pensava solo ai suoi interessi mentre lui aveva fatto tutto quello per loro due. Lei aveva risposto che poteva pensare quello che voleva, ma che sarebbe andata lo stesso da Piero e gli avrebbe detto tutto. Lui allora le aveva gridato di andarsene via e di lasciarlo in pace.

4. Trasforma il testo al discorso indiretto

DEPRESSIONE: FARMACI E PLACEBO

«Ci sono risultati che ci lasciano stupefatti: pazienti che migliorano anche quando prendono solo una pillola falsa, di zucchero, invece della medicina. Ma, purtroppo per noi che ci troviamo a gestire i malati di depressione, non siamo in grado di prevedere chi risponderà al placebo, chi al farmaco, chi a niente. Per ora tutti i tentativi di identificare il profilo del paziente in grado di rispondere in modo positivo al placebo sono falliti: speriamo che, dallo studio del cervello e dei geni, potremo avere un identikit più preciso delle persone che possono guarire solo con un'iniezione di fiducia. Sarebbe molto utile, sia per noi medici che per le case farmaceutiche, poter prevedere in anticipo quale paziente potrà ricevere benefici dai farmaci e quale invece dovrà usare altre terapie.»

51 IL DISCORSO INDIRETTO PER RIFERIRE MESSAGGI E INFORMAZIONI

Un'applicazione pratica del discorso indiretto è quella di **riferire messaggi o informazioni** (per esempio, messaggi telefonici) oppure dichiarazioni della stampa, comunicati e così via.
In questi casi pratici generalmente **non è obbligatoria la 3ª persona** e **i tempi non vengono cambiati**.

ESEMPI

Conversazioni telefoniche

A: Pronto, sono Maria, c'è Carlo?
B: Mi dispiace, è uscito.
A: Gli puoi dire che *ci vediamo* alle 7 invece che alle 8?
B: Certo.
(*presente, 1ª persona plurale*)

Messaggio

Per Carlo: Ha telefonato Maria e ha detto che **dovete vedervi** alle 7 invece che alle 8.

(*presente, 2ª persona plurale*)

A: Agenzia di Viaggi.
B: Buongiorno, è possibile prenotare un volo andata e ritorno per Roma per il 9 aprile con rientro il 15?
A: Un adulto?
B: Sì.
A: Vediamo ... Per il 9 *abbiamo* solo posti in lista d'attesa, a meno che *lei* non *voglia* la classe Business, per il 15 *c'è* solo un posto, quindi *dovrebbe* confermare subito il biglietto.
(*presente, 1ª persona pl. e 3ª persona sing.*)

Informazione riferita

Allora, mamma, in agenzia hanno detto che per il 9 **hanno** solo posti in lista d'attesa a meno che **tu** non **voglia** la classe Business e che per il 15 c'è solo un posto quindi **dovresti** confermare subito il biglietto.

(*presente, 3ª persona pl. e 2ª persona sing.*)

Dichiarazioni stampa

"I sindacati non *revocheranno* lo sciopero generale che *è stato proclamato* per il 26 marzo."
(*futuro - passato prossimo*)

Discorso riferito dal giornalista

I sindacati hanno affermato che non **revocheranno** lo sciopero che **è stato proclamato**.
(*futuro - passato prossimo*)

! NOTA BENE

- In tutti i casi descritti è chiaro che non passa molto tempo dal momento in cui la conversazione viene pronunciata a quando viene riferita: se la differenza di tempo è grande, allora la trasformazione dei tempi segue la regola generale del discorso indiretto.

ESERCIZI

1. Trasforma la seguente conversazione in un messaggio

A: Buongiorno, telefono per il bilocale arredato in affitto, vorrei qualche informazione.
B: Lei ha visto l'annuncio sul giornale?
A: Sì, infatti.
B: Mi dispiace, quell'appartamento l'abbiamo già affittato; se le interessa, ce n'è un altro, sempre bilocale, 700 euro mensili escluse spese, però è semiarredato.
A: Per semiarredato cosa si intende?
B: C'è qualche cosa, tipo tavoli, letti, mi sembra anche un armadio.
A: C'è la cucina?
B: No, la cucina no.
A: È possibile vederlo?
B: Certamente.
A: Senta, devo parlarne con un'altra persona, eventualmente posso richiamarla per fissare un appuntamento?
B: Sì, però tenga conto che abbiamo molte richieste per questi bilocali, quindi sarebbe meglio non fare passare troppo tempo.
A: Certo, capisco, la chiamo entro la settimana. Grazie, arrivederci.

Per Marina
Ho parlato con l'agenzia: ....
....
....
....

2. Riferisci le dichiarazioni presenti nel testo secondo le regole del discorso indiretto

Ha destato polemiche la decisione del Comune di ... di chiudere i chioschi cittadini che vendono le fette di anguria, in questo periodo estivo presi d'assalto da chi non è andato in vacanza. La motivazione è che questi chioschi non sarebbero in regola con alcune delle norme sanitarie previste dall'Azienda Sanitaria Locale. Ai commercianti d'ora in poi sarà permesso soltanto vendere l'anguria intera. Abbiamo raccolto alcune delle loro dichiarazioni: «Dopo vent'anni di lavoro, siamo costretti a chiudere», dice il titolare del chiosco di Via ..., «perché nessuno viene da noi per comprare un'anguria intera: vanno al supermercato, oppure dai camion». «Ogni sera venivano da noi dalle 300 alle 400 persone», dichiarano i titolari del chiosco in Piazza ..., «in gran parte famiglie con bambini, oppure anziani, che cercavano un momento di sollievo all'afa estiva spendendo poco: adesso non verrà più nessuno, abbiamo già chiuso il nostro chiosco».
«È una decisione da pazzi», attacca il capogruppo dell'opposizione comunale, «danneggia i cittadini più deboli che non possono lasciare la città per andare in vacanza e intere famiglie si ritrovano senza lavoro. Invito il sindaco ad intervenire».

3. Trasforma i seguenti messaggi nelle conversazioni originarie

1. È venuto l'idraulico: dice che per il momento il tubo può andare ma dovrà ritornare per sostituire un altro pezzo; comunque, non potrà venire prima di una settimana, dieci giorni, perché hanno delle persone in ferie.
2. Ha chiamato tua sorella e dice che ha trovato la taglia ma non il colore che volevi e vuole sapere se deve prenderti lo stesso i pantaloni oppure no.

3. La tua collega dice di richiamarla urgentemente perché sembra che abbiano perso il doppione delle chiavi dell'ufficio e vuole sapere se per caso l'hai preso tu.
4. Hanno chiamato dallo studio dentistico e chiedono se puoi spostare l'appuntamento da mercoledì a venerdì, sempre alla stessa ora, perché il dottore ha un problema, e se glielo puoi fare sapere al più presto.
5. Laura dice che la festa non si fa più a casa sua, ma a casa di un'altra persona che non conosci: devi chiamarla per l'indirizzo, l'orario, ecc. Dice anche se le puoi prestare quella branda che hai in cantina.

4. Leggi l'intervista e fai un riassunto usando il discorso indiretto

IL PARERE DELL'ESPERTO: QUAL È LA GIUSTA DOSE DI SONNO?

Domanda: Quante sono le ore di sonno necessarie?

Risposta: Una volta si credeva che dormire poco facesse male. Adesso invece sappiamo che esistono diversi *ipnotipi*, cioè il riposo di ogni persona ha caratteristiche distinte e precise: ci possono essere i *gufi*, coloro che vanno a letto tardi e si alzano tardi e le *allodole*, che si svegliano all'alba e si addormentano presto. L'importante è che tutti capiamo qual è il nostro ipnotipo e rispettiamo il nostro equilibrio. In generale possiamo dire che la durata media del sonno notturno è di circa sette ore.

Domanda: Molti pensano che il dormire troppo sia sintomo di una patologia. È vero?

Risposta: In realtà persone diverse hanno diverse esigenze di sonno. È stato scoperto che circa il 5% della popolazione ha bisogno di dormire 10 ore per notte, e si tratta di persone sanissime. È vero, invece, che chi dorme molto spesso potrebbe nascondere una patologia, per esempio la depressione.

Domanda: Da che cosa dipende l'esigenza soggettiva di dormire molto o poco?

Risposta: È tutto scritto e programmato nel nostro DNA, in quanto dipende da un gene chiamato *clock*, cioè orologio. Proprio per questo la cosa più importante è adattarsi all'eredità genetica e non cercare di andare controcorrente.

Domanda: Quando ci dobbiamo preoccupare per il nostro sonno?

Risposta: È bene preoccuparsi solo quando accusiamo disturbi non occasionali, per esempio se per un periodo significativo ci capita di dormire poco o di svegliarci spesso durante la notte. In questi casi è fondamentale rivolgerci al medico, anche perché la carenza di sonno si ripercuote sulle nostre attività diurne: se dormiamo poco o male non siamo in grado di rendere al meglio, siamo malinconici o depressi.

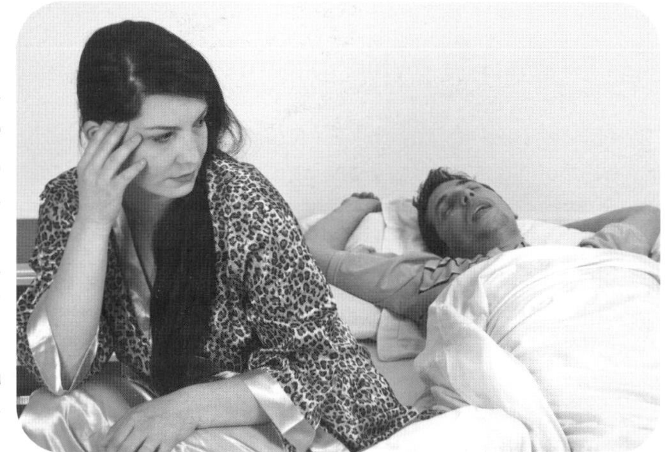

52 L'USO DEI TEMPI E DEI MODI

Quando parliamo, colleghiamo tra di loro una serie di frasi che formano dei periodi (vedere anche Schede 53 e 54, *La subordinazione*).
Una di queste frasi è più importante delle altre e viene chiamata **frase principale** (**o reggente**) mentre le altre vengono chiamate **frasi dipendenti** (**o subordinate**): tra la frase principale e quelle dipendenti c'è quindi un rapporto gerarchico.
Questo rapporto può essere regolato in base al **tempo** e risponde alla domanda fondamentale: ***"quando?"***

Verbo della frase principale all'indicativo presente:

---------------- rapporto di tempo ----------------

So che Luca | parte domani

frase principale | *frase dipendente*

periodo

Tra le due frasi del periodo c'è un:

- rapporto di tempo di **POSTERIORITÀ**, cioè un rapporto *ora-dopo*

So che Luca parte domani. → **quando** lo sai? (*ora*) / **quando** parte Luca? (*domani*)

Il verbo della principale, all'indicativo presente, regola il verbo della dipendente che può essere al presente o al futuro.
Se cambia il rapporto di tempo, cambia anche il verbo della dipendente, secondo un procedimento logico.

- rapporto di tempo di **CONTEMPORANEITÀ**, cioè un rapporto *ora-ora*

So che Luca parte/sta partendo. → **quando** lo sai? (*ora*) / **quando** parte Luca? (*ora*)

- rapporto di tempo di **ANTERIORITÀ**, cioè un rapporto *ora-prima*

So che Luca è partito. → **quando** lo sai? (*ora*) / **quando** è partito Luca? (*prima*)

! NOTA BENE

- Il verbo della dipendente può variare anche in base al significato della frase:

So che Luca *partiva* spesso per l'Africa.	(*era una sua abitudine del passato = indicativo imperfetto*)
So che Luca *partirebbe* volentieri con noi.	(*c'è questa possibilità o desiderio = condizionale presente*)
So che Luca *sarebbe partito* volentieri con noi.	(*non l'ha fatto, è un desiderio non realizzato = condizionale passato*)

- Nella frase principale è possibile trovare non solo il presente indicativo (come negli esempi che abbiamo visto finora) ma anche il futuro e l'imperativo:

Ti **dirò** tutto quello che mi ha detto Giovanni.
Allora, **raccontami** che cosa hai fatto ieri sera!

Riassumendo, **punto 1**:

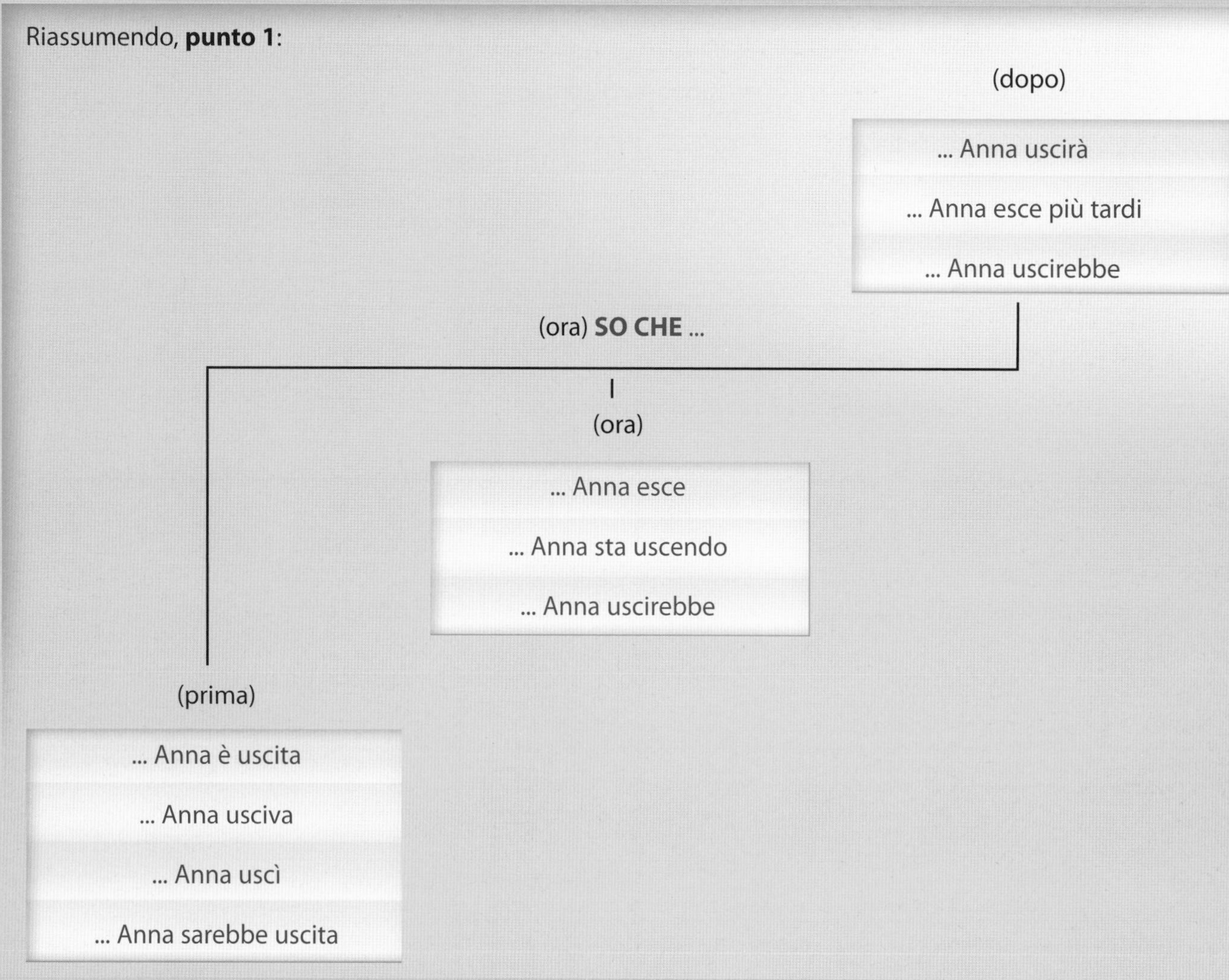

2 Come abbiamo visto, il verbo della frase principale regola quello della frase dipendente, secondo un rapporto logico di tempo (*). I verbi restano comunque al modo indicativo.
Se però nella frase principale usiamo un verbo di opinione, dubbio, incertezza, volontà, speranza ecc. – tutti verbi non collegati alla realtà – i verbi della frase dipendente cambiano non soltanto il tempo ma anche il modo. Infatti, prendono il modo congiuntivo.

So che Fabio *vuole* comprare una moto.
è una realtà, un fatto sicuro

Penso che Fabio *voglia* comprare una moto.
è una mia supposizione, non è un fatto sicuro

La logica dei rapporti di tempo è la stessa che abbiamo visto nel punto 1.
C'è quindi una corrispondenza: all'indicativo presente corrisponde il congiuntivo presente; all'indicativo imperfetto il congiuntivo imperfetto; all'indicativo passato prossimo il congiuntivo passato.

- rapporto di tempo di POSTERIORITÀ, cioè un rapporto *ora-dopo*
  Pare che il nuovo direttore *arrivi* domani.

- rapporto di tempo di CONTEMPORANEITÀ, cioè un rapporto *ora-ora*
  Mi **sembra** che la festa *sia* divertente, no?

- rapporto di tempo di ANTERIORITÀ, cioè un rapporto *ora-prima*
  Credo che Jacqueline *abbia* già *studiato* italiano nel suo paese.

(*) o di significato, nel caso dell'indicativo imperfetto e del modo condizionale.

NOTA BENE

- Anche in questo caso, nella frase principale è possibile trovare non solo il presente indicativo (come negli esempi che abbiamo visto finora) ma anche il futuro e l'imperativo:

Lo so, un giorno **penserò** che tu *abbia avuto* ragione.
Immagina che la terrazza *sia* tutta dipinta di verde e **dimmi** che ne *pensi*.
Augurati che tutto *finisca* bene, altrimenti dovrai pagare i danni.

- Usiamo il congiuntivo nella frase dipendente anche in quei casi in cui è previsto l'uso del congiuntivo (vedi il capitolo relativo): costruzione con il verbo essere + nome/aggettivo/avverbio; verbi impersonali; domande indirette.

È un peccato che tu non *possa* venire con noi.
Sono veramente **contento** che Luisa *abbia trovato* un lavoro.
Bisogna che *vi sbrighiate*, il treno parte fra mezz'ora.

- Nel passaggio tra uso dell'indicativo e del congiuntivo nella dipendente, il condizionale presente/passato e il futuro non cambiano.

So che Marco *verrebbe* volentieri.
Ti dico che ieri sera *ti saresti divertito*.
Sono sicuro che *sarà* un bel film.

Penso che Marco *verrebbe* volentieri.
Credo che ieri sera *ti saresti divertito*.
Spero che *sarà* un bel film.

Riassumendo, **punto 2**:

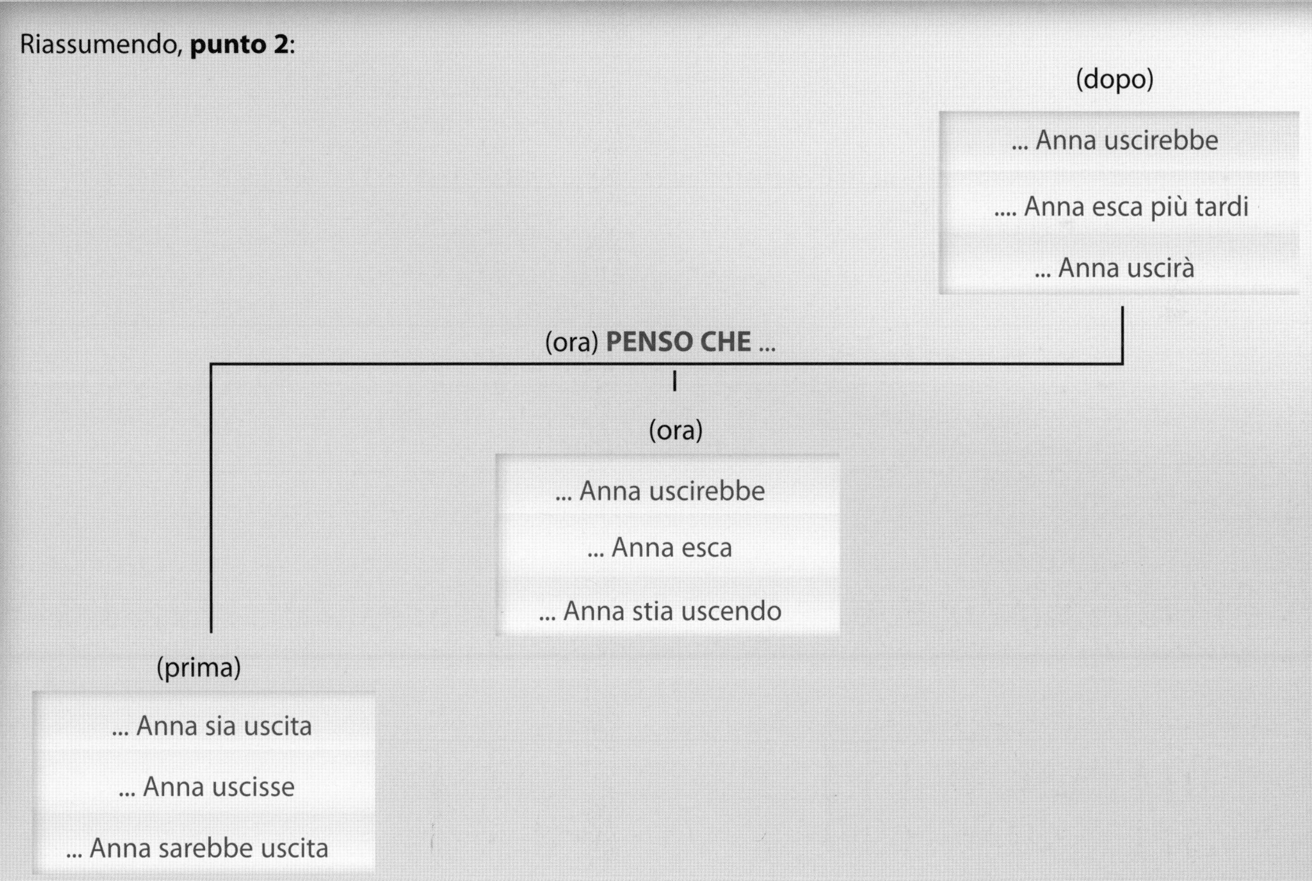

3 Nei casi visti finora, la frase principale aveva un verbo all'indicativo presente (oppure al futuro o all'imperativo). Che cosa succede se il verbo della frase principale è un **verbo al passato**?
In questo caso anche nella frase dipendente si verifica uno spostamento dei tempi verso il passato.

- rapporto di tempo di **POSTERIORITÀ**, cioè un rapporto *allora-dopo*

  Al momento di partire, Claudio ci **ha detto** che *avrebbe sentito* molto la nostra mancanza.

- rapporto di tempo di **CONTEMPORANEITÀ**, cioè un rapporto *allora-allora*

  Sapevo che Mario *aveva* problemi economici e non *poteva* affrontare spese.

- rapporto di tempo di **ANTERIORITÀ**, cioè un rapporto *allora-prima*

  Ha detto a tutti che *aveva vissuto* a lungo a New York.

! NOTA BENE

- Nella frase principale è possibile trovare non solo l'indicativo passato prossimo e imperfetto ma anche il trapassato prossimo e il passato remoto:

Ero nervoso perché **avevo saputo** che l'esame scritto sarebbe durato tre ore.
Solo allora il principe **seppe** che la figlia amava quel giovanotto pallido ed elegante.

- Nel caso del rapporto di tempo di posteriorità, si usa il condizionale passato cioè il "futuro nel passato" (*). Nella lingua parlata informale è ritenuta accettabile – anche se non corretta – la sostituzione con l'indicativo imperfetto:

Enzo ha detto che **sarebbe arrivato** alle otto. (*che arrivava alle otto*)
Mi avevi promesso che **mi avresti telefonato**! (*che mi telefonavi!*)

(*) vedere scheda 67, **Il condizionale passato per esprimere il *futuro nel passato*** (p. 174), volume 1.

Riassumendo, **punto 3**:

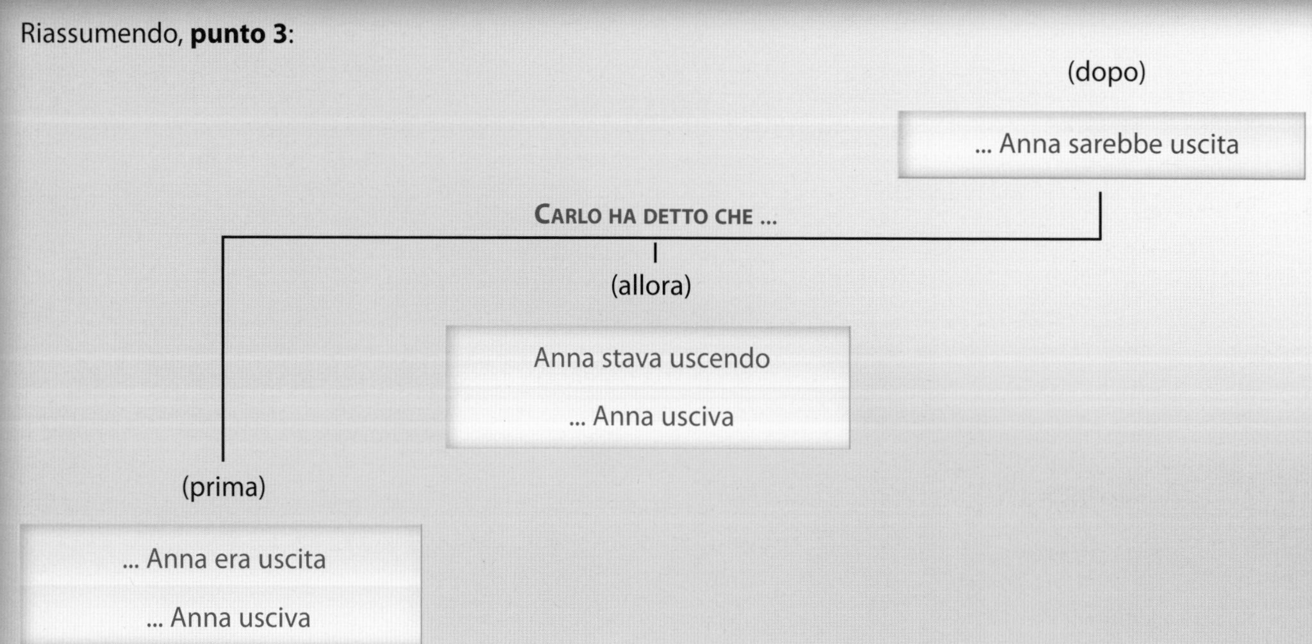

Come nel **punto 2**, se nella frase principale c'è un verbo al passato (o una struttura) che richiede il congiuntivo, questo sarà presente nella frase dipendente.

Sapevo che Marina *abitava* all'estero.
era una realtà, un fatto sicuro

Pensavo che Marina *abitasse* all'estero.
era una mia supposizione, non un fatto sicuro

- rapporto di tempo di **POSTERIORITÀ**, cioè un rapporto *allora-dopo*
  Ho pensato che questo film ti *sarebbe piaciuto*.

- rapporto di tempo di **CONTEMPORANEITÀ**, cioè un rapporto *allora-allora*
  Non capivo che cosa mi *stesse dicendo*.

- rapporto di tempo di **ANTERIORITÀ**, cioè un rapporto *allora-prima*
  Avevo paura che qualcuno le *avesse* già *regalato* questo libro.

! NOTA BENE

- Anche in questo caso, come nel precedente, nella frase principale è possibile trovare non solo l'indicativo passato prossimo e imperfetto ma anche il trapassato prossimo e il passato remoto.

Nina **aveva** sempre **creduto** che tutto si sarebbe risolto in fretta.
Per un istante **credetti** che lui fosse arrabbiato ma poi scoppiò a ridere.

Riassumendo, **punto 4**:

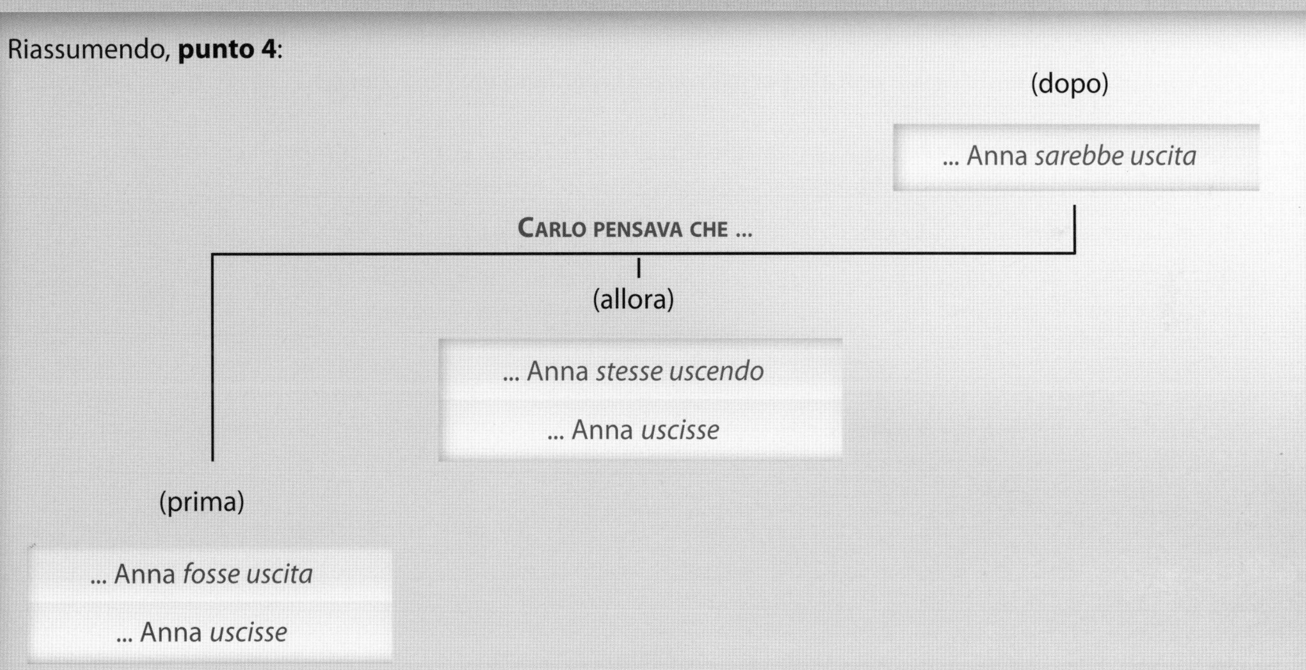

5 Un caso di uso molto frequente è quello in cui il verbo della frase principale è un verbo che esprime un desiderio, una preferenza, una richiesta ed è al **condizionale presente** o **passato**.
Nella frase dipendente si deve usare il *congiuntivo imperfetto* o *trapassato*.

a) Verbo della principale al **condizionale presente**.

- rapporto di tempo di **POSTERIORITÀ**, cioè un rapporto *ora-dopo*
  Preferirei che tu *partissi* domani.

- rapporto di tempo di **CONTEMPORANEITÀ**, cioè un rapporto *ora-ora*

  Mi piacerebbe che *smettesse* subito di piovere.

- rapporto di tempo di **ANTERIORITÀ**, cioè un rapporto *ora-prima*

  Vorrei che tu non *avessi parlato* in quel modo a Renata.

b) Verbo della principale al **condizionale passato**.

- rapporto di tempo di **POSTERIORITÀ**, cioè un rapporto *allora-dopo*

  Avrebbe voluto che io lo *chiamassi* subito dopo la prova d'esame.

- rapporto di tempo di **CONTEMPORANEITÀ**, cioè un rapporto *allora-ora*

  Ieri sera alla festa, **avrei voluto** che mi *presentassi* subito ai tuoi amici e non dopo un'ora!

- rapporto di tempo di **ANTERIORITÀ**, cioè un rapporto *allora-prima*

  Il giorno dell'esame ero nervosa e **avrei voluto** che mio figlio *avesse studiato* un po' di più.

! NOTA BENE

- Nel **punto a**) è anche possibile avere il condizionale composto nella frase principale: è il caso del condizionale usato per esprimere un desiderio non realizzato (*).

Avrei tanto **voluto** che anche Anna fosse qui con noi.

ma non è qui, è un mio desiderio non realizzato = condizionale passato

(*) vedere scheda 66, **Il condizionale passato per esprimere i rimpianti** (p.171), volume 1.

- I verbi che esprimono un desiderio, una preferenza, una richiesta vogliono sempre il congiuntivo. Attenzione però a non confondere queste due strutture:

Voglio che sia tutto pronto per le otto.
Preferisco che tu parta oggi.
è più forte, è quasi un comando

Vorrei che fosse tutto pronto per le otto.
Preferirei che tu partissi oggi.
è meno forte, è una richiesta

Riassumendo, **punto 5**:

a) e **b)**

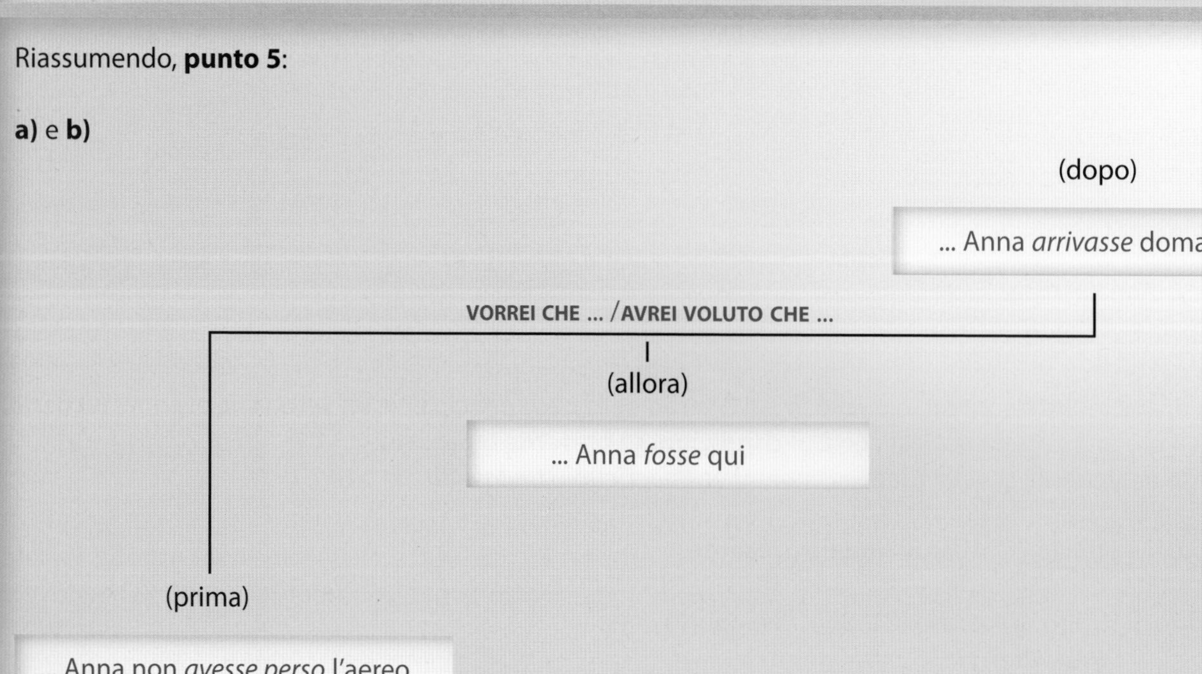

ESERCIZI

1. Abbina le frasi delle due colonne

1. Sai che
2. È meglio che
3. Immagina che
4. Ti assicuro che
5. Non ti sembra che
6. Penso che

a) tu segua i consigli del dottore.
b) ieri Andrea sia stato un po' maleducato?
c) Laura sia veramente in gamba.
d) ieri alla festa Luigi ha litigato con Aldo?
e) nel mondo non ci siano più guerre.
f) Aldo è la persona giusta per questo lavoro.

2. Come sopra

1. Giulia mi ha assicurato che
2. Non pensavo che
3. Speravamo proprio che
4. Ti hanno detto che
5. Scusami, non credevo che
6. Sapevo che Martino

a) Gino si sarebbe arrabbiato così tanto!
b) si era comprato una nuova macchina.
c) stessi ancora dormendo!
d) Luisella non avesse mai ricevuto un regalo come il nostro!
e) i Rossi, anni fa, gestivano un albergo?
f) le bambine avevano già mangiato.

3. Completa il dialogo con i verbi mancanti

A: Allora, Sandra, cosa ne pensi della casa?
B: Bella sì, però ...
A: Però?
B: Beh, pensavo che 1) .... più vicina al paese!
A: Sono 20 minuti a piedi.
B: Appunto! E poi, scusa, speravo che la terrazza 2) .... il sole tutto il giorno. Comunque penso che il panorama 3) .... davvero fantastico.
A: Meno male! Dai, sono sicuro che 4) .... una vacanza bellissima.
B: Sì, certo, anche se ...
A: Se?
B: Il mare. Non ti sembra che 5) .... un po' scuro? Sporco, insomma.
A: Impossibile. So che l'anno scorso la spiaggia 6) .... una segnalazione della *Lega Ambiente* per il mare pulito.
B: L'anno scorso ...
A: Senti, Lorena mi aveva detto che 7) .... incontentabile. Beh, penso che 8) .... proprio ragione!

4. Completa i dialoghi con i verbi dati all'indicativo imperfetto, al congiuntivo (presente, imperfetto, trapassato) o al condizionale passato

1. A: Sai che Janet non ha dato l'esame di italiano?
   B: Che peccato! Sono sicura che .... (superare) senza problemi.
   A: Sì, ma pensava che .... (essere) troppo difficile per lei.
2. A: Ho saputo che il tuo ragazzo .... (essere) a Tokyo da 3 mesi.
   B: Sì, è molto contento. Non pensava però che la città .... (essere) così grande!
   A: E con la lingua?
   B: Beh, prima di partire credeva che le cose .... (andare) in maniera più semplice. In realtà mi ha detto che i primi giorni era in totale confusione.
   A: Ma non vorresti che .... (tornare)?
   B: Veramente preferirei che mi .... (chiedere) di raggiungerlo!

3. A: Non pensi che il nuovo capo .... (essere) un po' arrogante? Prima mi ha detto: «Voglio che Lei .... (rispondere) subito a questa mail».
   B: Tieni conto che lui è straniero. Qualcuno dovrebbe spiegargli che è meglio dire: «Vorrei che Lei .... (rispondere) subito a questa mail, se possibile».
4. A: Sai, ieri ho incontrato Renata.
   B: Non pensavo che .... (tornare) a Roma!
   A: Io credevo che .... (essere) ancora all'estero.
   B: Chissà perché è tornata così presto...
   A: Beh, mi ha parlato di un certo Mark e mi ha detto che tu .... (capire).
   B: Ah sì, certo, Mark. Lo sapevo che non .... (essere) un tipo affidabile!

5. Completa la mail con i verbi dati

avere (2)   essere (2)   rimanere   potere   esserci (2)

Alla direzione dell'albergo *Croce di Malta* - Imperia

Ho visitato il vostro sito web e il vostro albergo mi è piaciuto molto sia per la vicinanza alla spiaggia sia per la vista sul porto turistico. Mi chiedevo dunque se 1) .... una camera matrimoniale disponibile per le prime due settimane di giugno. Tuttavia avrei una serie di richieste che spero 2) .... essere soddisfatte. Stiamo infatti cercando una matrimoniale comunicante con un'altra camera a due letti per i nostri bambini. Preferirei che le camere 3) .... all'ultimo piano, per evitare i rumori della strada. Mio marito inoltre si domandava se le camere 4) .... l'aria condizionata regolabile: questa è una caratteristica importante per noi. Gradirei molto inoltre che le camere in questione 5) .... situate in un piano non fumatori perché so per esperienza che l'odore di fumo 6) .... a lungo nell'ambiente. Mi piacerebbe anche che nella camera 7) .... una presa per Internet o in alternativa mi chiedevo se l' albergo 8) .... a disposizione dei clienti una postazione Internet e a quale costo.

Restando in attesa di un vostro gentile riscontro, vi ringrazio anticipatamente.
Cordiali saluti
Paola Giusti

6. Riscrivi le frasi al presente o al passato. Fai attenzione ai tempi che cambiano

1. Credo che Giuliana si sia divertita molto alla festa di ieri.
   ....
2. Spero che tu possa dare una mano a Luisa.
   ....
3. Penso sia facile trovare un taxi.
   ....
4. So che Petra è una ragazza davvero speciale.
   ....
5. Marco dice che Nicola sta uscendo.
   ....
6. Bisognava che faceste i compiti con più attenzione: erano pieni di errori.
   ....
7. Avrei preferito che tu avessi detto quello che pensavi veramente.
   ....
8. Pensavo che avrebbe portato una bottiglia di vino per la cena.
   ....

Che festa!

7. Riscrivi il testo al passato. Fai attenzione ai tempi che cambiano

Allora, c'è una ragazza, Cenerentola, che ha due sorelle brutte, antipatiche e anche molto pigre: infatti la povera ragazza fa tutto in casa anche se pensa che non sia giusto. Cenerentola però non è stupida e la sera studia lingue perché spera che la sua vita cambi. Anzi, è sicura che cambierà, prima o poi. Un giorno arriva in città un principe che sta cercando moglie e per questo motivo organizza un grande ballo. Le due sorelle comprano subito due meravigliosi vestiti da sera ma Cenerentola sa che non potrà andare al ballo perché non ha un vestito adatto e non ha neppure i soldi per comprarlo. Siccome è una ragazza senza soldi ma creativa, Cenerentola prende tutte le gocce di cristallo dei lampadari di casa e con quelle crea un bellissimo vestito, tutto scintillante: vuole che sia il vestito più originale del ballo! Quando Cenerentola entra nel salone del castello, sembra che tutte le stelle siano scese dal cielo. Tutti gli ospiti si domandano chi sia quella ragazza e soprattutto quale stilista abbia disegnato quel meraviglioso vestito. Il principe non si innamora a prima vista di Cenerentola ma invece pensa subito che sarebbe un'ottima idea mettersi in affari con una ragazza così intelligente e, mentre ballano, le propone di produrre insieme una linea di vestiti da sera. E così Cenerentola diventa una stilista di moda e grazie anche al fatto che conosce tre lingue straniere, esporta il suo marchio, *Cinderella fashion*, in tutto il mondo.

....

....

....

....

....

....

....

....

8. Che cosa rispondi? Completa liberamente le frasi

1. A: È un'ora che ti aspetto!
   B: Scusami, non pensavo che ....
2. A: Sai dov'è Stefano?
   B: Mi sembra che ....
3. A: Secondo te, come posso migliorare il mio livello di inglese?
   B: Innanzitutto è importante che tu ....
4. A: Hai sentito? Paulina ha passato l'esame scritto.
   B: Beh, ero sicuro che ....
5. A: Per stasera abbiamo prenotato al ristorante giapponese.
   B: Veramente avrei preferito che ....
6. A: Hai conosciuto il ragazzo di Erika?
   B: Sì e non pensavo che ....
7. A: Perché ieri Lucia non è venuta a vedere il film con noi?
   B: Credo che ....
8. A: Perché sei triste? Ti manca la tua famiglia?
   B: Sì, vorrei che ....
9. A: Che cos'hai? Sei arrabbiato?
   B: Beh, mi avevi promesso che ....
10. A: Hai visto il Meteo in Tv?
    B: Sì e pare che domani ....

53 LA SUBORDINAZIONE: CONGIUNZIONI TEMPORALI E CAUSALI

1 • Quando parliamo (o scriviamo) costruiamo una struttura che può partire da una **singola frase**, molto semplice e breve ...

Preparo la cena
|_____ *frase* _____|

... e può ampliarsi e diventare un **periodo**, cioè un insieme di due o più frasi:

Preparo la cena — ascolto musica jazz
|_____ *frase* _____| |_____ *frase* _____|
|__________ *periodo* __________|

• Le frasi di un periodo possono essere semplicemente accostate una all'altra, usando la punteggiatura ...

Preparo la cena**,** ascolto musica jazz.

... oppure possono essere collegate da una congiunzione:

Preparo la cena **e** ascolto musica jazz.

Questo è il modo più semplice di unire due frasi e non crea una gerarchia: la prima frase è messa sullo stesso livello di importanza della seconda frase.
Il periodo è in qualche modo "neutro": non sappiamo qual è l'azione che colui che parla ritiene più importante e non sappiamo con certezza se le due azioni sono contemporanee.

• La subordinazione invece si verifica quando nel periodo c'è una gerarchia, cioè una frase (**frase principale**) è ritenuta più importante delle altre (**frasi secondarie**).

Preparo la cena — **mentre** ascolto musica jazz
|_____ *frase principale* _____| |_____ *frase secondaria* _____|
|__________ *periodo* __________|

Questo periodo fornisce più informazioni: sappiamo che l'azione importante è preparare la cena e la congiunzione *mentre* ci dice che le due azioni avvengono contemporaneamente.
La **frase principale** è **indipendente**, cioè può stare da sola; la **frase secondaria** (o **subordinata**) invece dipende dalla principale e da sola non ha un senso compiuto, è come "sospesa": ... *mentre ascolto musica jazz* ...

• Con la subordinazione (e la concordanza dei tempi verbali) riusciamo quindi a esprimere in modo chiaro e preciso anche concetti complessi.

Non appena avrò parlato con Aldo, — ti scriverò — **perché** tu sappia la verità
|_____ *frase subordinata* _____| |_____ *frase principale* _____| |_____ *frase subordinata* _____|
|__________ *periodo* __________|

Da questo periodo ricaviamo una serie di informazioni: **prima** *devo parlare con Aldo*, **immediatamente dopo** *ti scrivo* e **il mio obiettivo** *è che tu sappia la verità*.

ESEMPI

Siccome tra due giorni ho l'esame, non posso uscire finché non avrò finito questo libro.	(non posso uscire: *prima devo finire il libro, la causa è l'esame*)
Ti presto i miei appunti, purché tu non ci scriva sopra con la penna.	(forse ti presto gli appunti: *la condizione indispensabile è che non ci scrivi sopra*)

! NOTA BENE

- Non è semplice usare la subordinazione perché è necessario scegliere i modi e i tempi verbali corretti (ad esempio: la congiunzione *purché* richiede il congiuntivo) e avere padronanza dell'uso dei tempi verbali. Per questo motivo il registro colloquiale tende a evitarne l'uso e a usare altre strategie più semplici, ad esempio accostando le frasi ...

confronta con le frasi degli ESEMPI precedenti:

Tra due giorni ho l'esame, non posso uscire, devo finire questo libro.
Ti presto i miei appunti, non ci devi scrivere sopra con la penna però!

... oppure evitando di coniugare i verbi e usando quindi i modi indefiniti (participio, gerundio, infinito). Questa struttura – che si chiama **forma implicita**, cioè non definita, "nascosta" – è possibile usarla solamente quando il soggetto della frase principale è lo stesso della frase subordinata.

Poiché avevo ragione, ho continuato a discutere.
Affinché tu possa fare i compiti, ti presto il dizionario.

Avendo ragione, ho continuato a discutere.
Per **fare** i compiti ti presto il dizionario.

Tuttavia, proprio per la ricchezza e la precisione di informazioni che genera, la subordinazione è usata nella lingua colta parlata e scritta.

- **Esistono vari tipi di frasi subordinate**, a seconda del significato della congiunzione o delle espressioni usate.

2 Congiunzioni di tempo: *-quando?*

Collocano nel tempo l'azione della frase principale.
Verbi usati: indicativo (eccetto *prima che + congiuntivo*).

- **QUANDO**

Quando riposo non voglio essere disturbato.

- **MENTRE:** per azioni che si svolgono contemporaneamente.

Mi piace mangiare qualcosa **mentre** guardo la Tv.

- **APPENA/NON APPENA:** sono sinonimi e significano *immediatamente dopo*.

Appena arrivo in aeroporto, ti telefono.

- **DOPO CHE**

Ti dirò tutto **dopo che** Claudio sarà uscito.

- **PRIMA CHE** + congiuntivo

Ho spento il forno **prima che** l'arrosto *bruciasse*.

- **FINCHÉ/FINCHÉ NON:** significano *per tutto il tempo che, fino a che* e si usano in situazioni diverse.

Finché si usa per azioni contemporanee; **finché non** si usa per un'azione che inizia quando termina l'altra:

Marco, puoi restare qui **finché** vuoi.

Marco, puoi restare qui **finché non** arriva il taxi.

- **DA QUANDO:** indica il momento di inizio dell'azione della frase principale.

Da quando sono in Italia, sono ingrassato cinque chili.

3 Congiunzioni di causa: *-perché? -qual è la causa?*

Indicano la causa che determina la conseguenza nella frase principale.
Verbi usati: indicativo, condizionale (il *congiuntivo* in un solo caso).

- **PERCHÉ**

Anna non può venire **perché** ha da fare.
Avvocato, la signora è qui **perché** vorrebbe parlarLe.

- **Siccome**

Siccome voglio cambiare la moto, lavoro anche la sera.

- **Dato che/Visto che**

Dato che l'estate si prevede torrida, propongo di installare un impianto di aria condizionata in tutto l'ufficio.

- **Dal momento che**: in questo contesto non ha una relazione con il *tempo* ma con la *causa*.

Dal momento che siamo in quattro prendiamo un taxi, così risparmiamo!

- **Poiché** (*)

Poiché non abbiamo raggiunto il numero minimo di presenze, la riunione è annullata.

- **Non perché** + ***congiuntivo***: indica una causa possibile (o ritenuta probabile) che però non è quella vera; la causa vera viene espressa con **ma perché/è che** + indicativo.

Guarda, non vengo alla tua festa **non perchè** non *voglia*, **ma perché** devo studiare.
La torta per me no, grazie. **Non perché** non mi *piaccia*, anzi! **È che** sono a dieta.

(*) di uso formale e scritto.

! NOTA BENE

- La posizione di *siccome* è sempre all'inizio del periodo; la posizione di *perché* è sempre nella seconda parte del periodo:

Siccome piove, resto a casa. Resto a casa **perché** piove.

- Nella lingua colloquiale, per esprimere la causa di un comando è possibile sostituire *perché* con la congiunzione *che*:

Svegliati, **che** è tardi!
Smettila di fare chiasso, **che** devo studiare!

ESERCIZI

1. Leggi le frasi e indica che cosa esprime la congiunzione evidenziata

a) quando? b) per quanto tempo? c) qual è la causa?

1. La polizia ha impedito l'accesso in piazza poiché la manifestazione non era autorizzata. ....
2. Non ti preoccupare, ti telefono non appena avrò il risultato dell'esame. ....
3. A: È un dizionario elettronico? Che bello! Me lo presti?
   B: Sì, certo. Tienilo finché vuoi. ....
4. A: Allora che facciamo? È tardi.
   B: Beh, visto che Marco non arriva, io direi di andare. ....
5. A: Susan, che fai dopo la lezione?
   B: Guarda, siccome domani è il compleanno di Ludmila, vado in centro a cercare un regalino. Vieni con me? ....
6. Resto in vacanza finché non inizia l'università. ....

2. Abbina le frasi delle due colonne

1. È inutile dare a lui questo lavoro, dato che
2. Direi di restare in spiaggia finché
3. Ti telefono non appena
4. È inutile chiamarla, visto che
5. Resto qui con voi finché non
6. Voglio vedere Claudio prima che

a) c'è il sole.
b) inizia la partita.
c) parte.
d) saprò qualcosa.
e) parta.
f) non vuole parlarti.

3. Completa con una congiunzione o espressione appropriata

prima che   non perché   siccome   che   dopo che   perché

1. La stampante si è rotta subito .... era scaduta la garanzia.
2. .... sono stonato, è meglio che canti qualcun'altro.
3. Stefano è uscito .... il concerto finisse.
4. Sbrigati, ... siamo in ritardo!
5. Preferisco non prestare la macchina a Maurizio .... guida malissimo.
6. Ha smesso di studiare .... si fosse stancato, ma perché è dovuto andare a lavorare.

4. Scegli una congiunzione o espressione appropriata

a) finché non   b) poiché, visto che, dato che   c) siccome   d) non perché

A: Professore, allora è vero che i ragazzi imparano in maniera differente dalle ragazze?

B: Sì, è così. Negli ultimi anni gli studiosi che si occupano di ricerche sul cervello ci confermano quello che già si sapeva: 1) .... i maschi hanno più materia grigia e producono più testosterone, risultano essere più portati al calcolo e all'aggressività; le femmine hanno più materia bianca, producono più serotonina e sono quindi più creative, riflessive e portate al linguaggio.

A: Ma allora, 2) .... il cervello funziona in maniera così differente nei due sessi, non sarebbe il caso di abolire nelle scuole le classi miste?

B: In effetti alcuni paesi come gli Stati Uniti o la Gran Bretagna hanno già sperimentato le classi separate per maschi e femmine.

A: E Lei è d'accordo?

B: Il principio della divisione tra maschi e femmine non mi piace, 3) .... io non riconosca la validità delle ricerche compiute ma perché credo che sia molto importante che i ragazzi e le ragazze possano confrontarsi e arricchirsi reciprocamente 4) .... la realtà che sta fuori dalla scuola è una realtà fatta di uomini e donne. Basare nuovi metodi d'insegnamento sulle differenze cerebrali non mi sembra un approccio corretto 5) .... è vero che queste differenze esistono ma nessuno è veramente sicuro di quello che significa concretamente.

A: Quindi sarebbe meglio continuare con il modello delle classi miste 6) .... avremo maggiori approfondimenti?

B: Direi di sì. Anche perché queste ricerche riguardano un apprendimento di base e ignorano i livelli superiori, quelli che permettono di elaborare e ampliare le conoscenze.

54 LA SUBORDINAZIONE: ALTRE CONGIUNZIONI

Oltre alle congiunzioni viste nella scheda precedente, esistono altri tipi di congiunzioni.

1

Congiunzioni finali: -***qual è l'obiettivo?***

Indicano il fine, l'obiettivo dell'azione principale.
Verbi usati: *congiuntivo.*

- **PERCHÉ**

Ti presto i miei CD **perché** tu *possa* migliorare la pronuncia dell'italiano.

- **IN MODO CHE**

Ho dato a tutti una fotocopia delle soluzioni **in modo che** si *vada* avanti più velocemente con la correzione.

- **AFFINCHÉ** (*): significa *al fine che.*

La contessa Belgioioso mostrò la lettera **affinché** tutti la *leggessero* e *capissero.*

- **CHE**: è possibile usare questa congiunzione dopo i seguenti verbi o espressioni: **FARE ATTENZIONE, BADARE, CONTROLLARE, STARE ATTENTO, GUARDARE** (nel senso di **CONTROLLARE**).

ESEMPI

Mi raccomando, **controlla che** tutti *abbiano firmato.*
Signora, per favore **badi che** i ragazzi *facciano* i compiti.

(*) di uso esclusivamente formale e letterario.

! **NOTA BENE**

- Usiamo la costruzione implicita **per** + **infinito** quando i soggetti del periodo sono uguali o indeterminati.

Per stare in forma *bisogna* soprattutto fare sport, non credi?

- Usiamo **pur di** + **infinito** (per + infinito) quando vogliamo rendere la frase più forte, più enfatica. Il soggetto deve essere lo stesso in entrambe le frasi del periodo.

Darei qualsiasi cosa **pur di trovare** un parcheggio!

2

Congiunzioni concessive: -***anche se ...***

Indicano un contrasto alla frase principale che però realizza ugualmente quanto esprime.
Verbi usati: *congiuntivo* (il condizionale in caso di ipotesi e opinione).

- **NONOSTANTE/MALGRADO**

Nonostante il bilancio *sia* in pareggio, l'azienda è in crisi.
Ingegnere, il progetto va avanti **malgrado** Lei *sia* di parere contrario.

- **SEBBENE/BENCHÉ**

Il pubblico riempiva lo stadio, **sebbene** *piovesse* e *facesse* molto freddo.

- **PER QUANTO**

Per quanto tutti lo *avessero sconsigliato*, Luca ha comprato quella moto.

NOTA BENE

- La lingua parlata informale – che generalmente tende a evitare l'uso del ***congiuntivo*** – preferisce l'uso di **anche se** + **indicativo** o **condizionale**.

Anche se ha detto la verità, ha creduto.
Anche se erano a piedi, sono arrivati prima di noi.

Nonostante *avesse detto* la verità, nessuno gli ha creduto.
Sebbene *fossero* a piedi, sono arrivati prima di noi.

3 **Congiunzioni condizionali**:

- **a)** *-a che condizione?*

Indicano la condizione necessaria perché si verifichi quanto espresso nella frase principale.
Verbi usati: *congiuntivo*.

- **A PATTO CHE/A CONDIZIONE CHE**

Ti lascio guidare, **a patto che** tu *vada* piano.
Firmo il contratto **a condizione che** voi tutti *siate* d'accordo.

- **PURCHÉ**

Rossana ha detto che viene con noi, **purché** *si vada* in un ristorante vegetariano.

- **b)** *-se ...*

Indicano un'ipotesi, un'eventualità in base alla quale si verifica poi quanto espresso nella frase principale.
Verbi usati: *congiuntivo*.

- **NEL CASO CHE** (*)

Nel caso che l'albergo *sia* al completo, vi troverò io un'altra sistemazione.

- **QUALORA** (**)

Qualora la camera non *fosse* di Suo gradimento, La preghiamo di farcelo sapere.

(*) è possibile omettere il *che*.
(**) di uso formale e scritto.

NOTA BENE

- L'italiano colloquiale generalmente preferisce l'uso di **se** + indicativo.
  Confronta con gli esempi precedenti:

Ti lascio guidare **se** vai piano.
Se la camera non è di Suo gradimento, La preghiamo di farcelo sapere.

- Con il **se** ipotetico l'uso del solo indicativo impoverisce la lingua: si perde infatti la differenza tra ciò che si avvicina alla realtà, alla certezza (indicativo) e ciò che invece se ne allontana (congiuntivo) (*).

ESEMPI

Allora, se **ho** problemi con la macchina ti chiamo. (*chi parla considera abbastanza reale l'ipotesi di un guasto*)
Allora, se **avessi** problemi con la macchina ti chiamo. (*chi parla considera meno reale l'ipotesi di un guasto*)
Se **avessi** problemi con la macchina ti chiamerei. (*chi parla sta solamente facendo un'ipotesi*)

- Analogamente, le congiunzioni *nel caso che* e *qualora* usano il congiuntivo presente per un'ipotesi di realizzazione più probabile e il congiuntivo imperfetto per un'ipotesi meno probabile.

Nel caso che Patrizia **decida/decidesse** di partire, puoi prendere tu la sua stanza.

(*) vedere la scheda 35 **Il periodo ipotetico** (p. 112).

4

Congiunzioni di modo: -*come?*

Indica il modo, la maniera in cui si svolge quanto espresso nella frase principale.
Verbi usati: indicativo, condizionale, *congiuntivo*.

- **COME** + indicativo esprime una realtà, una certezza.

Ho fatto tutto **come** mi avevi detto.
Abbiamo montato i mobili esattamente **come** c'è scritto nelle istruzioni.

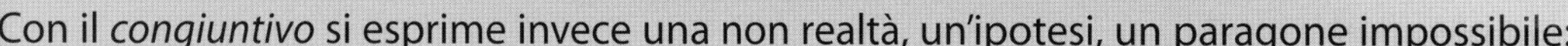

- **COME** + condizionale esprime una supposizione, un'opinione, un desiderio.

Hai spiegato la regola **come** avrebbe fatto l'insegnante.

Con il *congiuntivo* si esprime invece una non realtà, un'ipotesi, un paragone impossibile:

- **COME SE** (*)

Si comporta **come** *fosse* il padrone qui dentro!

- **QUASI CHE** (*)

Antonio era pallidissimo, **quasi** *stesse* per svenire.

- **COMUNQUE:** significa *in qualsiasi modo*

Comunque *vada*, io ho la coscienza a posto.

(*) è anche possibile omettere il *se* e il *che*.

5

Congiunzioni consecutive: -*qual è la conseguenza?*

Indicano la conseguenza, l'effetto di quanto espresso nella frase principale.

- Quando la conseguenza si realizza (+ indicativo):

- ***COSÌ, TANTO, TALMENTE, TALE*** ... (nella frase principale) + **CHE**

Carlo, la tua macchina è ***così*** comoda e silenziosa **che** mi sono addormentato.
Luca è ***talmente*** pigro **che** prende il motorino per andare a comprare il giornale.
La confusione era ***tale*** **che** ci siamo subito persi di vista.

- **COSICCHÉ** (*)

Alla conferenza stampa di stasera i posti saranno numerati **cosicché** nessuno resterà in piedi.

- Quando la conseguenza non si realizza o c'è solo la possibilità che si realizzi (+ *congiuntivo*):

- ***TROPPO, ABBASTANZA, POCO, TROPPO POCO*** + **PERCHÉ**

Ha sbagliato ***troppe*** volte **perché** mi *possa* ancora fidare di lui.
Anna ha già ***abbastanza*** lavoro **perché** *si occupi* anche del nostro.
Quell'attore è ***troppo poco*** conosciuto **perché** il regista gli *dia* il ruolo di protagonista.

(*) di uso poco frequente.

6

Congiunzioni che limitano o escludono

- **Indicano un limite**, in relazione a quanto espresso nella frase principale.

- **PER QUANTO/PER QUEL CHE** + indicativo

Per quanto posso fare, cercherò di aiutarti a pagare l'affitto. (*limitatamente alle mie possibilità economiche*)
Per quel che ne so io, i biglietti per il concerto sono già finiti. (*limitatamente alle mie informazioni*)

- **Indicano una esclusione**, una mancanza, qualcosa che non si verifica in relazione a quanto espresso nella frase principale.

- **MENO CHE/TRANNE CHE/ECCETTO CHE/SALVO CHE**
- **SENZA**

+ infinito

ESEMPI

A: Sono molto vivaci i tuoi bambini.
B: Oh sì, fanno di tutto, **meno che** studiare!

In casa Mauro fa tutto **tranne che** passare l'aspirapolvere.
Cristina per dimagrire proverebbe qualsiasi cosa **salvo che** fare una dieta.
Non mi piace chi scrive una lettera a un giornale **senza** mettere la firma.

- **A MENO CHE (NON)/TRANNE CHE/ECCETTO CHE/SALVO CHE**
- **SENZA CHE**

+ *congiuntivo*

ESEMPI

Possiamo andare a mangiare fuori, **a meno che non** *preferiate* restare a casa.
Mi sembra che siamo tutti d'accordo e possiamo spedire la relazione, **eccetto che** qualcuno *abbia* ancora modifiche da proporre.
Gianni domani ti aiuterà senz'altro, **salvo che** *abbia* altro da fare.
Spesso prendevo la macchina di mio padre **senza che** lui *se ne accorgesse*!
Siamo rimasti bloccati tre ore in aeroporto **senza che** nessuno ci *abbia dato* una spiegazione.

- **TRANNE/ECCETTO/SALVO**
- **ALL'INFUORI DI**
- **FUORCHÉ** (*)
- **SENZA**

+ nome/pronome

ESEMPI

Guarda, sopporto tutto **tranne** l'arroganza.
Tutti hanno firmato il documento, **eccetto** te.
Salvo gli spinaci e i broccoli, i nostri bambini mangiano qualsiasi verdura.
Nessuno ha avuto il coraggio di protestare, **all'infuori** di Renato.
Signori deputati, accetto qualsiasi reazione alla mia proposta **fuorché** gli insulti gratuiti.
È difficile studiare una lingua **senza** un insegnante.

(*) di uso meno frequente.

! NOTA BENE

- Piuttosto usata è anche la seguente espressione di limitazione, generalmente posta all'inizio del periodo:

che { **io** / **tu** / **Lei** } **sappia**
che voi sappiate

A: Sai dove lavora Aldo?
B: Mah, **che io sappia**, lavora sempre alla Tecnoplast.

Che io sappia, non ci sono altri treni per Firenze.
Signora, **che Lei sappia**, c'è un ufficio postale qui vicino?
Senti, **che tu sappia**, è facile avere un visto turistico per la Cina?

Generalmente questa espressione è accompagnata da un'intonazione che esprime incertezza o da espressioni quali *mah*, *beh*.

- Generalmente, le congiunzioni o espressioni che limitano vengono poste prima della frase principale e invece quelle che escludono dopo.

Per quel che mi risulta, il dottor Magni ha accettato quel lavoro in Giappone.
Conosco tutta l'Italia **tranne che** il Friuli.

ESERCIZI

1. Leggi le frasi e indica che cosa esprime la congiunzione evidenziata (congiunzioni finali, concessive, condizionali)

a) qual è l'obiettivo? b) a che condizione? c) anche se ... d) se ...

1. Ragazzi, prendiamo un cane a patto che lo portiate fuori voi. Va bene? ....
2. Karl rimase immobile nell'ombra, affinché l'uomo non si accorgesse della sua presenza. ....
3. Qualora abbiate domande o dubbi, la signora Berti sarà a vostra disposizione. ....
4. Nonostante glielo abbia ripetuto mille volte, Marina lascia sempre la macchina con le luci accese. ....
5. Gli ho prestato il motorino perché arrivasse in tempo all'esame. ....
6. L'incontro tra i due Presidenti è stato cordiale, sebbene non siano mancati momenti di tensione. ....

2. Come sopra (congiunzioni modali, consecutive, di limite ed esclusione)

a) qual è la conseguenza? b) come? c) esclusione/mancanza d) limitazione

1. Guardi signora, a un matrimonio può vestirsi di qualsiasi colore fuorché di bianco e di nero. Che ne dice di questo abito azzurro? ....
2. Che tu sappia, qui è possibile pagare con la carta di credito? ....
3. Carmen, il dolce che ci hai portato era così buono che l'abbiamo finito in un attimo! ....
4. Davide è veramente antipatico: in classe risponde come se sapesse tutto lui. ....
5. Eravamo tutti d'accordo, tranne Giulia. ....
6. Oggi Carla ha troppo lavoro da fare perché possa venire con noi in palestra. ....

3. Completa le frasi con un verbo al congiuntivo

vedere potere fare attenzione essere dire avere bisogno

1. Ti racconto tutta la storia a patto che tu non lo .... a nessuno.
2. Valeria si comporta come se .... la più bella del mondo.
3. Ti presto il mio giaccone, purché tu .... a non macchiarlo.
4. Qualora .... di maggiori informazioni, non esitate a contattarci.
5. Il cane si è mangiato tutto l'arrosto senza che lo ....
6. Vi lascio tutta la documentazione affinché .... leggerla e rifletterci.

4. Trasforma le frasi tramite una o più congiunzioni

1. Voglio imparare bene l'italiano, frequenterò un corso intensivo.

 ....

2. Sono arrivato a casa, ho fatto subito una doccia calda, faceva molto freddo.

 ....

3. Ho preso due aspirine, la febbre non è scesa.

 ....

4. Io ti do una mano con i compiti, tu lavi la macchina.

 ....

5. Pioveva davvero troppo, la partita è stata rinviata.

 ....

6. Giulia non vuole che usciamo, dobbiamo uscire, lei non ci deve vedere.

 ....

5. Completa le frasi

1. Alla fine Laura ha accettato quel lavoro per quanto ....
2. Verrò con voi in pizzeria malgrado ....
3. Farei qualsiasi cosa pur di ....
4. Signora, Le assicuro che perderà peso, purché ....
5. L'Università Statale concede delle borse di studio affinché ....
6. Riccardo è talmente avaro che ....

6. Completa il dialogo con una congiunzione o espressione appropriata

per quel che ne so   qualora   non perché
pur di   che Lei sappia   come se

Passeggero 1: Mi scusi, ci sono notizie del volo per Palermo? Sono ore che aspettiamo!
Hostess: Mi dispiace ma c'è stato uno sciopero improvviso. Aspettiamo comunicazioni dalla compagnia.
Passeggero 1: 1) ...., c'è sciopero anche a Palermo?
Passeggero 2: Basta con questi scioperi, non se ne può più!
Passeggero 1: Mi scusi, lo sciopero è uno strumento democratico di protesta.
Passeggero 2: Eh, buonasera! 2) ...., non servono a niente.
Passeggero 1: Senta, La invito a informarsi prima di parlare.
Passeggero 2: Sono perfettamente informato, io.
Hostess: Signori, per favore. Stiamo cercando di risolvere la situazione e 3) .... questo non fosse possibile, metteremo a disposizione una sistemazione per la notte.
Passeggero 2: Una "sistemazione"? 4) .... fossimo merci e non persone!
Passeggero 1: Ma stia calmo Lei. Senta signorina, io protesto 5) .... sia contrario allo sciopero ma perché non ci viene detto niente.
Hostess: Guardi, Le assicuro che faremo il possibile 6) .... farvi partire entro un tempo ragionevole.
Passeggero 1: Va bene, allora speriamo di poter partire presto.
Passeggero 2: Ah, voglio proprio vedere!

Una grammatica italiana per tutti

2

APPENDICE

TAVOLE SINOTTICHE

TAVOLA 1

AGGETTIVI E PRONOMI INDEFINITI

	AGGETTIVI		PRONOMI	
	SINGOLARE	PLURALE	SINGOLARE	PLURALE
MASCHILE/ FEMMIMILE	**Poco**/ a	**Pochi**/ e	**Alcuno**/ a	**Alcuni**/ e
	Molto/ a	**Molti**/ e	**Molto**/ a	**Molti**/ e
	Parecchio/ a	**Parecchi**/ e	**Poco**/ a	**Pochi**/ e
	Tanto/ a	**Tanti**/ e	**Tanto**/ a	**Tanti**/ e
	Troppo/ a	**Troppi**/ e	**Altrettanto**/ a	**Altrettanti**/ e
	Tutto/ a	**Tutti**/ e	**Troppo**/ a	**Troppi**/ e
	Certo/ a	**Certi**/ e	**Tutto**/ a	**Tutti**/ e
	Altro/ a	**Altri**/ e	**Uno**/ a (*)	**Uni**/ e
	Alcuno/ a	**Alcuni**/ e	**Altro**/ a (*)	**Altri**/ e

ESEMPI: *Ho pochi/troppi libri.*
Non ne ho visti molti.
Ho poca/molta fame.
Le hai mangiate tutte.

(*) Si usano in correlazione.

ESEMPIO: *A: Dove sono i tuoi figli?*
B: Uno a scuola, l'altro a giocare.

	AGGETTIVI	PRONOMI
	MASCHILE/FEMMINILE	MASCHILE/FEMMINILE
(solo singolare)	**Nessuno**/ a **Ciascuno**/ a	**Nessuno**/ a **Ciascuno**/ a **Ognuno**/ a **Qualcuno**/ a
(solo plurale)		**Certi**/ e (*certuni/ e*)

ESEMPI: *A: Ha chiamato qualcuno?*
B: No, nessuno.
Non ho avuto nessun problema.
Ciascuna persona ha le sue esigenze.

invariabili

	AGGETTIVI	PRONOMI
(solo singolare)	**Qualche** **Ogni** **Qualsiasi** **Qualunque**	**Chiunque** **Qualcosa** **Niente/ nulla**

ESEMPI: *Possiamo vederci qualche/qualsiasi/ogni giorno.*
Vuoi qualcosa da bere?

TAVOLA 2

COMPARATIVI IRREGOLARI

AGGETTIVO	COMPARATIVO
buono	migliore/ i
cattivo	peggiore/ i
grande	maggiore/ i
piccolo	minore/ i
alto	superiore/ i
basso	inferiore/ i
AVVERBIO	
bene	meglio
male	peggio

SUPERLATIVI IRREGOLARI

AGGETTIVO	SUPERLATIVO RELATIVO	SUPERLATIVO ASSOLUTO
buono	**il**/ **la** migliore (miglior) **i**/ **le** migliori	ottim**o**/ **a** ottim**i**/ **e**
cattivo	**il**/ **la** peggiore (peggior) **i**/ **le** peggiori	pessim**o**/ **a** pessim**i**/ **e**
grande	**il**/ **la** maggiore (maggior) **i**/ **le** maggiori	massim**o**/ **a** massim**i**/ **e**
piccolo	**il**/ **la** minore (minor) **i**/ **le** minori	minim**o**/ **a** minim**i**/ **e**
alto	=	suprem**o** (sommo)/ **a** suprem**i** (sommi)/ **e**
basso	=	infim**o**/ **a** infim**i**/ **e**
acre	=	**acerrimo**
celebre	=	**celeberrimo**
salubre	=	**saluberrimo**
integro	=	**integerrimo**
magnifico	=	**magnificentissimo**
benevolo	=	**benevolentissimo**

ESEMPI:

Patrizia è la maggiore/minore delle mie figlie.
Ha ottenuto risultati migliori/peggiori di quelli dell'anno scorso.
L'ufficio del Rag. Moretti è al piano superiore/inferiore.
L'aria in alta montagna è saluberrima.
A: Come stai?
B: Un po' meglio, grazie.

TAVOLA 3

PRONOMI COMBINATI

Pronomi indiretti		**Pronomi diretti**		**PRONOMI COMBINATI**	
(a me)	MI	LO	*(M.S.)*	**ME LO**	(LA, LI, LE)
(a te)	TI	LA	*(F.S.)*	**TE LO**	ecc.
(a noi)	CI	LI	*(M.PL.)*	**CE LO**	ecc.
(a voi)	VI	LE	*(F.PL.)*	**VE LO**	ecc.
(a lei/ a Lei)	LE			**GLIELO**	ecc.
(a lui/ a loro)	GLI			**GLIELO**	ecc.

ESEMPI:

A: Ti ricordi di portarmi il CD domani?
B: Te lo porto senz'altro.
A: Vorrei parlare con il Dott. Sereni
B: Sì, glielo passo subito.
A: Che splendido vaso!
B: Grazie, ce l'hanno regalato quando ci siamo sposati

Pronomi indiretti		**Pronome partitivo**	**PRONOMI COMBINATI**
(a me)	MI		**ME NE**
(a te)	TI		**TE NE**
(a noi)	CI	NE	**CE NE**
(a voi)	VI		**VE NE**
(a lei/ a Lei)	LE		**GLIENE**
(a lui/ a loro)	GLI		**GLIENE**

ESEMPI:

A: Vorrei del prosciutto cotto.
B: Quanto?
A: Mah, me ne dia tre etti.
A: Avete ancora bisogno di sedie?
B: No, grazie, ce ne hanno portate abbastanza.

TAVOLA 4

PRONOMI RELATIVI

Pronomi relativi soggetto e oggetto diretto

Invariabile	***A 4 uscite***		
		SINGOLARE	PLURALE
CHE	MASCHILE	**il** qual**e**	**i** qual**i**
	FEMMINILE	**la** qual**e**	**le** qual**i**

Invariabile		**_A 4 uscite_**	
		SINGOLARE	PLURALE
CHI	MASCHILE	**Colui** che/ il quale	**Coloro** che/ i quali
	FEMMINILE	**Colei** che/ la quale	**Coloro** che/ le quali

ESEMPI: *Chi ha finito il test, può andare.*
Abbiamo assunto una segretaria che parla tre lingue.

Pronomi relativi complemento indiretto

Preposizioni		
A, DI, IN, DA, SU,	+	**CUI**
PER, CON, TRA/FRA		**IL QUALE, LA QUALE, I QUALI, LE QUALI**

ESEMPI: *Preferisco aspettare in un bar in cui possiamo sederci.*
Mi sono dimenticata il motivo per il quale abbiamo litigato.

Casi particolari

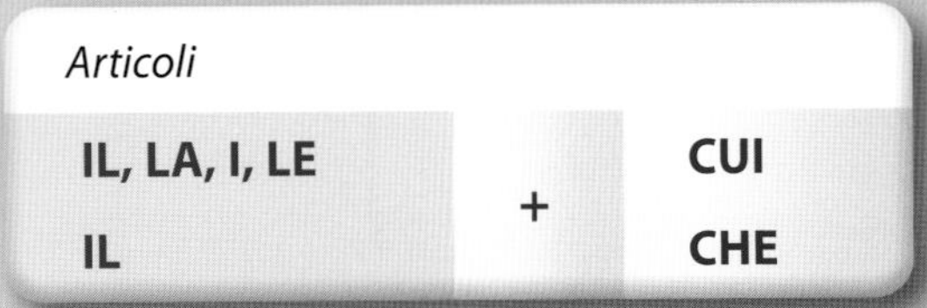

Articoli		
IL, LA, I, LE	+	**CUI**
IL		**CHE**

ESEMPI: *Entrano per prime le persone il cui nome va dalla A alla L.*
È un lavoro con un orario flessibile, il che mi va molto bene.

CONIUGAZIONE DEI VERBI REGOLARI

	Presente congiuntivo	Passato congiuntivo	Imperfetto congiuntivo	Trapassato congiuntivo
parlare	parli parli parli parliamo parliate parlino	abbia abbia abbia abbiamo abbiate abbiano } **parlato**	parlassi parlassi parlasse parlassimo parlaste parlassero	avessi avessi avesse avessimo aveste avessero } **parlato**
vendere	venda venda venda vendiamo vendiate vendano	abbia abbia abbia abbiamo abbiate abbiano } **venduto**	vendessi vendessi vendesse vendessimo vendeste vendessero	avessi avessi avesse avessimo aveste avessero } **venduto**
partire	parta parta parta partiamo partiate partano	sia sia sia } **partito/ a** siamo siate siano } **partiti/ e**	partissi partissi partisse partissimo partiste partissero	fossi fossi fosse } **partito/ a** fossimo foste fossero } **partiti/ e**

	Imperativo per il *Lei*	Infinito	Participio	Gerundio
parlare	Parli! Non parli!	(*presente*) parlare (*passato*) aver(e) parlato	(*presente*) parlante (*passato*) parlato	(*presente*) parlando (*passato*) avendo parlato
vendere	Venda! Non venda!	(*presente*) vendere (*passato*) aver(e) venduto	(*presente*) vendente (*passato*) venduto	(*presente*) vendendo (*passato*) avendo venduto
partire	Parta! Non parta!	(*presente*) partire (*passato*) esser(e) partito/a/i/e	(*presente*) partente (*passato*) partito	(*presente*) partendo (*passato*) essendo partito/a/i/e

TAVOLA 6

MODO CONGIUNTIVO
CONIUGAZIONE DI ALCUNI VERBI IRREGOLARI

	Presente	Imperfetto		Presente	Imperfetto
essere	sia	fossi	**fare**	faccia	facessi
	sia	fossi		faccia	facessi
	sia	fosse		faccia	facesse
	siamo	fossimo		facciamo	facessimo
	siate	foste		facciate	faceste
	siano	fossero		facciano	facessero
avere	abbia	avessi	**potere**	possa	potessi
	abbia	avessi		possa	potessi
	abbia	avesse (*regolare*)		possa	potesse (*regolare*)
	abbiamo	avessimo		possiamo	potessimo
	abbiate	aveste		possiate	poteste
	abbiano	avessero		possano	potessero
andare	vada	andassi	**sapere**	sappia	sapessi
	vada	andassi		sappia	sapessi
	vada	andasse (*regolare*)		sappia	sapesse (*regolare*)
	andiamo	andassimo		sappiamo	sapessimo
	andiate	andaste		sappiate	sapeste
	vadano	andassero		sappiano	sapessero
bere	beva	bevessi	**stare**	stia	stessi
	beva	bevessi		stia	stessi
	beva	bevesse		stia	stesse
	beviamo	bevessimo		stiamo	stessimo
	beviate	beveste		stiate	steste
	bevano	bevessero		stiano	stessero
dare	dia	dessi	**uscire**	esca	uscissi
	dia	dessi		esca	uscissi
	dia	desse		esca	uscisse (*regolare*)
	diamo	dessimo		usciamo	uscissimo
	diate	deste		usciate	usciste
	diano	dessero		escano	uscissero
dire	dica	dicessi	**venire**	venga	venissi
	dica	dicessi		venga	venissi
	dica	dicesse		venga	venisse (*regolare*)
	diciamo	dicessimo		veniamo	venissimo
	diciate	diceste		veniate	veniste
	dicano	dicessero		vengano	venissero
dovere	debba	dovessi	**volere**	voglia	volessi
	debba	dovessi		voglia	volessi
	debba	dovesse (*regolare*)		voglia	volesse (*regolare*)
	dobbiamo	dovessimo		vogliamo	volessimo
	dobbiate	doveste		vogliate	voleste
	debbano	dovessero		vogliano	volessero

TAVOLA 7

ESEMPI DI CONIUGAZIONE DEI VERBI PRONOMINALI

Tempi semplici

	Presente indicativo	Presente congiuntivo	Imperativo	Imperativo per il *Lei*
farcela	ce la faccio ce la fai ce la fa ce la facciamo ce la fate ce la fanno	ce la faccia ce la faccia ce la faccia ce la facciamo ce la facciate ce la facciano	(*tu*) faccela! non farcela!/ non ce la fare! (*voi*) fatecela! non fatecela!/ non ce la fate!	ce la faccia! non ce la faccia!
andarsene	me ne vado te ne vai se ne va ce ne andiamo ve ne andate se ne vanno	me ne vada te ne vada se ne vada ce ne andiamo ve ne andiate se ne vadano	(*tu*) vattene! non andartene!/ non te ne andare! (*voi*) andatevene! non andatevene!/ non ve ne andate	se ne vada! non se ne vada!
capirci	ci capisco ci capisci ci capisce ci capiamo ci capite ci capiscono	ci capisca ci capisca ci capisca ci capiamo ci capiate ci capiscano	(*tu*) capiscici! non capirci/ non ci capire! (*voi*) capiteci! non capiteci!/ non ci capite!	ci capisca! non ci capisca!
prendersela	me la prendo te la prendi se la prende ce la prendiamo ve la prendete se la prendono	me la prenda te la prenda se la prenda ce la prendiamo ve la prendiate se la prendano	(*tu*) prenditela! non prendertela!/ non te la prendere! (*voi*) prendetevela! non prendetevela!/ non ve la prendete!	se la prenda! non se la prenda!

Tempi composti

	Passato prossimo congiuntivo	Trapassato passato	Infinito	Condizionale passato
farcela	ce l'ho ce l'hai ce l'ha ce l'abbiamo ce l'avete ce l'hanno } fatt**a**	ce l'avessi ce l'avessi ce l'avesse ce l'avessimo ce l'aveste ce l'avessero } fatt**a**	avercela fatta	ce l'avrei ce l'avresti ce l'avrebbe ce l'avremmo ce l'avreste ce l'avrebbero } fatt**a**
andarsene	me ne sono te ne sei se n'è } andat**o**/**a** ce ne siamo ve ne siete se ne sono } andat**i**/**e**	me ne fossi te ne fossi se ne fosse } andat**o**/**a** ce ne fossimo ve ne foste se ne fossero } andat**i**/**e**	essersene andat**o**/ **a**/ **i**/ **e**	me ne sarei te ne saresti se ne sarebbe } andat**o**/**a** ce ne saremmo ve ne sareste se ne sarebbero } andat**i**/**e**
capirci	ci ho ci hai ci ha ci abbiamo ci avete ci hanno } capito	ci avessi ci avessi ci avesse ci avessimo ci aveste ci avessero } capito	averci capito	ci avrei ci avresti ci avrebbe ci avremmo ci avreste ci avrebbero } capito
prendersela	me la sono te la sei se l'è ce la siamo ve la siete se la sono } pres**a**	ma la fossi te la fossi se la fosse ce la fossimo ve la foste se la fossero } pres**a**	essersela presa	me la sarei te la saresti se la sarebbe ce la saremmo ve la sareste se la sarebbero } pres**a**

TAVOLA 8

ALTERAZIONE DI NOMI, AGGETTIVI E AVVERBI

	Diminutivo	Vezzeggiativo	Accrescitivo	Dispregiativo
Suffissi	- ino (*a, i, e*)	- ello (*a, i, e*)	- otto (*a, i, e*)	- accio (*a, i, e*)
		- etto (a, i, e)	- one (*a, i, e*)	- astro (*a, i, e*)
		- uccio (*a, i, e*)		

ESEMPI:

Ho comprato un bel tavolino per il salotto.
Abbiamo fatto una gitarella in montagna.
A: Come va tuo figlio a scuola?
B: Mah, benino.
A: Questo è tuo figlio? Ma sembra un giovanotto!
B: Sì, in effetti è altino per la sua età.
Mia nonna era un donnone, molto più alta di mio nonno.
Aveva gli occhi né chiari né scuri, di un colore verdastro.
A: Hai sentito dei Rossi?
B: Sì, poveracci, rischiano di perdere la casa.

Una grammatica italiana per tutti

2

CHIAVI

1. ARTICOLI DETERMINATIVI: QUANDO NON SI USANO

Es. 1

1. sì (La), 2. no, 3. no, 4. sì (La), 5. no, 6. no

Es. 2

1. *possibile* (*ho studiato il cinese*), 2. sbagliato, 3. giusto, 4. sbagliato, 5. sbagliato, 6. possibile (degli studenti), 7. sbagliato, 8. giusto, 9. sbagliato, 10. possibile (la fisica e la matematica)

Es. 3

1. Ho una fame (molta fame), 2. nessuna differenza, 3. il lunedì (ogni lunedì), 4. nessuna differenza, 5. senza articolo (è più scorrevole)

Es. 4

1. Non c'è dubbio che ...; 2. ..., il professor Canepa, ...; 3. ...si realizzano guadagni notevoli/dei guadagni notevoli ...; 4. ...ma sono i loro genitori ...

2. NOMI: ECCEZIONI E PARTICOLARITÀ

Es. 1

1. La professoressa, 2. La studentessa, 3. La regina, 4. La nipote, 5. La volpe femmina/La femmina della volpe, 6. La sorella

1. Le dottoresse, 2. Le professoresse, 3. Le eroine, 4. Le cantanti, 5. Le nipoti, 6. Le mogli

Es. 2

1. Il boa, 2. un capitale, 3. Il fine, 4. La fine, 5. la finale, 6. il fronte

Es. 3

1. *principessa*, 2. *la professoressa*, 3. *la regina*, 4. *le nipoti*, 5. *la poetessa*, 6. *la zarina*

Es. 4

1. la, 2. La, 3. le, 4. i, 5. L', 6. le

Es. 5

1. le ossa, 2. le lenzuola, 3. i muri, 4. le gesta

Es. 6

2. l'influenza, 3. del pane, 4. nei dintorni, 6. il pubblico

3. L'ALTERAZIONE DI NOMI, AGGETTIVI E AVVERBI

Es. 1

1. affarone, 2. tipaccio, 3. finestrella/finestrina, 4. diamantino, 5. caratteraccio, 6. temporalone

Es. 2

1. benino, 2. tardino, 3. bellino, 4. golosone, 5. bruttino, 6. benone

Es. 3

1. lavoretto, 2. lavoraccio, 3. casetta, 4. villone, 5. figuraccia, 6. figurone

Es. 4

1. colpaccio, 2. momentino, 3. viziaccio, 4. storiaccia

4. AGGETTIVI INDEFINITI

Es. 1

1. tutte; 2. Alcune; 3. qualche; 4. nessun, Ogni; 5. qualsiasi; 6. alcuni, ogni, qualche

Es. 2

1. ciascuno; 2. alcuna, nessuna/alcuna, nessuna; 3. ciascun; 4. nessun/alcun; 5. alcuni

Es. 3

1. Tanto; 2. Ogni volta; 3. certi; 4. Qualsiasi treno va bene/ ogni treno va bene; 5. Qualche settimana; 6. Certe, qualche sistema

Es. 4

1. parecchi/molti, 2. ogni/qualsiasi/ciascun, 3. ogni, 4. tutte, 5. alcuni, 6. qualsiasi, 7. nessun, 8. qualsiasi

5. COMPARATIVI

Es. 1

1.*h*, 2.i, 3.f, 4.n, 5.a, 6.b, 7.d, 8.e, 9.g, 10.c, 11.m, 12.l

Es. 2 *(risposte suggerite)*

La mia città è meno rumorosa della tua; Il presidente degli Stati uniti è più famoso di me; Andare in palestra è più noioso che lavorare; In città la vita è meno divertente che al mare; Avere una villa in piscina non è costoso come avere un appartamento normale; Viaggiare in treno è scomodo come viaggiare in macchina

Es. 3 *(risposte suggerite)*

1. Franco è più nervoso di Anna; 2. Studiare l'inglese è più facile che studiare l'italiano; 3. D'inverno fa meno freddo a Napoli che a Milano; 4. Anna è alta quanto Paolo; 5. Maria è più furba che intelligente; 6. Silvia è tanto intelligente quanto furba; 7. Capisco l'inglese più di quanto lo parlo; 8. Mi piace il cinema come il teatro

Es. 4

1. quanto, 2. che, 3. di quanto, 4. come, 5. tanto, 6. quanto

6. COMPARATIVI IRREGOLARI

Es. 1

1. peggiore, 2. meglio, 3. peggio, 4. Meglio, 5. peggiore, 6. migliore

Es. 2
1. meglio, 2. maggiore/minore, 3. migliore/peggiore, 4. inferiore, 5. superiore, 6. peggio, 7. inferiore/minore, 8. maggiori/superiori

Es. 3
1. superiore, 2. peggio di Laura, 3. minore/inferiore, 4. minore, 5. maggiori, 6. peggiore, 7. migliore, 8. meglio

Es. 4
1. migliori, 2. superiore, 3. inferiori, 4. minore, 5. meglio, 6. maggiori

7. SUPERLATIVI

Es. 1
1. grassissimo, 2. le più fresche, 3. il meno simpatico, 4. bellissima, 5. intelligentissima, 6. La più piccola, 7. "Il meno caro"

Es. 2
1. Paolo è il più bravo degli studenti; 2. Le ultime giornate sono state faticosissime; 3. È una persona gentile, ma noiosissima; 4. È l'appartamento più lussuoso che abbiamo mai visto; 5. La persona che ti ho mandato è affidabilissima; 6. È il film più stupido che ho visto quest'anno; 7. Questa è la camera più grande dell'albergo; 8. È giustissimo

Es. 3 *(risposte suggerite)*
1. grandissima, 2. semplicissimo, 3. la cosa più stupida, 4. il posto meno interessante, 5. costosissimo, 6. una persona carinissima, 7. una cosa segretissima, 8. il passatempo più banale del mondo

Es. 4
1. lo *shopping* più conveniente, 2. semplicissimo, 3. l'*occasione* più ghiotta, 4. nuovissimo, 5. i *negozi* più esclusivi, 6. graditissima

8. SUPERLATIVI IRREGOLARI

Es. 1
1. migliore, 2. pessima, 3. maggior(e), 4. minima, 5. minor(e), 6. infimo

Es. 2
1. *guidava* alla massima *velocità*; 2. la peggiore; 3. migliori; 4. *neanche* la minima; 5. minime e massime; 6. una pessima *reputazione*, *ai prezzi* minori; 7. Benissimo, i migliori *risultati*

Es. 3 *(risposte suggerite)*
1. Perché no? Il migliore è il *Castello d'Oriente*; 2. Ottima idea!; 3. Sono pessimi, mi hanno fatto venire una delle peggiori allergie alla pelle che abbia mai avuto; 4. Non lo sai? Ha avuto un'ottima offerta ed è partito per Dubai; 5. Eh, purtroppo questa settimana ha avuto la crisi peggiore degli utimi tempi; 6. Beh, ci sarebbe il *Pentolone*, che è davvero ottimo; 7. Quest'anno purtroppo le esportazioni sono state minime, però in compenso abbiamo avuto il livello maggiore di scambi interni degli ultimi 5 anni; 8. Prendi questa tisana, è ottima per il mal di stomaco.

Es. 4
1. migliore, 2. minimi, 3. migliori, 4. peggiori, 5. ottimo

9. ALTRI MODI DI FORMARE COMPARATIVI E SUPERLATIVI

Es. 1 *(risposte suggerite)*
1. grande non meno della tua; 2. estremamente luminosa; 3. arcifamosi; 4. assai testardo; 5. oltremodo spazioso; 6. lucide al pari delle vostre; 7. alto alto; 8. altrettanto sicuri dei suoi; 9. ultrarigido; 10. strascontate; 11. necessario non meno che dormire; 12. altrettanto divertente che in vacanza

Es. 2 *(risposte suggerite)*
1. molto lontano, 2. altrettanto forniti che, 3. non meno stanco, 4. estremamente delicata, 5. ultramoderne, 6. importante al pari dello

Es. 3 *(risposte suggerite)*
1. Maria è altrettanto brava di sua sorella Laura; 2. Questo vino è oltremodo caro; 3. Il ristorante dove siamo andati ieri era incredibilmente cattivo; 4. Mi piacerebbe lavorare in un posto non meno interessante del tuo; 5. La mia situazione è altrettanto complicata della tua; 6. Hanno fatto un'impressione molto buona; 7. Abbiamo alloggiato in un albergo buono al pari di un quattro stelle; 8. Il suo atteggiamento è assolutamente sbagliato

Es. 4 *(risposte suggerite)*
1. estremamente pulita, 2. assai spaziose, 3. molto pittoresca, 4. altrettanto accoglienti, 5. straordinariamente disponibile

10. VERBI SEGUITI DA PREPOSIZIONI

Es. 1
1.*d*, 2.h, 3.b, 4.a, 5.g, 6.c, 7.e, 8.f

Es. 2
1. di, 2. di, 3. di, 4. di, 5. a, 6. a, 7. di, 8. a, 9. a

Es. 3
1. di, 2. a, 3. a, 4. a, 5. a, 6. a, 7. di, 8. di

Es. 4 *(risposte suggerite)*
1. *Cercherò di arrivare in tempo (tentativo)*; 2. Vado a prendere Paolo all'aeroporto (movimento); 3. Termino di scrivere questa email e arrivo (fine); 4. Non riesce proprio a prendere una decisione (capacità); 5. Iniziamo a sistemare questi libri? (inizio); 6. Ha continuato a parlare anche se c'era un forte dissenso (continuazione); 7. Vieni a mangiare qualcosa con noi? (movimento); 8. Mi sono messo a studiare il giapponese (inizio)

CHIAVI

11. PRONOMI INTERROGATIVI

Es. 1

1. quanti, chi; 2. quanto, Quale; 3. Chi; 4. che; 5.che, chi; 6. Chi, quante

Es. 2

1.*h*, 2.e, 3.f, 4.b, 5.a, 6.g, 7.d, 8.c

Es. 3 *(risposte suggerite)*

1. Con chi ci sei andata?; 2. Quanto vi siete fermati?; 3. Per quanto sono stati insieme?; 4. Quali hai preso?; 5. Quanti gliene servono?; 6. Da chi avete pranzato?; 7. A chi lo porto?; 8. Con che è fatto?

Es. 4

1. Quale onore, 2. Quanto spreco, 3. A chi lo dici, 4. Che bello, 5. A che pro, 6. Che schifo

12. PRONOMI INDEFINITI

Es. 1

1. qualcuno; 2. Troppa; 3. Alcuni, altri; 4. qualcosa; 5. chiunque; 6. Ognuno

Es. 2

1.*e*, 2.h, 3.f, 4.g, 5.a, 6.c, 7.b, 8.d

Es. 3 *(risposte suggerite)*

1. È venuto qualcuno?; 2. Niente, perché?; 3. Ti offro qualcosa?; 4. Nessuno; 5. Va bene chiunque; 6. Vuole provare altro?

Es. 4

1. Qualcosa, 2. qualcuno, 3. troppi, 4. chiunque, 5. uno/qualcuno, 6. nessuno, 7. alcuni, 8. altri, 9. molto/tanto, 10. tanto/molto, 11. qualcuno

13. ESPRESSIONI CON *CI* e *NE*

Es. 1

1.*d*, 2.g, 3.f, 4.a, 5.h, 6.e, 7.b, 8.c

Es. 2

1. ci penso; 2. ci sente; 3. ne sono, ci scommetti; 4. ne sa; 5. ci riuscirò

Es. 3 *(risposte suggerite)*

1. Chi prenota i biglietti?; 2. Sai che Marianna ha vinto un sacco di soldi alla lotteria?; 3. È troppo difficile; 4. Possiamo metterci più avanti?; 5. È vero che vogliono licenziare due persone del tuo ufficio?; 6. Conosci il marito di Franca?; 7. È lontano?; 8. Allora, ha finito?; 9. Pensi che accetterà?; 10. Allora ci vediamo sabato

Es. 4 *(risposte suggerite)*

1. ci riesco, 2. ci pensa lui, 3. ne vale la pena, 4. ci vedo, 5. Ne sei, 6. ne sai, 7. ci credo, 8. ci scommetti

14. I PRONOMI COMBINATI

Es. 1

1. *consegnarglielo*; 2. Gliel'ha portato; 3. Gliel'ho detto; 4. gliene ho parlato; 5. me l'ha raccomandato; 6. Me l'ha consigliata; 7. gliel'ho promesso; 8. ce la cambiano, ce ne danno

Es. 2

1. Sì, gliel'ho detto; 2. Un attimo, glielo passo; 3. Un attimo, te la passo; 4. Sì, me ne hanno parlato; 5. No, non glielo direi mai; 6. Va bene, ve lo spiego di nuovo; 7. No, non gliele abbiamo ancora chieste; 8. Ti piacciono? Te ne regalo una!

Es. 3

1. te ne, 2. gliel'(o), 3. la, 4. te lo, 5. l'(o), 6. ce lo, 7. glielo, 8. le

Es. 4

1. Le, 2. le, 3. le, 4. mi, 5. le, 6. ... gliele, 7. le, 8. mi, 9. gli, 10. mi/ci, 11. Ci, 12. ... lo, 13. mi/ci, 14. Lo, 15. La

15. I PRONOMI RELATIVI

Es. 1

1. che (un ragazzo), 2. per cui (per il lavoro), 3. il che (il fatto che non siamo dovuti andare), 4. Coloro che (le persone che), 5. ai quali (a Paolo e Giorgio), 6. il cui -fratello- (il fratello di Marta), 7. Chi (la persona che), 8. quello che (le cose che)

Es. 2

1. cui; 2. il cui; 3. che, il che, che; 4. che, chi, Il che, cui; 5. cui, cui

Es. 3

1. per cui, 2. che, 3. di cui, 4. che, 5. il cui, 6. le cui, 7. che

Es. 4 *(risposte suggerite)*

1. Ha trovato finalmente un lavoro con cui può permettersi l'affitto; 2. Mia moglie è depressa, il che mi preoccupa molto; 3. Ti ho parlato di mia zia, la cui casa in montagna è bella ma in cattive condizioni; 4. Ho conosciuto coloro che parlano solo di calcio, il che mi fa annoiare; 5. La sorella, con cui abitava, si è trasferita all'estero, per cui Marco pensa di cambiare casa; 6. Non parlo mai di ciò di cui non mi intendo; 7. Cercano una segretaria che parli bene due lingue ci cui possano fidarsi; 8. Non so se ha fatto quello che ha detto

16. VERBI SEGUITI DA DUE PRONOMI (VERBI PRONOMINALI)

Es. 1

1.*l*, 2.f, 3.p, 4.o, 5.n, 6.i, 7.c, 8.h, 9.g, 10.d, 11.e, 12.a, 13.m, 14.b

Es. 2 (*risposte suggerite*)

1. ce l'ho messa tutta, 2. Ce la fai, 3. se ne approfitta, 4. se l'è

legata al dito, 5. Se l'è presa, 6. me n'ero accorto, 7. me ne vado, 8. me ne lavo le mani

Es. 3

1. Ce l'ha fatta ...; 2. ... perché se ne approfitta sempre; 3. ... Lo sai che è una che se la prende; 4. Sì, me la sono sbrigata prima del previsto; 5. ... Non me n'ero accorta; 6. Non me la sento di dargli questa brutta notizia; 7. ... ce la passiamo bene; 8. ... ce ne possiamo andare

Es. 4 *(risposte suggerite)*

1. Mah, penso di essermela cavata; 2. Non so se ce la faccio; 3. No, non preoccuparti, non me la sono presa; 4. No, possiamo farcela; 5. Sì, se l'è vista brutta; 6. No, ce la siamo sbrigata in dieci minuti; 7. Grazie, non me n'ero accorto; 8. Purtroppo ce ne dobbiamo andare subito

17. IL FUTURO SEMPLICE PER IPOTESI E DEDUZIONI

Es. 1

1. suonerà; 2. sarà; 3. Sarà; 4. staranno facendo, non staranno combinando; 5. sarai; 6. Sarà

Es. 2

1. costerà/sarà, 2. saranno, 3. sarà, 4. avrà

Es. 3

1.*f* - *vero*, 2.a - ipotesi, 3.e - vero, 4.b - ipotesi, 5.c - vero, 6.d - ipotesi

Es. 4

1. sarà, 2. sarà, 3. costerà, 4. starà studiando/studierà, 5. avranno

18. IL FUTURO COMPOSTO PER IPOTESI E DEDUZIONI

Es. 1

1. sarà stato, 2. avrò preso, 3. Saranno state, 4. Avrà perso, 5. avrà avuto, 6. si sarà perso/avrà trovato

Es. 2

1. sarà stato, 2. si saranno divertiti, 3. ci sarà stato, 4. avrai lasciate

Es. 3 *(risposte suggerite)*

1. Avrà cambiato idea, 2. Saranno state le dieci, 3. Non avrà studiato abbastanza, 4. Avranno litigato, 5. Ci sarà stato uno sciopero, 6. Avranno giocato troppo

Es. 4

1. avranno traslocato, 2. Saranno, 3. sarà, 4. avranno valutato

19. IL FUTURO: ALTRI USI

Es. 1

1. mi scuserà, 2. Ti dirò, 3. sarai, 4. Le dirò, 5. vorrà scusarmi, 6. Manderai

Es. 2

1. Sarà, 2. dirà, 3. ammetterai, 4. dirai, 5. sembrerà, 6. vorrai

Es. 3

1.d, 2.a, 3.b, 4.d, 5.d, 6.b, 7.c, 8.d

Es. 4 *(risposte suggerite)*

1. Ti dirò, non mi convince del tutto; 2. Sarà anche bella ma è così arrogante!; 3. Sarà anche rilassante ma non è un po' triste?; 4. Lei mi scuserà ma ho un impegno di lavoro.

20. IL PASSATO REMOTO

Es. 1

1. correre, 2. chiedere, 3. tenere, 4. volere, 5. dare, 6. scappare, 7. stare, 8. fare, 9. essere, 10. avere, 11. sapere, 12. restare

Es. 2

1. finì, applaudirono; 2. salutai, partì, ebbi; 3. restammo, ricevemmo; 4. fu, portò; 5. Sentii, mi svegliai, pensai

Es. 3

debuttai - debuttare, feci - fare, cascai - cascare, corsi - correre, passai - passare, girai - girare

Es. 4

1. sviluppò, 2. diede, 3. fu, 4. impiegò, 5. decise, 6. fu, 7. volle

21. IL TRAPASSATO REMOTO

Es. 1

1. ebbe dormito, 2. fui partito, 3. aveste viaggiato, 4. fosti rimasto, 5. si furono alzati, 6. avemmo deciso

Es. 2 *(risposte suggerite)*

1. Dopo che ebbe aperto la finestra, saltò giù; 2. Appena ebbi parlato con il direttore, decisi di dare le dimissioni; 3. Non appena foste entrate/i nella stanza, vedeste la confusione; 4. Appena furono arrivati tutti, il presidente dichiarò aperti i lavori della commissione; 5. Appena fummo passati a trovare Silvia, proseguimmo il viaggio; 6. Dopo che aveste telefonato a Giulia, andaste all'ospedale

Es. 3

1. ebbe finito, 2. guardò, 3. arrivai, 4. ebbero ricevuto, 5. ebbe saputo, 6. vidi

Es. 4

1. entrai, 2. fui entrato, 3. portai, 4. ebbi caricato, 5. tornai, 6. ebbi osservata, 7. avvicinai, 8. uscii, 9. ebbi controllato

22. L'IMPERATIVO PER IL *LEI*

Es. 1

1. aspetti qui; 2. gli dica; 3. Mi dia; 4. Vada, giri; 5. Non si preoccupi; 6. Si accomodi; 7. Stia calmo; 8. Mi porti

Es. 2

1. Tagli, 2. tolga, 3. Triti, 4. mescoli, 5. Scaldi, 6. metta, 7. Giri, 8. copra, 9. cuocia

Es. 3 *(risposte suggerite)*

1. Aspetti; 2. Si accomodi; 3. non dimentichi; 4. porti, vada, faccia, lavi; 5. Dica, faccia, ritorni; 6. parli; 7. Richiami; 8. Scusi

Es. 4 *(risposte suggerite)*

1. Telefoni ad un'agenzia, 2. Trovi una brava baby-sitter, 3. Si consulti con sua sorella, 4. Lo faccia seguire da qualcuno, 5. Aspetti ancora un po', 6. Vada da un buon dietologo, 7. Si prenda un po' di tempo per sé, 8. Si iscriva ad un club

23. L'IMPERATIVO: CONTRASTO *TU/LEI*

Es. 1

A: Scusi, mi sa dire come ...
B: Allora, vada dritto, ... giri a sinistra, prosegua dritto ...
A: Senta, sa se c'è ...
B: Sì, guardi, la trova ...

Es. 2

1. Stia; 2. dammi; 3. si accomodi; 4. Compragliela; 5. vattene; 6. Mi dia, me lo tagli; 7. Non ti preoccupare/Non preoccuparti; 8. lo metta

Es. 3 *(risposte suggerite)*

1. entri, metta, il suo; 2. Guarda, tue; 3. dammi; 4. Non fare; 5. Scusi; 6. porta, i tuoi; 7. Me la cambi, provi; 8. me lo passi

Es. 4

1. Vada da Marchi ...; 2. ... mi firmi queste ...; 3. Ciao Anna, ... Senti ...; 4. ... dimmi se è libero dopo le due ...; 5. Un momento, scusi ...; 6. ... gli faccia firmare ...; 7. ... non perda troppo tempo ...

24. IL CONGIUNTIVO PRESENTE: VERBI REGOLARI

Es. 1

Compri, compri, compri, compriamo, compriate, comprino; Legga, legga, legga, leggiamo, leggiate, leggano; Parta, parta, parta, partiamo, partiate, partano; Capisca, capisca, capisca, capiamo, capiate, capiscano

Es. 2

1.*d*, 2.a, 3.f, 4.c, 5.b, 6.e

Es. 3

1. cerchino, 2. finisca, 3. parli, 4. perdano, 5. spediate, 6. guardino

Es. 4

1. desiderino, 2. rischi, 3. diventi, 4. resti, 5. continui

25. IL CONGIUNTIVO PRESENTE: VERBI IRREGOLARI

Es. 1

1. veniate, 2. voglia, 3. faccia, 4. possiamo, 5. proponga, 6. esca

Es . 2

Sia, sia, sia, siamo, siate, siano; Abbia, abbia, abbia, abbiamo, abbiate, abbiano; Dia, dia, dia, diamo, diate, diano; Stia, stia, stia, stiamo, stiate, stiano; Debba, debba, debba, dobbiamo, dobbiate, debbano

Es. 3

1. debba, 2. stia, 3. abbia, 4.diano, 5. sappiate, 6. siano

Es. 4

1. possa, 2. debbano, 3. ci sia, 4. sia, 5. si facciano, 6. diano

26. IL CONTRASTO TRA CONGIUNTIVO E INDICATIVO

Es. 1

1.D, 2.A, 3.B, 4.D, 5.C, 6.B, 7.A, 8.D

Es. 2

1. Pare che, 2. So che, 3. mi sembra, 4. sono sicuro che, 5. penso che, 6. Mi auguro che, 7. temo che, 8. Speriamo che

Es. 3 *(risposte suggerite)*

1. Non sono sicuro che questo cane sia di razza Beagle, 2. Credo che/Penso/Mi sembra che Praga sia una città molto bella, 3. Credo che/Penso/Mi sembra che i Martini stiano divorziando, 4. Mi sembra che bussino/stiano bussando/ qualcuno stia bussando, 5. Non sono sicuro che dica la verità, 6. Credo che/Penso/Mi sembra che Nicola parta domani mattina, 7. Non so dove sia Ponte Vecchio, 8. Cerco una baby sitter che parli italiano e francese

Es. 4

1. è, 2. è, 3. ha, 4. ci sono, 5. ha/possiede, 6. abita/vive, 7. si svegli/si alzi, 8. faccia, 9. preferisca, 10. è, 11. è

27. IL CONGIUNTIVO PASSATO

Es. 1

1. *sia uscito/a*, 2. abbia detto, 3. sia stato/a, 4. abbia letto, 5. abbia preso, 6. sia stato/a, 7. abbia avuto, 8. abbia aspettato, 9. abbia fatto, 10. abbia visto

Es. 2

1. sia tornata, 2. abbia avuto, 3. si sia stancata, 4. abbia detto, 5. abbia capito, 6. abbia fatto

Es. 3 *(risposte suggerite)*

1. Penso siano stati i bambini; 2. Mi sembra che abbia litigato con Giulia; 3. Credi che a Marco sia piaciuto il regalo?; 4. Mi sembra che sia andata benissimo!; 5. Ti sembra che Paul si sia divertito?; 6. Credi che abbia portato tutto?

Es. 4

1. c'è, 2. ci sia, 3. è, 4. sia stato, 5. sia, 6. è, 7. abbia parlato, 8. sia, 9. è, 10. abbia perso, 11. ci siano, 12. valga

28. IL CONGIUNTIVO PRESENTE/PASSATO PER ESPRIMERE OPINIONI E DESIDERI

Es. 1

1. sia, 2. si sia laureata, 3. possa, 4. sia, 5. abbia, 6. abbia fatto

Es. 2

1. possa, 2. nevichi, 3. sia/sia stato, 4. vi siate divertiti, 5. vada, 6. faccia/abbia fatto

Es. 3 *(risposte suggerite)*

1. Penso che sia una valida alternativa, 2. Credo che sia una vacanza ideale per le famiglie, 3. Mi sembra che offra molto tempo libero, 4. Ritengo che siano importanti per la società

Es. 4 *(risposte suggerite)*

1. Mi auguro che i governi si impegnino di più, 2. Speriamo che finiscano presto, 3. Spero che un giorno abbia un costo accessibile, 4. Speriamo che non succeda mai più una cosa simile

29. ESPRESSIONI CON IL CONGIUNTIVO PRESENTE/PASSATO

Es. 1

1. *f*, 2.e, 3.a, 4.b, 5.h, 6.g, 7.d, 8.c

Es. 2

1. sia, 2. ci sia, 3. è, 4. preferisca, 5. promette, 6. abbiate

Es. 3

1. possano, 2. dica/dicano, 3. vada, 4. possono, 5. arrivi, 6. sono

Es. 4

1. a patto che, 2. qualsiasi, 3. A meno che *tu* non, 4. prima che, 5. Malgrado, 6. comunque

30. IL CONGIUNTIVO PRESENTE/PASSATO USATO IN MODO INDIPENDENTE

Es. 1 *(risposte suggerite)*

1. che sia partita?; 2. Che abbiano litigato?; 3. che stia dormendo?; 4. che abbia fame?; 5. che ci sia sciopero?; 6. Che stia male?

Es. 2

1. mi dica, 2. aspetti, 3. si accomodi, 4. senta, 5. ascolti, 6. firmi, 7. entri, 8. salga, 9. prenda, 10. mi dia, 11. finisca, 12. spenga

Es. 3

1. ... Decida Lei!; 2. Aspetti, mi dica ...; 3. Mi dia ...; 4. ... esca pure!; 5. Faccia pure ...; 6. Si ricordi ...

Es. 4

1. Venga, 2. che sia, 3. Che sia successo, 4. si sieda, 5. Che ci sia andato

Es. 5

1. Che ci vada da solo!; 2. E sia!; 3. Sia ringraziato il cielo!; 4. Crepi!

31. IL CONGIUNTIVO PRESENTE/PASSATO: ALTRI USI

Es. 1 *(risposte suggerite)*

1. esca, 2. paghiamo/si paghi, 3. scriva, 4. faccia, 5. parliate, 6. sia

Es. 2 *(risposte suggerite)*

1. Basta, 2. Dispiace, 3. occorre, 4. capita, 5. Bisogna, 6. Pare

Es. 3 *(risposte suggerite)*

1. È il film più brutto che abbia mai visto, 2. È la canzone più bella che abbia mai sentito, 3. È il ragazzo più simpatico che conosca, 4. È la macchina meno cara che abbia trovato

Es. 4

1. è bene che, 2. è probabile che, 3. più spiacevole che, 4. pare che, 5. Dispiace che, 6. bisogna che

32. IL CONGIUNTIVO IMPERFETTO: VERBI REGOLARI

Es. 1

Comprassi, comprassi, comprasse, comprassimo, compraste, comprassero; Leggessi, leggessi, leggesse, leggessimo, leggeste, leggessero; Partissi, partissi, partisse, partissimo, partiste, partissero; Capissi, capissi, capisse, capissimo, capiste, capissero

Es. 2

1. potessero, 2. andassero, 3. volessi, 4. sapessi, 5. voleste, 6. dovesse

Es. 3

1. Non so se Nicola andasse ...; 2. Sì, credo che avesse ...; 3. Mi sembra che i Rossi non volessero ...; 4. Credo che mio nonno parlasse ... e conoscesse ...

Es. 4
1. avessero, 2. mangiaste, 3. di fare, 4. costassero, 5. di abituarmi, 6. chiudessero

33. IL CONGIUNTIVO IMPERFETTO: VERBI IRREGOLARI

Es. 1
Fossi, fossi, fosse, fossimo, foste, fossero; Dicessi, dicessi, dicesse, dicessimo, diceste, dicessero; Facessi, facessi, facesse, facessimo, faceste, facessero; Stessi, stessi, stesse, stessimo, steste, stessero; Dessi, dessi, desse, dessimo, deste, dessero

Es. 2
1. faceste, 2. fossi, 3. stesse, 4. componesse, 5. dicessero, 6. traducessi

Es. 3 *(risposte suggerite)*
1. ... qualcuno parlasse, 2. ... fosse dentista, 3. ... fosse nervoso, 4. ... proponessero qualcosa di nuovo

Es. 4
1. venissi, 2. fossi, 3. fossero, 4. volessero, 5. colpisse, 6. avessimo

34. IL CONGIUNTIVO TRAPASSATO

Es. 1
1.*e*, 2.a, 3.h, 4.c, 5.g, 6.b, 7.f, 8.d

Es. 2
1. ... fossi già uscita, 2. penso che avessero già accettato un'offerta migliore, 3. mi sembra che lui avesse già comprato un biglietto per la partita, 4. mi pare che gli avesse consigliato di non farlo

Es. 3 *(risposte suggerite)*
1. avesse trovato qualcosa, 2. avesse mentito, 3. si fosse sposato, 4. l'avessero già letto, 5. vi foste divertiti, 6. le avessi perse

Es. 4
1. fosse avvenuta, 2. fossero stati, 3. avesse comprato, 4. avesse prodotto, 5. fosse già cessata, 6. avessero conservato

35. IL PERIODO IPOTETICO

Es. 1
1.*c*, 2.d, 3.b, 4.a, 5.f, 6.e

Es. 2 *(risposte suggerite)*
1. Se non ci fossero i soldi ...; 2. ... sarebbe molto triste; 3. Se avessi molto tempo a disposizione ...; 4. ... avremmo altri sistemi di comunicazione; 5. Se non avessi fatto il meccanico ...; 6. ... probabilmente sarebbe noioso

Es. 3
1. l'avrei fatto, 2. avessero dato, 3. fosse, 4. volesse

Es. 4
1. aveste parlato, 2. rifletterebbe, 3. fossi, 4. accettasse

36. ESPRESSIONI CON IL CONGIUNTIVO IMPERFETTO/TRAPASSATO

Es. 1
1.*f*, 2.c, 3.e, 4.a, 5.d, 6.b

Es. 2 *(risposte suggerite)*
1. *Almeno* avessi portato un libro!; 2. *Se solo* avessi studiato di più!; 3. *Se* avesse aspettato ancora cinque minuti!; 4. *Magari* potessi!

Es. 3
1. fossi; 2. avessi perso; 3. si verificassero; 4. se lo aspettasse/se lo fosse aspettato; 5. avessi/avessimo preso il treno!; 6. sapesse

Es. 4
1. hai, 2. fosse, 3. cambia, 4. avesse/tenesse, 5. l'avessi fatto, 6. abbiamo

37. Il CONGIUNTIVO IMPERFETTO/ TRAPASSATO USATO IN MODO INDIPENDENTE

Es. 1
1. L'avessimo saputo!; 2. Si mettessero; 3. Spendessi; 4. *Ci* lasciassero

Es. 2
1. gli venisse un accidente!; 2. Fossi matto!; 3. Fosse vero!; 4. mi venisse un colpo!

Es. 3 *(risposte suggerite)*
1. *Che* avesse qualche problema di lavoro?; 2. *Che* avesse litigato con la moglie?; 3. *Che* stesse dormendo?; 4. *Che* avesse perso il treno?

Es. 4
1. fossi rimasta, 2. vedessi, 3. Fosse, 4. stesse scherzando, 5. venisse, 6. fosse

38. IL CONGIUNTIVO IMPERFETTO/ TRAPASSATO: ALTRI USI

Es. 1
1. preparasse, fosse; 2. avesse raccontato; 3. aveste scritto; 4. smettesse; 5. ci fosse; 6. avessi parlato

Es. 2
1. Vorrei che tu scrivessi subito la email, 2. Preferirei che tu non dicessi niente, 3. Vorrei che lui uscisse, 4. Desidererei che

ogni cosa venisse chiarita, 5. Preferirei che loro non fossero presenti, 6. Vorrei che voi ascoltaste attentamente

Es. 3

1. ... mi ha chiesto se avessi saputo che aveva superato l'esame; 2. Spesso mi domando come facessero ...; 3. Mi sono chiesto perché Marina non mi avesse più chiamato; 4. ... mi ha chiesto se avessi finito la tesi

Es. 4

1. fosse, 2. avesse, 3. pensassi, 4. volesse, 5. raccontasse, 6. avesse *mai* immaginato

39. L'INFINITO, IL PARTICIPIO E IL GERUNDIO

Es. 1

Aver perso, perdente, perso/perduto, perdendo, avendo perso; Aver avuto, abbiente, avuto, avendo, avendo avuto; Aver prodotto, producente, prodotto, producendo, avendo prodotto; Aver condotto, conducente, condotto, conducendo, avendo condotto; Aver parlato, parlante, parlato, parlando, avendo parlato; Aver fatto, facente, fatto, facendo, avendo fatto; Aver corso, corrente, corso, correndo, avendo corso; Aver potuto, potente, potuto, potendo, avendo potuto; Esser morto, morente, morto, morendo, essendo morto; Aver passato/esser passato, passante, passato, passando, avendo passato/essendo passato

Es. 2

1. fatto, essere uscito; 2. ballare, avendo avuto; 3. mangiato; 4. Finito; 5. tornando; 6. crescente

Es. 3

1. presa; 2. Aspettare, cercare; 3. studiando; 4. essere uscito; 5. amanti; 6. avendo preso

Es. 4

3. mangiare, 4. viaggiando, 5. uscendo, 6. Terminata

40. L'INFINITO SOSTANTIVATO

Es. 1

1. La sopravvivenza, 2. La sofferenza, 3. Il risveglio, 4. La pratica, 5. L'insorgenza, 6. Il superamento, 7. L'affollamento, 8. L'assicurazione, 9. Lo stupore, 10. La partenza

Es. 2

1. Il crescere continuo ...; 2. Sbagliare in questo caso è giustificabile; 3. Verso il finire ...; 4. *Non capisco* il suo meravigliarsi ...; 5. Il suo criticare è sempre stato costruttivo; 6. Il costante aumentare/L'aumentare costante ...; 7. Esaminare la situazione ...; 8. Vivere ...

Es. 3

1. Il piacere; 2. un affaticarsi; 3. l'ingrassare, combinare; 4. studiare, stare; 5. il protrarsi; 6. un parere

Es. 4 *(risposte suggerite)*

1. Viaggiare, 2. Lo stabilire il prezzo, 3. Fare regolarmente dello sport, 4. Il mettersi in viaggio in macchina dopo un pasto troppo abbondante, 5. Risolvere un problema difficile, 6. Il diventare ricchi, 7. Avere successo, 8. Il prendersela troppo

41. USO DELL'INFINITO E DEL GERUNDIO DOPO VERBI DI PERCEZIONE

Es. 1

1. entrare, 2. Li ho sentiti dire, 3. stando, 4. aprendo, 5. suonare, 6. mettere

Es. 2

1. *h*, 2.d/c, 3.b, 4.f, 5.a, 6.e, 7.g, 8.c/d

Es. 3 *(risposte suggerite)*

1. aprire, 2. guidando, 3. passare, 4. lavorare, 5. giocando in giardino, 6. entrando

Es. 4 *(risposte suggerite)*

1. Vicino alla lavatrice, l'ho visto andano in camera; 2. Sì, l'ho ascoltato per caso parlarne con un collega; 3. Sì, l'ho vista andare nella sua camera; 4. L'ho sentito dire, ma non so se è stato confermato; 5. L'ho notato subito aprendo la porta; 6. Tranquilla, ho osservato un sacco di volte l'idraulico farlo

42. USO DI *STARE* CON IL GERUNDIO E L'INFINITO

Es. 1

1. Ieri stavo per perdere il treno; 2. Anna ha detto che sta per arrivare; 3. Non sapevo che Clara e Silvio stavano per sposarsi; 4. Sto leggendo un libro; 5. No, signora, stiamo per chiudere; 6. Stavo per chiedertelo; 7. Maria, sto per uscire ...; 8. ... il treno sta per partire

Es. 2

1. stavo per uscire, 2. state facendo, 3. starà giocando, 4. stiamo finendo, 5. sta per cominciare, 6. stavi dicendo, 7. Stavo per andarmene, 8. stesse per morire

Es. 3 *(risposte suggerite)*

1. sto per entrare in riunione, 2. sta per partire, 3. state combinando, 4. stava dormendo, 5. stavate per uscire, 6. stessero andando a Roma, 7. Stavano per farlo, 8. stava per morire

Es. 4 *(risposte suggerite)*

1. stanno per avverarsi, 2. si sta avvicinando, 3. stiamo preparando, 4. stanno per finire, 5. state aspettando, 6. state per realizzare

43. FRASI TEMPORALI CON L'INFINITO

Es. 1

1. Sono uscito dopo aver finito di mangiare; 2. Dopo avermi salutato è andata a prendere l'autobus; 3. Prima di andare a pranzo ha fatto una telefonata; 4. Dopo esserci cambiati siamo andati in palestra; 5. Dopo aver letto la lettera ha deciso di telefonarti; 6. Prima di venire a parlarmi ti sei messa d'accordo con lui; 7. Dopo aver aspettato più di un'ora, se ne sono andati; 8. Prima di mandarti il fax ha controllato

Es. 2 *(risposta suggerita)*

Ieri sono uscito di casa verso le 8:30. Prima di entrare in ufficio, alle 9:10, mi sono fermato all'edicola a comprare il giornale. Alle 11:00, prima di entrare in riunione, mi ha chiamato il capo. Dopo aver finito la riunione, all'una, sono andato a pranzo. Dopo essere rientrato in ufficio, alle 14:30, ho avuto un altro incontro con il capo. Prima di uscire dall'ufficio, ho fatto la prenotazione del volo per Londra

Es. 3

1. prima che uscisse; 4. prima di andare, dopo aver abitato

Es. 4 *(risposte suggerite)*

... Dopo aver scelto il colore ... mettilo in lavatrice con il capo ... prima di iniziare a tingere, pesa sempre il capo ... prima di tingere controlla anche se il capo contiene ... Dopo aver messo tutto in lavatrice, fai un lavaggio a 60 gradi. Dopo aver finito il primo lavaggio, fanne un altro con un po' di detersivo. Dopo aver ritirato il capo tinto dalla lavatrice, fallo asciugare all'ombra

44. FRASI SUBORDINATE CON IL GERUNDIO

Es. 1

Condizionale	Causale	Temporale	Concessiva
5	2, 7	3, 4, 8	1, 6

Es. 2

1. Pur chiedendoglielo in ginocchio, ...; 2. Se facessi un po' di sport ...; 3. Se giri quella manopola a sinistra; 4. Avendo messo tutto in ordine, ...; 5. ... sapendo che non eri libera questo sabato; 6. Pur essendo molto in gamba, ...; 7. Quando si è accorto che aveva sbagliato il giorno ...; 8. Arrivando a casa, abbiamo visto una macchina ...

Es. 3 *(risposte suggerite)*

1. Essendomi accorto che il treno stava per partire, mi sono affrettato; 2. Sapendo che usciva un nuovo film, siamo andati al cinema; 3. Ieri, guardando il telegiornale; 4. Facendo dei lavori in cantina; 5. Anche volendo, non avrebbe accettato dei soldi da me; 6. Pur essendo il più qualificato, hanno preferito una persona più giovane; 7. Ieri, tornando a casa; 8. Pur essendo stati molto amici in passato, adesso non abbiamo più niente da dirci

Es. 4

1. Pur essendo circondati nel Porto Antico ...; 2. entrando nel Museo Nazionale ...; 3. Scegliendo di fare il viaggio ...; 4. ... ascoltando in sottofondo ...; 5. sentendo crescere la voglia di fresco ...

45. FRASI SUBORDINATE CON IL PARTICIPIO

Es. 1

Causale	Temporale
2, 4, 7	1, 3, 5, 6, 8

Es. 2

1. Terminata la discussione, ...; 2. Quando l'hai fatto una volta, ...; 3. Dopo che tutti si sono seduti, ...; 4. Considerati tutti i costi, ...; 5. Siccome avevo distrutto la macchina, ...; 6. Persa la coincidenza, ...; 7. Quando avete tritato l'aglio e il prezzemolo, ...; 8. Tolta la vernice vecchia ...

Es. 3 *(risposte suggerite)*

1. Finito di mangiare in quel ristorante, ce ne siamo andati a ballare; 2. Fatti i conti, ho visto che non mi conveniva; 3. Sposato quel ragioniere di cui ti parlavo, si è trasferita in un'altra città; 4. Lasciato il vecchio lavoro, si è preso un anno sabbatico per girare il mondo; 5. Fatti gli ultimi test, dovremmo poter consegnare i risultati lunedì prossimo; 6. Tutto considerato, ci conviene vendere la casa; 7. Dati i miei voti a scuola, hanno deciso di mettermi in punizione; 8. Sei pazzo?! Restaurato un po' sarà di nuovo bellissimo

Es. 4

1. ... vissute esperienze ...; 2. ... arrestata, perde le tracce ...; 3. ... Rimessa in libertà ...; 4. ... accettato l'aiuto di una vecchia amica ...; 5. ... Arrivati alla fine del film ...; 6. ... le solite commedie, vista una viste tutte ...; 7. ... Alla peggio, finito il film ...

46. ESPRESSIONI IDIOMATICHE CON INFINITO, PARTICIPIO E GERUNDIO

Es. 1 *(risposte suggerite)*

1.g, 2.a, 3.c, 4.h, 5.d, 6.b, 7.e, 8.f

Es. 2

1. Lavoro permettendo ...; 2. Visto e considerato che non mi aiuti mai ...; 3. A dire la verità ...; 4. A sentire i medici ...; 5. Detto tra noi ...; 6. A furia di litigare sempre fra voi ...; 7. A partire dal 20 settembre ...; 8. A prescindere da altre cose ...

Es. 3 *(risposte suggerite)*

1. A sentire te ...; 2. Tutto sommato ...; 3. Onestamente parlando ...; 4. Detto fra noi ...; 5. A dire la verità ...; 6. A prescindere da tutto ...; 7. A partire dalla prossima settimana ...; 8. ... Detto, fatto

Es. 4 *(risposte suggerite)*

1. Ho sentito che Giacomo ha vinto la medaglia d'oro al tiro con l'arco!; 2. Hai mai pensato di comprare il tuo appartamento, invece di pagare l'affitto?; 3. Dicono che questo lavoro si può finire in dieci giorni; 4. Alla fine ha deciso di non vendere la casa; 5. Allora, ci vediamo sabato alla cena di Mario?; 6. Allora, alla fine non vi trasferirete a Parigi per due anni; 7. Ma loro lo sanno?; 8. È arrivato secondo alla gara?

47. *ESSERE* USATO NELLA FORMA PASSIVA

Es. 1

Forma passiva	Forma passiva
SI	NO
2, 3, 5, 6, 9, 12, 13	*1*, 4, 7, 8, 10, 11, 14, 15

Es. 2

1. Da chi è stato rotto il vaso?; 2. Quello stilista è conosciuto da tutti; 3. Da chi ti è stata data quella notizia?; 4. Da quante persone è già stato pagato il conto?; 5. Credo che sia già stato preso; 6. Dove sono state trovate queste lettere?; 7. A chi sarà stata venduta quella casa?; 8. Paolo, sei desiderato alla cassa (da qualcuno)

Es. 3

1. è stato buttato; 2. è fatta, è pescato; 3. è visitato, essere conosciuti; 4. Siamo stati finanziati; 5. fossero stati invitati; 6. sono stata battezzata, sono stata chiamata

Es. 4

1. In questa polizza rivoluzionaria è stato incluso un servizio ...; 2. potrà essere integrato con un'ampia offerta ...; 3. la polizza *Oggisalute* è stata pensata ...; 4. possa essere adattata da ogni cliente ...; 5. il tipo di copertura assicurativa è scelto autonomamente da chi si affida alla nostra polizza ...; 6. potrà essere trovata la combinazione più adatta di servizi ...; 7. potranno essere acquistate ad un prezzo conveniente ...

48. *ANDARE* E *VENIRE* USATI NELLA FORMA PASSIVA

Es. 1

1. Signora, il biglietto andava timbrato ...; 2. Oggi l'ufficio verrà chiuso ...; 3. ... il pane e la pasta venivano fatti ancora in casa; 4. ... vengono garantiti due anni; 5. Questa situazione va risolta ...; 6. Tutte le domande vanno inviate ...; 7. Fate attenzione: questi fili non vanno mai toccati ...; 8. I prodotti vengono controllati ...

Es. 2

1. va pagato, 2. vanno consegnati, 3. viene ricavato, 4. va ripetuto, 5. viene riparato, 6. vanno spedite, 7. viene curato

Es. 3

1. viene fatta; 2. va pulito, vanno usati; 6. viene ascoltata

Es. 4

1. ... vanno seguiti i nostri consigli, 2. ... vengono ottenuti degli addominali perfetti, 3. le ginocchia vanno piegate e cinte con le mani, 4. ... saranno efficaci se verranno ripetuti almeno sei volte

49. IL *SI* PASSIVANTE

Es. 1

1. si comprano, 2. si applica, 3. si dovrebbero fare, 4. Si sono offerte, 5. Si era ristrutturata, 6. Ha promesso che si sarebbe fatta

Es. 2 *(risposte suggerite)*

1. si vendono libri usati, 2. non si notavano molte cose, 3. si dovrebbe discutere ancora di una cosa, 4. si faranno molti cambiamenti, 5. si mangiano molti gelati, 6. si offrono molti servizi

Es. 3

1. si vendono, 2. si sono trovati, 3. si usano, 4. si lavoravano, 5. si devono spedire, 6. si sono visti

Es. 4

1. Si ricordano alcune regole ...; 2. ... i prezzi prima dell'inizio dei saldi si devono monitorare ...; 3. ... si può poi verificare l'attendibilità ...; 4. ... si prevedono pene severe ...

50. IL DISCORSO INDIRETTO: TEORIA

Es. 1

1.c, 2.b, 3.a, 4.c, 5.c, 6.a

Es. 2 *(risposte suggerite)*

1. Ha chiesto se aveva sentito che le biciclette non si potevano più lasciare nel cortile; ha risposto che credeva che avessero fatto bene, perché ce n'erano troppe e non si riusciva quasi a passare; 2. Li ha invitati ad accomodarsi; hanno ringraziato. Ha chiesto se gli poteva offrire qualcosa da bere, forse un caffè e hanno accettato dicendo che era molto gentile; 3. Ha chiesto se non avrebbe potuto tornare più tardi perché stava per entrare in riunione; ha risposto che gli/le dispiaceva, ma che era molto urgente e che doveva parlagli/parlarle subito; 4. Ha chiesto se credeva che si fossero dimenticati dell'appuntamento perché erano in ritardo di un'ora. Ha risposto di no perché erano lì e stavano parcheggiando la macchina; 5. Ha esclamato di smetterla di fare rumore perché stava parlando al telefono; ha risposto di scusarlo/scusarla; 6. Ha detto che quel posto non gli/le piaceva e ha proposto di andarsene; ha risposto che erano appena arrivati e che dovevano restare almeno mezz'ora altrimenti Paolo si sarebbe offeso

Es. 3 *(risposte suggerite)*

Lei: Non posso continuare così! Mi sento in colpa, racconterò tutta la verità!

Lui: No, ti prego, non mettermi nei guai! Andrà tutto bene se solo resteremo uniti e non perderemo la calma.

Lei: È inutile, ormai non ti credo più; ho continuato a mentire per troppo tempo, adesso è il momento di parlare.

Lui: Ti stai comportando come una vigliacca! Non ti è mai importato niente di me, pensi solo ai tuoi interessi! E io che ho fatto tutto questo per noi due!

Lei: Pensa pure quello che vuoi, io da Piero ci vado lo stesso e gli dico tutto.

Lui: Va bene, allora vattene e lasciami in pace!

Es. 4 *(risposte suggerite)*

Versione 1

Il medico afferma che ci sono risultati che li lasciano stupefatti, per esempio pazienti che migliorano anche quando prendono una pillola di zucchero invece della medicina. Aggiunge però che loro che si trovano a gestire i malati di depressione non sono purtroppo in grado di prevedere chi risponderà al placebo e chi no. Ammette che finora tutti i tentativi di identificare il profilo del paziente in grado di rispondere positivamente al placebo sono falliti e che sperano che, dallo studio del cervello e dei geni, potranno avere un identikit più preciso delle persone che possono guarire solo con un'iniezione di fiducia. Conclude che sarebbe molto utile, sia per loro che per le case farmaceutiche, poter prevedere in anticipo quale paziente potrà ricevere benefici dai farmaci e quale invece dovrà usare altre terapie

Versione 2

Il medico ha affermato che c'erano risultati che li lasciavano stupefatti, per esempio pazienti che miglioravano anche quando prendevano una pillola di zucchero invece della medicina. Ha aggiunto però che loro che si trovavano a gestire i malati di depressione non erano purtroppo in grado di prevedere chi avrebbe risposto al placebo e chi no. Ha ammesso che fino ad allora tutti i tentativi di identificare il profilo del paziente in grado di rispondere positivamente al placebo erano falliti e che speravano che, dallo studio del cervello e dei geni, avrebbero potuto avere un identikit più preciso delle persone che potevano guarire solo con un'iniezione di fiducia. Ha concluso che sarebbe stato molto utile, sia per loro che per le case farmaceutiche, poter prevedere in anticipo quale paziente avrebbe potuto ricevere benefici dai farmaci e quale invece avrebbe dovuto usare altre terapie

51. IL DISCORSO INDIRETTO PER RIFERIRE MESSAGGI/INFORMAZIONI

Es. 1 *(risposta suggerita)*

Per Marina

Ho parlato con l'agenzia: hanno detto che l'appartamento che ci interessava l'hanno già affittato, però ne hanno un altro a 700 euro al mese che è sempre bilocale però è semiarredato, dicono che ci sono tavoli, letti e forse anche un armadio però non c'è la cucina. Hanno detto che se vogliamo fissare un appuntamento per vederlo è meglio non far passare troppo tempo perché hanno molte richieste per questi bilocali. Gli ho detto che lo chiamiamo entro la settimana

Es. 2 *(risposta suggerita)*

Il titolare del chiosco di Via ... ha dichiarato che dopo vent'anni di lavoro era costretto a chiudere perché nessuno veniva da loro per comprare un'anguria intera, la gente andava al supermercato oppure dai camion.

I titolari del chiosco in Piazza ... hanno dichiarato che ogni sera venivano da loro dalle 300 alle 400 persone, in gran parte famiglie con bambini, oppure anziani che cercavano un momento di sollievo all'afa estiva spendendo poco e che adesso non verrà più nessuno quindi hanno già chiuso il loro chiosco.

Il capogruppo dell'opposizione comunale ha attaccato dicendo che è una decisione da pazzi che danneggia i cittadini più deboli che non possono lasciare la città e che intere famiglie si ritrovano senza lavoro. Ha quindi invitato il sindaco ad intervenire

Es. 3 *(risposte suggerite)*

1. A: Signora, il tubo per il momento può andare, però dovrò ritornare a sostituire un altro pezzo.
   B: Ho capito, e quando può venire?
   A: Guardi, non prima di una settimana, dieci giorni perché abbiamo delle persone in ferie.
2. A: Sono la sorella di Paola, c'è?
   B: No, devo lasciare detto qualcosa?
   A: Sì, guarda, dille per favore che ho trovato la taglia dei pantaloni che voleva ma non il colore e di farmi sapere se glieli devo prendere lo stesso o no.
3. A: Sono la collega di Sergio, è in casa?
   B: No, torna verso le nove.
   A: Senta, gentilmente gli può dire di richiamarmi urgentemente, perché non troviamo il doppione delle chiavi dell'ufficio e magari per caso ce l'ha lui.
4. A: Qui è lo studio dentistico, potrei parlare con il Sig. Romano?
   B: Non c'è, posso riferire?
   A: Sì, grazie, vorremmo sapere se può spostare l'appuntamento da mercoledì a venerdì, sempre alle 17:30, perché il dottore purtroppo mercoledì ha un impegno imprevisto.
   B: Va bene, glielo dico appena torna.
   A: Grazie, se può farci sapere qualcosa al più presto ...
   B: Senz'altro, arrivederci.
5. A: Ciao, sono Laura, c'è Marco?
   B: No, è in palestra.
   A: Senti, posso lasciare un messaggio?
   B: Certo, dimmi.
   A: Gli puoi dire che la festa non si fa più a casa mia, ma a casa di uno che non conosce, quindi mi deve chiama-